VRIENDEN VOOR HET LEVEN

DANIELLE STEEL

Vrienden voor het leven

Vertaald door Mariëtte van Gelder

UITGEVERIJ LUITINGH-SIJTHOFF

Uitgeverij Luitingh Sijthoff en Drukkerij Ten Brink vinden het belangrijk om op milieuvriendelijke en verantwoorde wijze met natuurlijke bronnen om te gaan.

Oorspronkelijke titel: *Friends Forever*
Vertaling: Mariëtte van Gelder
Omslagontwerp: Barbara van Ruijven
Omslagfotografie: Getty Images
Foto auteur: Brigitte Lacombe

ISBN 978 90 218 0752 2
NUR 343

www.lsamsterdam.nl
www.boekenwereld.com
www.watleesjij.nu

Ik draag dit boek op aan Nick Traina en Max Leavitt, stralende sterren, en de blijvende voetafdrukken die ze in ons hart hebben gezet.

En aan mijn dierbare kinderen, Beatrix, Trevor, Todd, Sam, Victoria, Vanessa, Maxx en Zara. Alstublieft God, laat hen altijd tot de overlevenden behoren. Ik hou zielsveel van jullie!

– Mammie/ds

I

Het toelatingsproces van Atwood had zes maanden opgeslokt en alle ouders bijna tot waanzin gedreven met alle open dagen, kennismakingen en diepgaande gesprekken, soms wel twee, en de evaluatie van elk kind. Als er al een broer of zus op de school zat was dat een voordeel, maar de kinderen werden allemaal op hun eigen verdiensten beoordeeld, of ze nu een broer of zus op school hadden of niet. Atwood was een van de weinige gemengde particuliere scholen in San Francisco – de meeste oude, gevestigde instituten lieten alleen jongens of meisjes toe – en het was de enige die van groep twee tot en met het eindexamen van de middelbare school liep, wat heel aanlokkelijk was voor ouders die het hele proces niet nog eens wilden doorlopen bij de keus voor de middelbare school of een overstap na de onderbouw.

De uitslagen waren eind maart verstuurd, en ze waren met net zoveel spanning tegemoetgezien als een toelatingsbrief van Harvard of Yale. Sommige ouders gaven ruiterlijk toe dat het eigenlijk krankzinnig was, maar toch vonden ze het de moeite waard. Atwood was een geweldige school, zeiden ze, waar iedere leerling de individuele begeleiding kreeg die hij of zij nodig had. De school had ook een enorme sociale status (waar ze liever niet over praatten), en leerlingen die hun best deden op de middelbare school werden doorgaans toegelaten op fantastische vervolgopleidingen, zoals de eerbiedwaardige Ivy League-universiteiten. Een kind op Atwood krijgen was een meesterzet. De school telde ongeveer zeshonderdvijftig leerlingen, was gunstig gelegen in Pacific Heights en had kleine klassen. Beroepskeuze- en studiebegeleiding en psychologische ondersteuning behoorden tot het standaard dienstenpakket.

Toen de nieuwe leerlingen van groep twee voor het eerst naar school mochten, op de eerste woensdag van september, was het een van die zeldzame warme nazomerdagen in San Francisco. Het was al sinds zondag overdag meer dan dertig graden, en 's nachts werd het nauwelijks koeler. Het was maar een of twee keer per jaar zo warm, en iedereen wist dat zodra de mist aan kwam rollen, wat onvermijdelijk zou gebeuren, de warmte voorbij zou zijn. Dan was het overdag weer een graad of vijftien, met stevige windvlagen, en 's nachts een graad of tien.

Marilyn Norton genoot meestal van mooi weer, maar nu ze negen maanden zwanger was en elk moment kon bevallen, viel het haar zwaar. Ze was in verwachting van haar tweede kind, weer een jongetje, en het zou een forse baby worden. Ze kon zich amper bewegen in de hitte, en haar enkels en voeten waren zo gezwollen dat ze haar voeten alleen nog in rubberen teenslippers had kunnen krijgen. Ze droeg een reusachtige witte korte broek die te strak zat en een wit T-shirt van haar man dat om haar bolle buik spande. Ze had niets meer wat nog paste, maar het kind zou nu snel komen. Ze was allang blij dat ze nog bij Billy's eerste schooldag kon zijn. Hij had ertegen opgezien, en ze wilde hem steunen. Zijn vader Larry had hem zullen brengen, tenzij Marilyn moest bevallen, want dan zou de buurvrouw het doen, maar Billy wilde het liefst zijn moeder bij zich hebben die eerste dag, zoals alle kinderen. Ze was dus blij dat ze er was, en Billy hield haar hand stevig vast toen ze naar het mooie, moderne schoolgebouw liepen. Het was vijf jaar tevoren gebouwd, met veel financiële steun van de ouders van de toenmalige leerlingen en dankbare ouders van ex-leerlingen die goed terecht waren gekomen.

Toen ze vlak bij de school waren, keek Billy gespannen naar zijn moeder op. Hij hield een kleine football onder zijn arm geklemd en hij miste zijn twee middelste voortanden. Hij had een dikke bos krullend rood haar en een brede glimlach, net als zijn moeder. Wanneer hij lachte, zag hij er zo snoezig uit zonder zijn voortanden dat zijn moeder wel moest grinniken. Billy was een schattig kind, nooit lastig. Hij wilde het iedereen naar de zin maken, deed lief tegen haar en wilde dolgraag in de smaak vallen bij zijn vader, en hij wist dat hij dat kon bereiken door met hem over sport te praten. Hij onthield alles wat zijn vader hem over elke wedstrijd vertelde. Hij was vijf, en hij zei nu al een jaar dat hij later bij de 49ers wilde footballen. 'Mijn zoon!' zei Larry Norton altijd trots. Hij was bezeten van football, honkbal en basketbal. Hij speelde golf met zijn cliënten en tenniste in het weekend. Elke ochtend trainde hij braaf en hij spoorde zijn vrouw aan dat ook te doen. Ze had een fantastisch figuur, als ze niet zwanger was tenminste, en ze was met hem blijven tennissen tot ze te dik werd om nog naar de bal te kunnen rennen.

Marilyn was dertig. Ze had Larry acht jaar eerder leren kennen bij de verzekeringsmaatschappij waar ze allebei werkten. Het was haar eerste baan geweest na haar studie. Larry was acht jaar ouder dan zij en een knappe vent. Hij had haar meteen opgemerkt en haar geplaagd met haar koperrode haar. Alle vrouwen op kantoor vonden hem een lekker ding en wilden met hem uit, maar Marilyn was de gelukkige winnaar, en ze was op haar vierentwintigste met hem getrouwd. Ze raakte al snel in verwachting van Billy, en ze had vijf jaar gewacht voordat ze weer zwanger raakte. Larry was opgetogen toen hij hoorde dat hij nog een zoon kreeg; ze zouden hem Brian noemen.

Larry was korte tijd professioneel honkballer geweest in de minor leagues. Hij had een legendarische werparm, en iedereen geloofde dat hij daarmee in de major leagues zou komen, maar een verbrijzelde elleboog door een skiongeluk had een einde gemaakt aan zijn honkbaltoekomst, en hij was het verzekeringswezen in gegaan. Het had hem verbitterd, en hij had de neiging te veel te drinken en dan met vrouwen te flirten. Hij zei altijd dat hij gewoon een gezelligheidsdrinker was. Hij was de gangmaker op elk feest. En na zijn huwelijk met Marilyn had hij zijn baan opgezegd en was hij voor zichzelf begonnen. Het verkopen zat hem in het bloed, en hij had een heel succesvol assurantiebedrijf opgebouwd waar zijn gezin goed van kon leven, met veel luxe. Hij had een mooi huis in Pacific Heights gekocht en Marilyn hoefde niet meer te werken. Larry's favoriete cliënten waren de professionele topsporters, die hem vertrouwden. Daar dreef zijn bedrijf op. Hij was nu achtendertig, en hij had een goede reputatie en een degelijke onderneming. Hij vond het nog steeds jammer dat hij zelf geen beroepssporter was, maar hij gaf grif toe dat hij een geweldig leven had, een knappe vrouw en een zoon die ooit profsporter zou worden, als Larry het voor het zeggen had. Larry Nortons leven was anders verlopen dan hij had gepland, maar hij was een gelukkig mens. Hij had niet bij Billy's eerste schooldag kunnen zijn, omdat hij die ochtend een werkontbijt had met een van de 49ers. Zijn cliënten gingen altijd voor, zeker als het sterren waren. Maar er waren maar weinig andere vaders meegekomen, en Billy vond het niet erg.

Zijn vader had hem een gesigneerde football en wat footballkaartjes beloofd van de speler met wie hij ging ontbijten. Billy was dolblij, en hij nam er genoegen mee dat alleen zijn moeder met hem meeging.

De juf die de kinderen bij de deur opwachtte, glimlachte hartelijk naar Billy, die verlegen naar haar opkeek, zonder de hand van zijn moeder los te laten. De juf was mooi en jong, met lang blond haar. Ze zag eruit alsof het ook haar eerste dag was. Op haar naamplaatje stond dat ze onderwijsassistent was en juf Pam heette. Billy kreeg ook een naamplaatje op en toen ze binnen waren, bracht zijn moeder hem naar zijn lokaal, waar al een stuk of tien kinderen aan het spelen waren. Zijn juf kwam hem meteen begroeten en vroeg of hij zijn football niet liever in zijn kastje legde, zodat hij zijn handen vrij had om te spelen. Ze heette juf June, en ze was ongeveer net zo oud als Billy's moeder.

Billy aarzelde even en schudde toen zijn hoofd. Hij was bang dat iemand zijn football zou stelen. Marilyn stelde hem gerust en haalde hem over te doen wat de juf zei. Ze hielp hem zijn kasje te vinden in de rij open kastjes waar al spullen van andere kinderen en een paar truien in lagen. Toen ze weer in het lokaal kwamen, zei juf June dat hij vast wel zin had om met de blokken te spelen tot de klas compleet was. Hij dacht erover na en keek weifelend naar zijn moeder, die hem een duwtje in de richting van de blokkenhoek gaf.

'Thuis speel je toch ook graag met blokken?' spoorde ze hem aan. 'Ik blijf echt wel. Ga jij maar spelen. Ik zit hier.' Ze wees naar een stoeltje en liet zich er met veel moeite op zakken. Ze zou een hijskraan nodig hebben om weer overeind te komen, dacht ze. Juf June liep met Billy mee naar de blokken en hij begon een fort te bouwen met de grootste. Hij was een flinke jongen, lang en sterk, tot genoegen van zijn vader. Larry kon zich goed voorstellen dat zijn zoon footballer zou worden. Hij had gezorgd dat het Billy's droom werd zodra de jongen kon praten, en zelf had hij ervan gedroomd sinds hij zijn stevige baby voor het eerst had vastgehouden. Billy was forser dan de meeste kinderen van zijn leeftijd, maar hij was een zachtaardige, lieve jongen. Hij deed nooit agressief tegen andere kinderen en had veel indruk gemaakt tijdens de evaluatie voor Atwood. Uit de tests was gebleken dat hij niet alleen een goede motoriek had voor zijn leeftijd, maar ook heel intelligent was. Marilyn kon zich nog steeds niet goed voorstellen dat haar tweede zoon net zo geweldig zou zijn als Billy. Hij was top. En al spelend met de blokken vergat hij zijn moeder, die ongemakkelijk op het stoeltje zat en naar de andere kinderen keek die binnenkwamen.

Ze zag een jongetje met grote blauwe ogen en zwart haar het lokaal in komen. Hij was kleiner dan Billy, en pezig. En ze zag dat hij een speelgoedpistooltje in de broeksband van zijn short droeg, en een sheriffster op zijn shirtje. Ze dacht dat speelgoedwapens niet toegestaan waren op de school, maar het was juf Pam zeker ontgaan bij de deur. Er waren ook zoveel kinderen tegelijk aangekomen. Het jongetje, dat Sean heette, was ook door zijn moeder gebracht, een knappe blonde vrouw in spijkerbroek en een wit T-shirt, een paar jaar ouder dan Marilyn. Sean hield net als Billy de hand van zijn moeder stevig vast, en een paar minuten later ging hij ook naar de blokkenhoek, glimlachend nagekeken door zijn moeder. Sean ging naast Billy zitten en pakte een paar blokken. De jongens besteedden geen aandacht aan elkaar.

Binnen de kortste keren zag juf June het pistooltje en sprak Sean erop aan. Zijn moeder keek toe. Ze had geweten dat hij het niet bij zich zou mogen houden op school. Ze had een zoon in de brugklas, Kevin, dus ze kende de regels, maar Sean had het pistooltje per se willen meenemen. Connie O'Hara had zelf lesgegeven voor haar huwelijk, dus ze wist hoe belangrijk regels waren, en nadat ze had geprobeerd Sean duidelijk te maken dat hij het pistooltje niet mee mocht nemen, had ze besloten het aan zijn juf over te laten. Juf June liep met een vriendelijke glimlach naar Sean toe.

'Zullen we dat maar in je kastje leggen, Sean? Je mag je sheriffster ophouden.'

'Ik wil niet dat iemand mijn pistool afpakt,' zei hij gedecideerd.

'Dan geven we het aan je moeder. Ze kan het je teruggeven wanneer ze je komt halen. Maar in je kastje hier is het ook veilig, hoor.' Alleen wilde juf June niet dat hij het pistool stiekem weer uit het kastje zou pakken en in de broeksband van zijn short zou steken.

'Misschien heb ik het nodig,' zei Sean terwijl hij probeerde een groot blok op zijn toren te zetten. 'Misschien moet ik iemand arresteren,' legde hij juf June uit.

Die knikte ernstig. 'Ik begrijp het, maar ik geloof niet dat je hier iemand hoeft te arresteren. Je vriendjes hier staan allemaal aan de goede kant.'

'Misschien komt er een rover of een boef de school in.'

'Dat laten we niet gebeuren. Er zijn hier geen boeven. Kom, we geven je pistool aan je moeder,' zei juf June vastbesloten. Ze hield haar hand op. Sean nam haar onderzoekend op om te zien of ze het echt meende, en hij zag dat ze niet zou toegeven. Onwillig haalde hij het pistooltje uit zijn short en gaf het aan de juf, die ermee naar Connie liep en het aan haar gaf. Connie, die bij Billy's hoogzwangere moeder stond, bood juf June haar verontschuldigingen aan, stopte het pistooltje in haar tas en ging op het stoeltje naast Marilyn zitten.

'Ik wist dat het zou gebeuren. Ik ken de regels. Ik heb een zoon in de brugklas. Maar Sean wilde de deur niet uit zonder zijn pistool,' zei Connie met een meewarige glimlach tegen Marilyn.

'Billy had zijn football meegebracht. Hij heeft hem in zijn kastje gelegd.' Marilyn wees naar Billy, die naast Sean aan het spelen was.

'Wat mooi, dat rode haar,' zei Connie bewonderend. De twee jongens speelden vredig zij aan zij, zonder een woord te wisselen. Toen kwam er een klein meisje naar de blokkenhoek. Ze zag eruit als een reclame voor de perfecte kleuter. Ze had prachtig lang, blond haar met krulletjes en grote blauwe ogen, en ze droeg een mooie roze jurk, witte sokjes en roze glitterschoentjes. Het was net een engeltje, en zodra ze er was, pakte ze zonder iets te zeggen het grootste blok uit Billy's handen en legde het voor zich neer. Billy was perplex, maar deed niets. En zodra het meisje het blok had neergelegd, zag ze het blok dat Sean net op zijn toren wilde zetten en pakte dat ook af. Ze wierp de beide jongens een dreigende blik toe en pakte meer blokken, verbijsterd gadegeslagen door de jongens.

'Dat vind ik nu zo leuk aan gemengd onderwijs,' fluisterde Connie Marilyn toe. 'Het leert ze al jong met elkaar om te gaan, net als in het echte leven, niet alleen maar jongens of alleen maar meisjes.' Het meisje pakte nog een blok van Billy af. Hij leek op het punt te staan in huilen uit te barsten, en Sean keek haar kwaad aan toen ze van hem ook nog een blok afpakte. 'Het is maar goed dat ik zijn pistool in mijn tas heb. Hier zou hij haar beslist voor arresteren. Ik hoop maar dat hij haar geen klap geeft,' zei Connie terwijl beide moeders naar hun zoon keken terwijl het engeltje/duiveltje zonder zich iets van de jongens aan te trekken verder bouwde aan haar eigen toren. Zij was de baas van de blokkenhoek en de jongens hadden het nakijken. Ze hadden geen van beiden ooit zo iemand gezien of het hoofd geboden. Er stonden twee namen op haar naamplaatje: GABRIELLE en GABBY. Ze zwiepte haar lange blonde haar over haar schouders terwijl de jongens haar verbluft aankeken.

Een ander meisje liep de blokkenhoek in, keek even en koerste toen naar de speelkeuken. Ze begon met potten en pannen te redderen, deed de oven open en dicht en zette dingen in de oven en in de speelgoedkoelkast. Ze leek het heel druk te hebben. Ze had een lief gezichtje en ze droeg haar lange haar in twee strakke vlechten. Ze had een tuinbroek met korte pijpen, gymschoenen en een rood T-shirt aan. Ze ging zo op in haar spel dat ze geen aandacht had voor de andere kinderen, maar die keken alle drie op toen er een vrouw in een donkerblauw mantelpak naar haar toe liep en haar een afscheidszoen gaf. Ze had net zulk bruin haar als haar dochter, maar dan opgestoken. Ondanks de hitte had ze het jasje van haar mantelpak aan, met daaronder een witte blouse, en ze droeg een panty en liep op hakken. Ze zag eruit als een advocaat, bankier of directeur. En haar dochter leek het niet erg te vinden dat ze wegging. Je kon zien dat ze eraan gewend was zich zonder haar moeder te redden, in tegenstelling tot de beide jongens, die hun moeder hadden gevraagd te blijven.

Op het naamplaatje van het meisje met de vlechten stond IZZIE. Na het vertrek van haar moeder stelden de twee jongetjes zich waakzaam op. Het eerste meisje had hen bang gemaakt, dus lieten ze haar en de blokkenhoek links liggen. Hoe lief het meisje er ook uitzag, ze was niet aardig. Izzie, die druk bezig bleef in de keuken, zag er veel vriendelijker uit.

'Wat doe je daar?' vroeg Billy.

'Ik maak het middageten,' zei het meisje op een toon alsof het vanzelf sprak. 'Waar heb jij zin in?' Ze had mandjes met plastic eten uit de koelkast en de oven gepakt en op schalen gerangschikt, en er stond een picknicktafeltje bij de keuken. Atwood had fantastisch speelgoed voor de kleuters. Dat was een van de dingen waar ouders van aankomende leerlingen altijd enthousiast over waren tijdens de rondleidingen. De school had ook een gigantisch speelterrein, een enorme gymzaal en uitstekende sportfaciliteiten. Dat vond Larry, Billy's vader, zo goed aan de school, terwijl Marilyn het onderwijsniveau belangrijker vond. Ze wilde dat Billy meer leerde dan alleen met een bal spelen. Larry was een geslepen zakenman en een goed verkoper, en hij had charisma in overvloed, maar hij had weinig geleerd op school. Marilyn wilde ervoor zorgen dat haar zoons wel iets leerden.

'Echt waar?' vroeg Billy aan Izzie. Hij had grote ogen opgezet van verbazing, en Izzie schoot in de lach. Zijn ogen drukten al zijn kinderlijke onschuld en vertrouwen uit.

'Natuurlijk niet, gekkie,' wees Izzie hem goedmoedig terecht. 'We doen maar alsof. Wat wil je eten?' Ze leek echt geïnteresseerd te zijn.

Billy bestelde 'O, geef mij maar een hamburger en een hotdog met ketchup en mosterd en frietjes. Geen augurk.'

'Komt eraan,' zei Izzie achteloos. Ze gaf Billy een bord vol plastic eten en wees naar de picknicktafel. Hij ging zitten.

Toen richtte Izzie zich tot Sean. Ze was als vanzelf het moedertje van de groep geworden dat voor iedereen zorgde. 'En jij?' vroeg ze met een glimlach.

'Pizza,' zei Sean ernstig, 'en ijs met warme chocoladesaus.' Izzie had het allebei in haar arsenaal plastic eten, en ze gaf hem zijn bestelling. Ze leek net een kok in een fastfoodrestaurant. Toen kwam het engeltje in de roze jurk met de roze glitterschoenen erbij.

'Heeft jouw vader een restaurant?' vroeg Gabby belangstellend aan Izzie. Izzie zag er heel efficiënt uit als keukenprinses.

'Nee, hij is advocaat, maar dan voor arme mensen. Die helpt hij als andere mensen gemeen tegen ze zijn. Hij werkt voor de burgerrechtenbeweging. Mijn moeder is ook advocaat, maar dan voor bedrijven. Ze moest vandaag naar de rechtbank, daarom kon ze niet blijven. Ze moest pleiten. Ze kan niet koken. Dat doet mijn vader.'

'Mijn vader verkoopt auto's. Mijn moeder krijgt elk jaar een nieuwe Jaguar. Zo te zien kun je goed koken,' zei het engeltje beleefd. Ze vond Izzie veel boeiender dan de jongens. Maar al zochten de meisjes de meisjes op en de jongens de jongens, ze deelden het lokaal en temperden elkaar in bepaalde opzichten. 'Mag ik macaroni met kaas? En een donut,' zei Gabby, wijzend naar een roze donut met plastic strooisel. Izzie gaf haar de macaroni en de donut op een roze dienblad. Gabby wachtte op Izzie, die een plastic banaan en een chocoladedonut pakte, en toen gingen ze bij de jongens aan de picknicktafel zitten, als vier goede bekenden die gezamenlijk lunchen.

Net toen ze begonnen te doen alsof ze de door Izzie bereide lunch wilden opeten, kwam er een lange, dunne jongen naar hen toe gehold. Hij had steil blond haar, droeg een witte blouse en een perfect geperste kakibroek en zag er ouder uit dan hij was, alsof hij al in groep vier zat.

'Ben ik nog op tijd voor het eten?' vroeg hij hijgend, en Izzie glimlachte naar hem.

'Natuurlijk,' stelde ze hem gerust. 'Wat wil je hebben?'

'Kalkoen met mayo op wit geroosterd brood.'

Izzie gaf de jongen iets wat er in de verte op leek, met wat plastic frietjes erbij, en de jongen ging aan de tafel zitten. Hij wierp een blik op zijn moeder, die net met een mobieltje aan haar oor het lokaal uit liep. Ze gaf iemand aanwijzingen en leek haast te hebben. 'Mijn moeder haalt baby's,' legde de jongen uit. 'Er krijgt iemand een drieling, daarom moet ze weg. Mijn vader is psychiater, hij praat met mensen die gek of verdrietig zijn.' De jongen, die volgens zijn naamplaatje Andy heette, keek ernstig. Hij had een grotemensenkapsel en goede manieren, en toen ze klaar waren met eten, hielp hij Izzie met afruimen.

Inmiddels waren juf June en juf Pam allebei in het lokaal, en ze vroegen de kinderen in een kring te gaan zitten. De vijf kinderen die samen hadden 'geluncht', gingen naast elkaar in de kring zitten, want ze kenden elkaar nu. Gabby gaf een kneepje in Izzies hand en glimlachte terwijl de juffen muziekinstrumenten uitdeelden en uitlegden hoe ze werkten.

Na de muziek kregen de kinderen sap en koekjes en toen gingen ze naar buiten. De moeders die waren gebleven, kregen ook sap en koekjes, maar Marilyn bedankte omdat ze al brandend maagzuur kreeg van water, vertelde ze. Ze kon niet wachten tot de baby kwam. Ze wreef over haar enorme buik terwijl ze het zei, en de andere vrouwen wierpen haar meelevende blikken toe. Ze leek zich ellendig te voelen in de hitte.

Gabby's moeder was bij Marilyn en Connie komen zitten, en er zaten nog andere groepjes moeders in het lokaal. Gabby's moeder zag er jong en heel knap uit. Ze had getoupeerd blond haar en ze droeg een witte katoenen minirok en hoge hakken. Haar roze T-shirt had een decolleté, en ze was opgemaakt en rook naar parfum. Ze viel op tussen de andere moeders, maar leek het zich niet aan te trekken. Ze was vriendelijk en hartelijk, en ze stelde zich voor als Judy. Ze zei meelevend tegen Marilyn dat zij tijdens haar laatste zwangerschap meer dan twintig kilo was aangekomen. Ze had een dochtertje van drie, Michelle, twee jaar jonger dan Gabby. Hoeveel ze ook was aangekomen, ze was de kilo's duidelijk weer kwijt, want ze had een fantastisch figuur. Ze was opzichtig, maar heel knap, en de anderen schatten haar op eind twintig. Ze liet zich ontvallen dat ze vroeger aan missverkiezingen had meegedaan, wat aannemelijk klonk, gezien haar uiterlijk. Ze vertelde ook dat ze sinds twee jaar in San Francisco woonde, en dat ze de warmte van het zuiden van Californië miste en dus genoot van de warme nazomer.

De drie vrouwen maakten plannen om te gaan carpoolen. Ze hoopten nog twee moeders te vinden, zodat ze maar één dag in de week hoefden te rijden. Judy zei dat ze Michelle van drie mee moest nemen op haar dagen, maar gelukkig had ze een busje om mee te carpoolen, zodat er genoeg ruimte was voor alle kinderen, met veiligheidsgordels. En Marilyn zei op verontschuldigende toon dat ze misschien een paar weken niet zou kunnen rijden vanwege de nieuwe baby, maar dat ze daarna graag mee wilde doen, als ze hem maar mee kon nemen.

Connie bood aan het carpoolen te organiseren, aangezien ze het al eerder had gedaan, voor haar oudste zoon, die nu in de brugklas zat. Ze had gehoopt dat Seans grote broer Kevin hem 's ochtends naar school wilde brengen, maar hun roosters waren te verschillend. Bovendien had Kevin botweg geweigerd omdat hij niet opgescheept wilde zitten met zijn kleine broertje. Connie was dus ook blij met de carpool. Ze zouden er allemaal baat bij hebben.

Toen de kinderen weer binnen waren gekomen en geboeid zaten te luisteren naar juf June, die voorlas, konden de moeders weg, met toestemming van hun kinderen. Ze beloofden ze 's middags weer op te halen. Billy en Sean waren een beetje zenuwachtig, maar Gabby en Izzie zaten weer hand in hand en luisterden geboeid naar het verhaal. Buiten op de speelplaats hadden ze afgesproken beste vriendinnen te worden. De jongens hadden allemaal gillend rondgerend, en de meisjes hadden zich vermaakt op de schommels.

'Hebben jullie over die bijeenkomst van vanavond gehoord?' vroeg Connie aan de andere moeders toen ze de school uit liepen en de kinderen hen niet meer konden horen. De anderen hadden er niets over gehoord. 'Het is eigenlijk meer iets voor de ouders van de leerlingen van de middelbare school.' Ze ging iets zachter praten. 'Een jongen uit de vierde heeft zich de afgelopen zomer verhangen. Het was echt een lief joch. Kevin kende hem wel, al was hij drie jaar ouder. Hij zat in het honkbalteam. Zijn ouders en de school wisten dat hij ernstige psychische problemen had, maar het kwam toch hard aan. Vanavond komt er een psycholoog met de ouders praten over het herkennen van suïcidale neigingen bij kinderen en het voorkomen van zelfmoord.'

'Dat is tenminste iets waar we ons nu nog niet druk over hoeven te maken,' zei Judy opgelucht. 'Michelle blijft 's nachts nog niet eens droog. Ze heeft nog wel eens een ongelukje, maar ze is ook pas drie. Ik geloof niet dat zelfmoord een groot probleem is onder kinderen van drie tot vijf,' zei ze zorgeloos.

'Nee, maar het schijnt wel voor te komen onder kinderen van een jaar of acht, negen,' zei Connie somber. 'Ik ben er in Kevins geval niet bang voor, of nóg niet, maar hij kan wel heel lastig zijn. Hij is niet zo meegaand als Sean, nooit geweest ook. Hij vindt het vreselijk om te doen wat anderen zeggen. Die jongen die dood is, was echt een lieverd.'

'Had hij gescheiden ouders?' vroeg Marilyn op een toon alsof ze er alles van wist.

'Nee,' zei Connie zacht. 'Goede ouders en een goed, hecht huwelijk, met een moeder die altijd thuis was. Ik denk dat ze gewoon niet konden geloven dat dit hun zou overkomen. Volgens mij kreeg de jongen wel begeleiding, maar vooral voor leerproblemen. Hij nam alles altijd zwaar op. Hij huilde als het honkbalteam verloor. Ik denk dat hij thuis erg onder druk werd gezet met betrekking tot zijn schoolprestaties, maar zijn ouders zijn heel degelijk. Hij was enig kind.'

De twee andere vrouwen waren wel verontrust door wat

Connie zei, maar ze waren het erover eens dat de bijeenkomst niet voor hen was en dat ze hoopten dat ze nooit in die situatie zouden komen. Het was verdrietig om te horen dat het andere mensen was overkomen, maar ze konden zich niet voorstellen dat een van hun kinderen ooit zelfmoord zou plegen. Het was al erg genoeg om te tobben over ongelukken in en om het huis, verdrinkingen in zwembaden, ziektes en al het andere wat jonge kinderen kon overkomen. Zelfmoord was voor hen de ver-van-mijn-bedshow, tot hun grote opluchting.

Connie beloofde op te bellen zodra ze nog twee kandidaten voor de carpool had gevonden, en daarna gingen ze alle drie hun eigen weg. Toen ze elkaar die middag bij de school tegenkwamen, wuifden ze naar elkaar vanuit hun auto's. Izzie en Gabby huppelden hand in hand naar buiten, en Gabby vertelde haar moeder hoe leuk ze het had gehad. Izzie werd door haar oppas opgehaald, en zij vertelde ook hoe leuk het was geweest. Billy kwam naar buiten met zijn football weer onder zijn arm. Zodra Sean bij zijn moeder in de auto stapte, vroeg hij naar zijn pistooltje. Andy werd opgehaald door de huishoudster, aangezien zijn ouders nog aan het werk waren, zoals altijd op dat uur.

Ze hadden alle vijf een heerlijke eerste schooldag beleefd op Atwood, ze vonden hun juffen lief en waren blij met hun nieuwe vriendjes en vriendinnetjes. Marilyn vond dat het het lange, zware toelatingsproces waard was geweest. Toen ze met Billy wegreed, braken haar vliezen en voelde ze de eerste vertrouwde weeën die Brians komst aankondigden. Hij werd die avond geboren.

2

Aan het begin van groep vijf waren de vijf dikke vriendjes drie jaar samen. Ze waren acht. Ze zaten nog steeds in dezelfde carpool, waarin de moeders van Andy en Izzie zo nodig door de oppas werden vervangen, en ze speelden regelmatig bij elkaar thuis. Vaak nodigde Connie O'Hara, de moeder van Sean, een groepje kinderen bij haar thuis uit. Haar oudste zoon, Kevin, was inmiddels vijftien en zat in de vierde klas. Hij kreeg continu standjes of straf omdat hij praatte in de klas of zijn huiswerk niet had gedaan, maar hoe lastig hij ook was in de omgang, hoeveel ruzie hij ook maakte met zijn ouders en hoe vaak hij ook dreigde Sean een pak rammel te geven, hij bleef een held in de ogen van zijn kleine broertje, dat hem aanbad en hem 'cool' vond.

Connie vond het heerlijk om kinderen op bezoek te hebben, zowel Kevins vrienden als die van Sean. Ze ging als vrijwilliger mee met schoolreisjes en hielp bij speciale projecten op school, en ze zat in de ouderraad. Als voormalig onderwijzeres en toegewijd moeder genoot ze van haar kinderen en hun vrienden. En vooral Kevins vrienden praatten graag met haar. Ze leefde net zo mee met de problemen van de tieners als met die van haar zoon van acht. Ze stond erom bekend dat ze een koektrommel vol condooms in de keuken had staan waar Kevins vrienden gebruik van konden maken zonder dat er lastige vragen werden gesteld. Mike O'Hara kon al net zo goed met kinderen opschieten, en hij had ze ook graag om zich heen. Hij was jeugdtrainer geweest en troepleider van Kevins scoutinggroep tot Kevin er de brui aan gaf. Connie en Mike stelden zich realistisch op ten aanzien van hun kinderen en waren zich terdege bewust van de experimenten met drugs en drank onder tieners van Kevins leeftijd. Ze voerden een ontmoedigingsbeleid, maar sloten hun ogen niet voor de werkelijkheid. Ze slaagden erin tegelijkertijd streng, beschermend, betrokken en pragmatisch te zijn. Sean maakte het hun veel minder moeilijk dan Kevin, maar Sean was dan ook een stuk jonger. Een vijftienjarige werd aan meer gevaren blootgesteld, en Kevin was nu eenmaal een grotere waaghals dan Sean, die zich altijd aan de regels hield.

Sean deed het goed op school, en hij had nog steeds de vrienden en vriendinnen die hij op zijn eerste schooldag had leren kennen. Hij wilde eerst sheriff worden, toen politieman, toen brandweerman en op zijn achtste weer politieman. Hij genoot van alle politieseries op tv. Hij wilde de wet en orde handhaven in zijn leven en onder zijn vrienden. Hij overtrad zelden de regels thuis of op school, in tegenstelling tot zijn broer, die vond dat regels er juist waren om te overtreden. Ze hadden dezelfde ouders, maar het waren heel verschillende jongens. En in de drie jaar dat Sean nu op Atwood zat, had Mikes bedrijf het uitstekend gedaan. Hij besteedde veel tijd aan zijn zoons, met wie hij van alles deed. Connie en hij zaten er warmpjes bij. De bouw had een grote bloeiperiode doorgemaakt, en hij was de aannemer om wie ze vochten in Pacific Heights. De O'Hara's hadden financieel vaste voet aan de grond, gingen 's zomers lekker met vakantie en hadden twee jaar tevoren een schitterend huis aan het meer in Tahoe laten bouwen, waar het hele gezin graag was. Mike had een economische achtergrond, maar huizen bouwen was altijd zijn droom geweest. Hij had zijn eigen aannemersbedrijf opgericht en was klein begonnen. Hij was uiteindelijk een van de succesvolste aannemers van de stad geworden, en Connie had vanaf het begin achter hem gestaan.

Marilyn Norton leidde met twee jonge kinderen een hectischer leven dan Connie. Billy was nu acht. Brian was drie, en vergde alle zorg die een driejarige nodig heeft, maar hij was een rustig, lief jongetje. De grootste teleurstelling van Larry, zijn vader, was dat Brian geen enkele belangstelling had voor sport – hij vond het niet eens leuk om met een bal te gooien. Toen Billy drie was, was al duidelijk dat hij de liefde voor sport van zijn vader had geërfd. Brian daarentegen kon uren zitten tekenen, leerde al lezen en was muzikaal. In die gaven was Larry echter niet geïnteresseerd. Als Brian geen sporter werd, had Larry niets aan hem, dus negeerde hij het kind. Het maakte Marilyn razend en het leidde vaak tot ruzie, vooral als Larry te veel had gedronken.

'Kun je niet eens met hem praten?' zei Marilyn dan ontevreden en altijd met stemverheffing. 'Maak eens een praatje met hem, al is het maar vijf minuten. Hij is net zo goed je kind als Billy, hoor.' Ze hunkerde ernaar dat Larry Brian zou accepteren, maar dat deed hij gewoon niet.

'Het is jóúw zoon,' zei Larry dan boos. Hij vond het verschrikkelijk om erop aangesproken te worden. Billy was zíjn zoon, en met hem had hij veel meer gemeen. Billy deelde de droom die zijn vader voor hem had, hij wilde professioneel footballer worden, het was het enige carrièredoel waar hij het ooit over had. Hij gaf niets om de brandweer of de politie; hij wilde alleen maar sporten. Brian daarentegen was een stil, ernstig en minder extravert kind. Billy speelde honkbal en voetbal op school, en Larry ging naar al zijn wedstrijden. Hij juichte als Billy's team won, en als het niet won, gaf hij Billy een uitbrander. Hij zei dat er nooit een excuus was om een wedstrijd te verliezen. Brian voelde zich niet op zijn gemak bij zijn vader met zijn luide stem en harde eisen, maar Billy trok zich er niets van aan.

Larry's bedrijf was ook gegroeid, maar zijn succes leek alleen maar meer spanningen in het gezinsleven te veroorzaken. Larry was minder vaak thuis dan vroeger en kwam later thuis nadat hij een avond met cliënten had doorgebracht. Hij had vrijwel alleen nog maar professionele basketballers, honkballers en footballers als cliënt. Larry bracht erg veel tijd met hen door, en hij ging naar Scottsdale voor de voorjaarstraining van zijn cliënten die voor dc Giants speelden. Sommigen van hen behoorden nu tot zijn dikste vrienden, en sommigen leidden een wild leven, en daar deed Larry graag aan mee. Hij nam Marilyn zelden mee naar zulke avondjes, en ze bleef net zo lief thuis met haar jongens. Ze was na Brians geboorte weer in vorm gekomen en ze zag er geweldig uit op haar drieëndertigste, maar de vrouwen met wie Larry's cliënten omgingen waren meestal een jaar of twintig, eenentwintig en ze had hun niets te zeggen. Ze ging liever niet om met die losgeslagen types. Ze ging bijna altijd alleen naar ouderavonden en schoolfeesten, en als Larry een keer meeging, dronk hij vaak net iets te veel van de wijn die er werd geschonken. Niet zoveel dat de andere ouders het merkten, maar Marilyn had het altijd door als hij te veel wijn had gedronken, een paar biertjes extra of zelfs een whisky met ijs voordat ze van huis gingen. Het leek voor hem de enige manier om die avonden door te komen, want hij vond ze saai. De school van zijn zoons boeide hem niet, behalve als er sportieve evenementen waren, en die miste hij nooit. Hij had ook meer dan eens opgemerkt dat Judy Thomas, de moeder van Gabby, een lekker ding was. Larry had oog voor vrouwelijk schoon.

Judy en Marilyn waren goede vriendinnen, en Marilyn trok zich niets aan van wat Larry over Judy zei. Ze wist dat Judy, hoe verleidelijk ze er ook uitzag, gek was op Adam, haar man, en dat ze fatsoenlijk was. Judy was net dertig geworden, maar had al van alles laten doen: liposuctie, een buikwandcorrectie en een borstvergroting, en ze nam regelmatig botoxinjecties. Haar vriendinnen verklaarden haar voor gek, maar ze zag er fantastisch uit. Ze was nooit over haar jeugdige missverkiezingsmentaliteit heen gekomen. Ze had Marilyn en Connie ooit toevertrouwd dat ze Gabby op haar vierde en vijfde aan missverkiezingen had laten meedoen en dat Gabby met gemak had gewonnen, maar dat Adam door het lint was gegaan en haar had laten beloven dat ze het nooit meer zou doen, en dat ze zich aan die belofte hield. Adam aanbad allebei zijn dochters, al was Gabby onmiskenbaar degene die de show stal. Ze had een veel uitgesprokener karakter en was sprankelender dan haar veel stillere kleine zusje, Michelle. Judy was ervan overtuigd dat Gabby degene was die later van zich zou doen spreken. Michelle verdween naar de achtergrond naast haar opvallende zus, maar ze was pas zes, dus het was niet eerlijk om die twee te vergelijken.

Gabby zat op piano- en zangles, en ze leek al jong veel talent te hebben. Judy probeerde de toneelvereniging van de school over te halen *Annie* op te voeren en Gabby de hoofdrol te geven. De toneelvereniging had besloten dat ze daarmee te veel hooi op haar vork zou nemen. Maar weinig leerlingen waren rijp om een Broadwaymusical voor het voetlicht te brengen, zoals Gabby. Die wist al dat ze later actrice wilde worden, en Judy zorgde ervoor dat ze alle benodigde vaardigheden opdeed. Gabby ging al vanaf haar derde naar ballet. Michelle hield ook van ballet, maar haar talenten waren niet zo uitgesproken als die van Gabby. Gabby was een ster. Michelle was gewoon een klein meisje.

De ouders die het meeste voor Atwood deden, waren Adam en Judy, die grote bedragen aan de school schonken. Hun dochter Michelle was een betere leerling dan Gabby, een uitblinker zelfs, maar Gabby trok ieders aandacht met haar vele talenten. Michelle was net zo knap om te zien, maar Gabby was extroverter en stukken opvallender.

Adam deed graag al het mogelijke voor de school. Hij had een Range Rover uit zijn showroom gedoneerd voor de schoolveiling. Die had een fortuin opgeleverd, en Adam was de held van de dag. Adam en Judy waren opzichtig en allesbehalve subtiel, maar ze waren aardig en iedereen mocht hen graag, behalve dan een paar behoudende ouders die hen te patserig vonden en niet begrepen hoe die twee hun dochters op een school als Atwood hadden weten te krijgen. Maar het waren blijvertjes, of hun criticasters dat nu leuk vonden of niet.

Gabby en Izzie waren nog steeds boezemvriendinnen. Nu, op hun achtste, waren ze nog doller op elkaar dan op hun vijfde. Ze deelden hun barbiepoppen en ruilden kleren met elkaar. Izzie logeerde zo vaak ze mocht in de weekends bij Gabby. Ze hadden hun initialen in Izzies bureau thuis gekerfd, G+I 4ever, wat niet werd gewaardeerd door Izzies moeder, die Izzie een weekend huisarrest had gegeven. Izzie vond het heerlijk om bij Gabby te logeren en al haar mooie kleren te passen. Bijna alles wat Gabby had, had glitters, en ze had twee roze jasjes die met echt wit bont waren afgezet, en een roze bontjas die haar moeder voor haar uit Parijs had meegebracht. Ze hadden dezelfde maat en ze ruilden hun kleren als het mocht, maar niet de jas uit Parijs. En Izzie hield van Michelle, al zei Gabby dat ze haar zusje haatte en gaf ze haar de schuld van alles. Gabby vond het afschuwelijk als ze van haar moeder met Michelle moesten spelen, want ze wilde Izzie voor zichzelf houden, maar Izzie liet Michelle meedoen aan al hun spelletjes en liet haar soms zelfs winnen. Ze had medelijden met Michelle, want ze leek het nooit zo leuk te hebben als Gabby, en haar ouders leken minder belangstelling voor haar te hebben. Izzie had sterk de neiging voor iedereen te zorgen; ze had altijd medelijden met verschoppelingen en ontfermde zich zelfs wel eens over Gabby wanneer die een slechte bui had of verkouden was. Izzie was de ideale vriendin.

Judy zei altijd dat haar oudste was geboren om alles wat ze ondernam tot een succes te maken, en het leek waar te zijn. Tegen de tijd dat Gabby naar groep vijf ging, had ze al een paar keer model gestaan in advertenties voor kinderkleding en meegedaan aan een landelijke campagne voor Gap Kids. Geen mens twijfelde eraan dat Gabby nog eens een ster zou worden. Ze was het al, in haar eigen wereldje. En Izzie genoot ervan om haar beste vriendin te zijn, al hield ze ook van de drie jongens in haar groepje.

Izzies vader, Jeff, nam het hele stel wel eens mee om een pizza te eten en te bowlen. De meisjes vonden het prachtig, al konden ze de bal amper optillen. Izzies moeder ging soms mee, maar meestal moest ze overwerken. Katherine nam altijd veel werk mee naar huis, en iedereen moest stil zijn, dus ging Jeff met de kinderen uit of hij zette Izzie af bij Gabby, als Izzie lang genoeg zeurde. Haar moeder merkte het amper, en Izzie hoorde haar ouders wel eens ruziën. Dan vroeg haar vader waarom haar moeder niet eens één avondje vrij kon nemen, en dan begon het. Katherine noemde Jeffs pro-Deocliënten altijd 'dat ongewassen tuig'. Als Izzie die woorden hoorde, wist ze dat er een erge ruzie op uitbreken stond.

Ze praatte erover met Andy, omdat die ook enig kind was en ook drukke ouders had die veel werkten, net als zij. Ze vroeg zich af of zijn ouders ook zo vaak ruzie hadden. Andy zei van niet, en zijn moeder bleef wel eens de hele nacht weg als ze een baby moest halen. Izzies ouders waren allebei advocaat, en die van Andy waren dokter. Zijn moeder was soms wel twee of drie dagen van huis als ze veel bevallingen moest doen, en zijn vader was vaak op reis om lezingen te geven en op tv over zijn nieuwste boek te vertellen. Als hij niet thuis was om zijn patiënten te helpen, was hij op boekentournee. Andy zei dat zijn vader het nog drukker had dan zijn moeder. Hij schreef boeken over de problemen van mensen. Maar Andy was dol op de huishoudster, en die woonde bij hen in, dus het maakte hem niet uit hoe druk zijn ouders het hadden, zei hij. Izzie had wel een oppas, maar geen inwonende huishoudster. En Andy woonde in een groter huis.

Andy ging, net als Izzie, altijd het liefst naar het huis van Sean, omdat die zulke aardige ouders had, maar hij zei altijd dat zijn eigen ouders ook lief waren, ze waren alleen vaak weg, terwijl de O'Hara's altijd thuis waren en de tijd namen om met iedereen te praten. Izzie fantaseerde graag dat Seans moeder, Connie, haar tante was, maar dat vertelde ze Sean niet. En Connie gaf haar altijd een dikke knuffel als ze binnenkwam. Izzie vond alle moeders van de groep aardig, behalve haar eigen moeder, soms, omdat die het zo druk had met haar werk en wel eens zo moe thuiskwam dat ze vergat Izzie een zoen te geven. Maar haar vader vergat het nooit. Hij nam haar op zijn rug mee door het hele huis en ging met haar naar de film en naar het park. Izzie vond het soms jammer dat ze geen broer of zus had, zoals Gabby, Billy en Sean, maar ze wist dat het er niet in zat. Ze had haar moeder ernaar gevraagd, en die had gezegd dat ze er geen tijd voor had. Ze was ook ouder dan de andere moeders. Katherine Wallace was tweeënveertig, en Izzies vader was zesenveertig. Ze zeiden dat ze zich te oud voelden voor nog een kind, en haar vader zei altijd dat ze geen tweede kind wilden omdat ze zeker wisten dat ze nooit meer zo'n fantastisch kind zouden krijgen als Izzie, maar Izzie wist wel dat het een smoesje was. Ze wilden gewoon geen kinderen meer.

Het schooljaar was bijna om toen Kevin O'Hara weer in de problemen kwam. Izzie hoorde het in de middagpauze van Sean, toen ze in de kantine zaten. Ze wist al dat er iets aan de hand was, want Connie had twee dagen niet gecarpoold. De drie moeders hadden uiteindelijk toch geen andere leden voor de carpool gezocht, en die week had Connie allebei haar beurten overgeslagen. Marilyn en Judy vielen voor haar in, maar ze hadden geen van beiden gezegd waarom. Izzie begreep dat er iets moest zijn.

'Het gaat om Kevin,' zei Sean, die Izzie zijn cupcakeje aanbood in ruil voor haar appel. Izzie kreeg altijd gezonde dingen mee die hij lekkerder vond dan snoep. Izzie schrokte het cupcakeje naar binnen en kreeg roze glazuur op haar mond en neus, wat Sean aan het lachen maakte.

'Wat valt er te lachen?' vroeg ze beledigd. Sean plaagde haar vaak, maar ze hield toch van hem. Hij was haar vriend, een soort broer, maar dan beter, want hij sloeg haar niet. Hij had een keer iemand uit groep zes die haar had uitgescholden een duw gegeven.

'Ik lach om jou. Je hebt roze glazuur op je neus.' Izzie veegde het met haar mouw af en hij vervolgde: 'Kev is betrapt op het schoolfeest. Mijn vader zegt dat hij misschien wel van school wordt gestuurd. Hij moest de hele week thuisblijven. Hij is geschorst of zo.'

'Wat heeft hij gedaan? Gevochten?' Izzie wist dat Kevin het vaker had gedaan. Zijn moeder zei dat het door zijn Ierse temperament kwam, maar zijn vader vocht nooit en die was ook Iers, net als Kevin.

'Hij had een fles sterkedrank van mijn vader meegenomen naar het feest en in de bowl geschonken. Ik geloof dat het gin was. Maar goed, ze werden allemaal ontzettend dronken, Kevin ook. Hij heeft de hele jongens-wc ondergekotst.'

'Gelukkig deel je geen kamer meer met hem, als hij had overgegeven,' zei Izzie verstandig. Sean had zijn eigen kamer gekregen toen hij zes werd en Kevin dertien was. 'Het zal wel heel erg gestonken hebben,' vervolgde ze praktisch en Sean knikte. Hij herinnerde zich hoe Kevin eruit had gezien toen hij werd thuisgebracht.

'Ja, en mijn vader was heel boos. De school belde hem die avond en hij moest Kevin komen halen. Hij had een alcoholvergiftiging en ze moesten met hem naar de spoedeisende hulp voor medicijnen of zoiets. Mijn moeder huilt al de hele week, ze is doodsbang dat hij van school wordt geschopt, en zijn cijfers zijn ook niet al te best, denk ik.' Ze vonden het allebei heel ernstig klinken.

'Goh. Wanneer horen jullie of hij van school wordt gestuurd?'

'Deze week, geloof ik.' Sean wist het niet zeker. Zijn ouders voerden er eindeloze gesprekken over met Kevin, maar met hem hadden ze er maar één keer over gepraat. Ze wilden Kevin in de zomervakantie naar een survivalkamp sturen voor jongeren die problemen op school hadden. Hun beschrijving van het kamp klonk Sean heel akelig in de oren. Je moest allemaal echt zware dingen doen, zoals rotswanden beklimmen en een trektocht over een berg maken, en je moest een nacht alleen in het bos doorbrengen, wat hem heel griezelig leek. Hij maakte zich zorgen om zijn broer. Hij had zijn vader tegen Kevin horen zeggen dat als hij zo doorging, hij nog in de gevangenis zou belanden. Sean hoopte maar dat het niet waar was, maar het zou al verschrikkelijk genoeg zijn als Kevin van Atwood werd gestuurd. Hun moeder had gezegd dat Kevin dan naar een openbare school zou moeten. En als hij nog een keer dronken werd, zouden ze hem naar een afkickkliniek sturen. Kevin zei dat het hem niets kon schelen, en hij had weinig berouw getoond voor het hele gebeuren. Hij zei dat ze veel lol hadden gehad op het feest tot ze waren betrapt. Voorlopig had hij huisarrest, tot de school een besluit had genomen en nog lang daarna. Hij zat in de vierde klas. Izzie en Sean vonden dat Kevin wel erg veel problemen had voor iemand van vijftien, maar zo was hij nu eenmaal. Hij werkte zich altijd in de nesten, thuis en op school.

'Je ouders zullen wel bang zijn,' zei Izzie tegen Sean. Kevin was de enige oudere jongen die ze goed kende, en hij besteedde nauwelijks aandacht aan haar of Seans andere vrienden, behalve dan dat hij haar 'snotaap' noemde als hij haar in de keuken tegenkwam wanneer ze bij Sean was. Op school zei hij nooit iets tegen haar. Hij was een lange, knappe jongen met net zulk gitzwart haar als Sean. Hij zat in het honkbalteam, maar daar was hij eerder dat schooljaar uit gestapt. Sport was niet zijn ding, zei hij, en Sean vertelde dat hun vader het erg had gevonden. Hij dacht dat het goed was voor Kevin om aan sport te doen.

Uiteindelijk besloot de school dat Kevin voor twee weken werd geschorst en de rest van het schooljaar voorwaardelijk mocht blijven. Mike en Connie hadden een goed woordje voor hem gedaan en de school overgehaald hem nog een kans te geven, maar Mike en de rector hadden hem gewaarschuwd dat als hij nog een keer zoiets deed, hij kon vertrekken. Kevin zei dat hij het begreep, en hij gedroeg zich de rest van het jaar en ging toen naar het survivalkamp in de Sierra Nevada. Toen hij terugkwam zag hij er sterker, gespierder en gezonder uit, en hij gedroeg zich beter en leek meer verantwoordelijkheidsgevoel te hebben. Hij was inmiddels zestien geworden. Mike merkte tegen Connie op dat hij er niet meer uitzag als een jongen, maar als een man. Het survivalkamp had hem zelfvertrouwen gegeven, en zijn ouders hoopten dat het een ommekeer voor hem zou zijn.

'Gedroeg hij zich ook maar als een man,' verzuchtte Connie zorgelijk. De eerste paar weken gedroeg Kevin zich volmaakt en hielp hij zijn moeder zelfs in het huishouden, maar Sean wist dat hij maar deed alsof. Hij had Kevin stiekem bier zien drinken toen hij nog maar een week thuis was, en hij had een pakje sigaretten in zijn rugzak. Sean klikte nooit over hem tegen hun ouders, maar hij zag veel, meer dan Kevin dacht. Sean kende zijn broer goed. Hij trapte er niet in.

Sean en Izzie liepen naast elkaar de school in toen ze op de eerste dag in groep zes werden afgezet, en de anderen – Billy, Andy en Gabby – liepen vlak achter hen. De vijf vrienden waren altijd samen, onafscheidelijke maatjes, waar ze ook gingen. Zo was het nu al vier jaar en ze namen aan dat het altijd zo zou blijven. Ze kerfden allemaal elk jaar 'Friends4Ever' in hun tafeltje op school. Het was een heilig pact dat ze in groep twee hadden gesloten. Connie noemde hen altijd de Grote Vijf. Ze waren elkaar al vanaf hun vijfde trouw, en Connie hoopte dat het altijd zo zou blijven. Ze leken samen een familie te vormen. Izzie en Gabby maakten nieuwe juffen of onbekenden soms wijs dat ze zusjes waren en Billy, Andy en Sean hadden iemand in het bowlingcentrum een keer verteld dat ze een drieling waren, en die man had het geloofd. Samen waren ze een soort vijfling met verschillende ouders, maar één hart en één ziel. 'Friends4Ever' boven alles.

3

Er veranderde weinig voor de vijf tot ze in de brugklas zaten, en toen gebeurden er dingen waardoor hun vertrouwde landschap er anders uit kwam te zien. Om te beginnen werden ze allemaal dertien, dus tieners. Nog een jaar, dan zouden ze geen brugpiepers meer zijn, wat een reusachtige stap op weg naar de volwassenheid leek. Connie zei plagerig dat ze nog precies dezelfde kleuters waren als vroeger, alleen groter. Sean was nog steeds bezeten van alle vormen van wetshandhaving, keek naar alle mogelijke misdaad- en politieseries op tv en las boeken over de FBI. Billy was al net zo bezeten van sport, vooral football, en had een gigantische verzameling gesigneerde honkbal- en footballplaatjes. Gabby had nog een paar ander klusjes als model gekregen en de hoofdrol in *De notenkraker* en twee toneelstukken van school gespeeld. Andy was de beste van hun klas met alleen maar tienen, en Izzie ontwikkelde een sterk sociaal bewustzijn. Ze had vrijwilligerswerk gedaan in een opvanghuis voor dakloze gezinnen en met Kerstmis zamelde ze speelgoed in voor de kinderen. Ze kocht zelfs extra speelgoed van haar eigen zakgeld.

Billy en Gabby waren de eersten die een grote verandering

aankondigden. Ze hadden in de kerstvakantie veel tijd met elkaar doorgebracht en toen ze in het nieuwe jaar weer op school kwamen, vertelden ze dat ze verkering hadden.

'Echt waar?' Izzie keek haar beste vriendin met grote ogen aan toen die haar nieuws vertelde. 'Wat bedoel je?' Ze keek over haar schouder om te zien of er niemand luisterde en fluisterde toen samenzweerderig: 'Hebben jullie het gedáán?' Ze keek er zo verbijsterd bij dat Gabby in de lach schoot. Het was een helder geluid, als een klok, en Izzie was ervan overtuigd dat Gabby met die lach op een dag filmster zou worden.

'Natuurlijk niet, we zijn niet stom,' zei Gabby zelfverzekerd. 'We zijn nog te jong om het te doen. We willen wachten tot de bovenbouw of daarna. We weten gewoon dat we van elkaar houden.' Ze leek volkomen zeker van haar zaak te zijn, en Izzie was diep onder de indruk.

'Hoe weet je dat?' vroeg ze gefascineerd. Ze hielden allemaal van elkaar binnen hun hechte vriendenkringetje, maar Izzie zou nooit op het idee zijn gekomen verkering te nemen met Sean, Andy of Billy. Wat haar betrof waren ze beste vrienden. Hoe wisten Billy en Gabby dan dat ze anders waren? Wat was er in de kerstvakantie gebeurd?

'Hij heeft me gekust,' vertrouwde Gabby haar toe, 'maar niet tegen mijn moeder zeggen. We hebben gewoon besloten dat we met elkaar willen gaan.' Gabby leek er erg mee in haar nopjes te zijn, al vond Izzie haar er niet anders uitzien. Gabby en Billy waren de enige twee in de groep die al hadden gezoend. Er zaten niet eens jongens bij Izzie in de klas die ze leuk vond, laat staan dat ze er een zou willen zoenen. 'Sean en jij zouden ook verkering moeten nemen, net als wij,' zei Gabby. Ze klonk heel volwassen, maar Izzie trok een vies gezicht.

'Jakkie. Dat is walgelijk. Hij is mijn beste vriend!'

'Ik dacht dat ik dat was,' zei Gabby plagerig. Ze vond het

grappig dat Izzie zo op haar suggestie reageerde. Sean werd steeds knapper om te zien naarmate hij ouder werd, al was hij nog een stuk kleiner dan Billy. Sommige meiden uit hun klas vielen op hem, maar Sean gaf er niets om. Hij had nog geen belangstelling voor meisjes, alleen maar voor misdaadseries en sport. En hij behandelde Izzie als een zusje.

'Je weet toch dat je mijn beste vriendin bent?' zei Izzie gegeneerd. 'Jullie zijn allemaal mijn beste vrienden. Het lijkt gewoon zo raar om op onze leeftijd al een vriendje te hebben.' Izzie leek het niet te snappen en ze keurde het eigenlijk af, maar Gabby had altijd volwassener geleken dan de anderen en Billy was fysiek meer ontwikkeld dan zijn leeftijdsgenoten. Gabby haalde nonchalant haar schouders op.

'Ja, misschien wel. Maar hij zoent lekker,' zei ze. Izzie keek haar ontzet aan. Ze praatten nog even en liepen toen samen hun lokaal in.

Billy had die dag basketbaltraining in de gymzaal, maar hij had Sean en Andy die ochtend hetzelfde verteld als Gabby aan Izzie. De jongens waren allebei onder de indruk en vroegen hoe ver hij was gegaan met Gabby. Billy zei dat ze wel met elkaar zoenden, maar nog niet echt seks hadden gehad. Toch waren zijn twee beste vrienden net zo perplex als Izzie. Dat Billy en Gabby een stelletje waren, was het begin van een nieuw tijdperk voor de groep. De andere drie voelden zich kneuzen en een beetje buitengesloten, aangezien Gabby en Billy een element aan hun relatie hadden toegevoegd waar zij geen deel van uitmaakten. Het voelde heel vreemd, maar Izzie kreeg er niet de neiging door verliefd te worden op een van haar vrienden of iemand van buiten de groep. Andy en Sean waren voor haar als de broers die ze niet had, en dat wilde ze graag zo houden. Het zou akelig voelen om een van de twee als vriendje te kiezen, en dat wilde ze niet.

Het duurde even voor de anderen gewend waren aan het

idee dat Billy en Gabby een stel waren, maar tegen het voorjaar wisten ze niet beter meer. De romantiek bloeide nog volop, en Billy en Gabby bleven kuis. Gewoon 'met elkaar gaan', samen dingen doen en zoenen was genoeg. Larry had op aandringen van Marilyn een gesprek met Billy gevoerd over condooms en oppassen dat Gabby niet zwanger werd, maar Billy zei dat ze geen condooms nodig hadden. Zijn vader keek teleurgesteld, maar zijn moeder was opgelucht. De dag daarop had Marilyn een lang gesprek met Judy over de vraag of hun kinderen echt nog niet met elkaar naar bed waren geweest. Ze hoopte dat ze de waarheid spraken, maar ze wist het niet zeker. Je hoorde wel eens verhalen over kinderen op de basisschool die al seks hadden.

'Gabby vertelt me álles,' zei Judy vol vertrouwen. Ze leek zich geen zorgen te maken. 'Ik wil haar aan de pil hebben voor ze iets uithaalt, want je weet maar nooit.' Ze leek het verrassend kalm op te vatten, al had ze nog niets tegen Adam gezegd omdat ze wist hoe beschermend hij zich opstelde ten opzichte van zijn dochters, maar hij had opgemerkt dat hij Billy de laatste tijd zo vaak zag, dus hij wist het toch al.

'Ze zijn pas dertien,' zei Marilyn zorgelijk. 'Ze zijn nog niet oud genoeg om een serieuze relatie met alles wat erbij komt kijken aan te kunnen.'

'Soms vraag ik me af of ik dat zelf wel kan,' grapte Judy. Marilyn glimlachte meelevend, maar ze wist dat Judy het niet meende. Adam en zij hadden een goed huwelijk en leken na vijftien jaar nog steeds dol op elkaar te zijn.

Marilyn en Larry hadden het moeilijker gehad de laatste jaren. Larry was gestaag blijven drinken en Marilyn had hem er een paar keer van verdacht een verhouding te hebben, maar hij ontkende bij hoog en bij laag. Hij ging graag op stap met zijn beroemde cliënten en kwam soms pas tegen drie of vier uur thuis, maar hij zwoer altijd dat er niets aan de hand was.

Marilyn was er niet zo zeker van, maar ze kon niets bewijzen. Ze zat veel thuis met haar jongens, Billy en Brian van dertien en acht, en die hielden haar bezig. Soms stond ze ervan te kijken dat ze op haar achtendertigste al zo'n huismus was geworden. Larry ging nog maar zelden met haar uit. Hij ging liever stappen met 'de jongens'. Ze beklaagde zich wel eens bij haar vriendinnen, maar ze kon er niets aan doen. Wanneer ze er iets over tegen Larry zei, werd hij vals en zei dat ze niet zo moest zeuren. Hij wees haar erop dat ze een mooi huis en genoeg geld had, en als ze altijd iemand om zich heen wilde hebben moest ze maar een hond nemen. Hij ging niet voor haar aan de leiband lopen. Hij had de vrijheid om uit te gaan wanneer hij wilde, en zij had de jongens.

Tegen hen deed hij ook niet altijd even aardig, afhankelijk van hoeveel hij had gedronken. Hij zag Brian niet staan omdat die niets om sport gaf, en de laatste keer dat Billy's team een honkbalwedstrijd had verloren, had Larry bij thuiskomst naar hem uitgehaald en hem een kneus genoemd. Billy was in tranen naar zijn kamer gegaan, en Marilyn en Larry hadden bijna letterlijk slaande ruzie gekregen. Uiteindelijk had Marilyn zich in de slaapkamer opgesloten, en Larry was weggegaan en pas de volgende ochtend teruggekomen. Hij bood nooit zijn excuses aan, ook niet aan de jongens, en soms vroeg Marilyn zich af of hij eigenlijk nog wel wist wat hij de avond ervoor had gedaan. Marilyn had Billy namens hem zijn verontschuldigingen aangeboden voor de klap na de wedstrijd en geprobeerd hem duidelijk te maken dat zijn vader er zo op gebeten was elke wedstrijd te winnen dat hij niet meer wist wat hij deed. Alleen wisten ze allebei dat het niet waar was. En Billy had zich opgegeven voor het footballteam. Hij was een weg ingeslagen, de enige weg waarmee hij zijn vader kon behagen, en hij nam zich heilig voor nooit meer voor kneus uitgemaakt te worden.

Marilyn en Judy praatten vaak over de relatie van hun kinderen. Marilyn was zo bezorgd om Gabby als om een eigen dochter en was doodsbang dat Billy en zij zich op een dag niet meer zouden kunnen beheersen en toch met elkaar naar bed zouden gaan. Judy daarentegen was verbazend ontspannen en had alle vertrouwen in haar dochter.

'Daar is Gabby te slim voor,' zei ze bedaard. Marilyn kon echter genoeg meisjes opnoemen die slim waren, maar zich op een dag hadden laten gaan en zwanger waren geworden. Marilyn wilde niet dat dat hun kinderen zou overkomen, en hoopte dat ze een eventuele ramp bijtijds zouden kunnen afwenden. De kinderen waren pas dertien.

Connie had zowel Judy als Marilyn erop gewezen dat Kevin op zijn dertiende al seksueel actief was geworden, hoewel haar jongste zoon, Sean, daar nog lang niet aan toe was. Alle kinderen waren anders en ze werden allemaal in hun eigen tempo volwassen.

Connies zorgen om Kevin waren voorlopig ten einde. Hij zat inmiddels in zijn derde studiejaar aan de universiteit van Santa Cruz en deed het goed. Hij leek net een hippie met zijn tatoeages, piercings en lange haar, maar hij had de afgelopen twee semesters redelijke cijfers gehaald. Het bood haar een beetje respijt, maar toch tobde ze over haar zoon. Hij belde wel eens op vanuit Santa Cruz, maar niet vaak. Hij genoot van zijn onafhankelijkheid, dus richtte Connie zich maar op Sean in het besef dat hij aandacht en begeleiding nodig had. Kevin was twintig en moest zich zelf maar zien te redden.

Andy was altijd de uitblinker van de groep van vijf. Er werd niet anders van hem verwacht, en zijn ouders twijfelden er niet aan dat hij alleen maar tienen zou halen. Hij stelde ze nooit teleur, en hij zei dat hij ook dokter wilde worden, net als zijn ouders. Hij wilde arts worden, net als zijn moeder, geen psychiater, zoals zijn vader. Andy wilde mensen lichamelijk genezen, niet psychisch, maar hij wilde wel net als zijn vader aan Harvard studeren. Ook dat werd van hem verwacht, net als de tienen, en hij won elk jaar de natuurkundeprijs. Daar had hij echt talent voor, en Izzie noemde hem soms plagerig 'dokter', wat hij eigenlijk wel leuk vond. Hij was goed in sport geworden en had de natuurlijke gratie van een sportman. Hij zat in de tennisploeg op school en deed in het weekend mee aan toernooien. Zijn vier vrienden gingen altijd kijken als hij speelde, zoals ze ook allemaal naar de honkbalwedstrijden van Sean en Billy gingen, en de jongens kwamen Gabby en Izzie aanmoedigen wanneer ze een basket- of voetbalwedstrijd hadden met het meisjesteam.

Larry sloeg geen honkbalwedstrijd over, en hij riep de hele wedstrijd door aanwijzingen naar Billy. Als het team van zijn zoon verloor, werd hij razend. Sean probeerde wel eens voor Billy op te komen, maar dan werd Larry ook kwaad op hem.

'Meneer Norton, we hebben goed gespeeld vandaag,' zei Sean een keer dapper. 'Billy heeft twee homeruns geslagen, en dat heeft verder niemand van een van beide teams gepresteerd.' De trainer had Billy na de wedstrijd zelfs gecomplimenteerd met zijn spel.

'Hij heeft het verprutst toen de honken vol stonden, anders hadden we gewonnen. Of had je dat soms niet gezien?' zei Larry hatelijk tegen Sean, die weigerde zich te laten intimideren. Niemand vond Larry aardig, laat staan Sean, die het vreselijk vond om te zien hoe hij Billy behandelde. Meneer Norton nam niet eens de moeite iets tegen Brian te zeggen, die ook naar alle wedstrijden van zijn grote broer kwam. Brian was nog steeds lucht voor Larry omdat hij niet sportte. 'Waar heb je het over, O'Hara?' viel hij tegen Sean uit. 'Jij raakt de bal voor geen meter. Ze zouden je uit het team moeten schoppen, dan kun je gaan volleyballen met de meisjes.'

'Zo is het wel genoeg, pap,' sprong Billy zacht voor zijn vriend in de bres. Hij kon wel zien dat zijn vader had gedronken en hij schaamde zich dood voor diens gedrag. Hij was eraan gewend dat zijn vader hem thuis uitfoeterde, maar hij wilde niet dat zijn vrienden het wisten.

'Jullie zijn een zielig stelletje mietjes,' zei Larry, en toen stormde hij naar zijn auto, stapte in en reed weg. Billy keek met tranen in zijn ogen naar Sean en haalde zijn schouders op. Sean sloeg een arm om zijn schouders en zo liepen ze zonder iets te zeggen samen naar de kleedkamer. Toen ze in hun gewone kleren terugkwamen, werden ze opgewacht door Brian, die alles had gezien en medelijden met hen had. Hij genoot altijd van hun wedstrijden. Ze zeiden geen van drieën nog iets over Larry's gedrag. Ze waren het gewend, en iedereen had hem woedend zien wegrijden. Toen ze van het veld kwamen, liep Billy naar Gabby, die ook op hem had gewacht. Hij sloeg zijn arm om haar middel en gaf haar een zoen toen ze hem complimenteerde met de twee homeruns.

'Ach, het is niets,' bagatelliseerde hij zijn prestatie. Hij keek glimlachend naar haar en probeerde zijn vader te vergeten. Billy was al een meter drieëntachtig en leek eerder zestien dan dertien. Gabby zag er ook ouder uit met haar volwassen kapsel en het beetje make-up dat ze van haar moeder mocht gebruiken. Ze vormden een mooi stel, en iedereen was eraan gewend hen samen te zien. Gabby steunde Billy altijd als hij problemen thuis had. Na de wedstrijd gingen ze met zijn vijven hamburgers en ijs eten, en Billy nam Brian ook mee, zodat Brians dag niet meer stuk kon. De Grote Vijf waren altijd supergoed voor hem.

In de voorjaarsvakantie hadden de vijf dikke vrienden weinig te doen. Ze gingen naar honkbalwedstrijden en werden wel eens uitgenodigd om te komen zwemmen bij een vriend in

Napa Valley. Connie en Mike O'Hara hielden een barbecue voor hen in de achtertuin en de dag daarna kregen ze een telefoontje van de universiteit van Santa Cruz en van de politie. Kevin was gearresteerd wegens drugsbezit en blowen op de campus. Hij werd ervan verdacht wiet te hebben verkocht aan medestudenten, al was er geen bewijs. Hij zat in voorarrest in afwachting van zijn voorgeleiding. De brigadier die Mike aan de telefoon had, zei dat Kevin wel vier jaar gevangenisstraf kon krijgen en dat hij van de universiteit was gestuurd. Kevin was twintig, en dit was precies waar zijn ouders al jaren bang voor waren en wat Mike had voorspeld. Kevin ging zijn eigen gang en stoorde zich niet aan regels. Niet die van zijn ouders, ook niet die van de universiteit en zelfs niet die van de wet.

Die middag belde hij zijn ouders op vanuit het huis van bewaring. Mike had toen zijn advocaat al gebeld. Ze zouden de volgende dag naar Santa Cruz gaan om de hoorzitting bij te wonen. Kevin wilde dat ze zorgden dat hij nog die avond op borgtocht werd vrijgelaten, maar Mike zei tegen Connie dat het hun zoon goed zou doen om een nachtje in de cel over zijn zonden na te denken. Mike en Connie waren doodsbang voor wat hem te wachten stond, net als Sean. Het vrije, makkelijke leventje van zijn broer strookte niet met zijn passie voor orde en gezag. Het was nog steeds zijn droom om bij de politie te komen, maar sinds kort zei hij dat hij na zijn studie wel bij de FBI of de CIA zou willen werken. Zijn mentaliteit stond echt haaks op die van Kevin.

Op de dag van de hoorzitting kwam Sean met een somber gezicht bij Billy aanzetten, waar hij die nacht zou logeren. De advocaat pleitte er op de hoorzitting voor de zaak te seponeren en Kevin naar een afkickkliniek te sturen. De rechter stond ervoor open en plande een nieuwe zitting voor twee weken later, wat Kevins ouders maar weinig tijd gaf om een afkickkliniek te vinden. Tot hun grote wanhoop kon Kevin definitief niet terug naar de universiteit van Santa Cruz. Ze waren er kapot van.

Kevin maakte een brutale indruk toen hij thuiskwam. Hij leek zich weinig aan te trekken van zijn nacht in de cel, de aanklacht of het feit dat hij van de universiteit was gestuurd. Al zijn spullen waren weer thuis, en het viel Sean op dat Kevin zijn rugzak altijd dicht bij zich hield. Hij wist zeker dat er drugs in zaten, en hij vond dat Kevin er later die middag stoned uitzag, maar zijn ouders hadden niets in de gaten. Sean was woest op zijn broer. Kevin had geen respect voor hun ouders, hun huis of zelfs maar zichzelf. Hij kwam net uit de gevangenis en hij had alweer geblowd. Sean wist het zeker.

'Pap en mam gaan hieraan onderdoor,' zei hij verdrietig toen hij zijn broer een uur later op diens kamer opzocht. Kevin lag op bed naar muziek te luisteren met de tv aan. Sean wist niet wat hij had gebruikt, maar wat het ook was, hij leek zich er lekker bij te voelen.

'Spaar me je brave lulpreken,' zei Kevin kijkend naar zijn broertje. Sean stond vlak bij hem in de kamer, maar ze konden niet verder van elkaar verwijderd zijn. 'Je bent nog geen smeris, hoor, al denk je van wel.'

'Pap heeft gelijk,' zei Sean zacht. Hij had geen enkel respect meer voor zijn broer. Hij vond het vreselijk wat Kevin hun ouders aandeed. Hun moeder huilde al twee dagen onafgebroken, en hun vader had gehuild toen hij haar vertelde wat er was gebeurd. Ze voelden zich verslagen en wisten zich geen raad meer met Kevin. 'Je komt echt nog in de gevangenis terecht.' Sean had het scenario wel duizend keer gezien in de tv-series die hij volgde.

'Nee, watje, waarschijnlijk krijg ik voorwaardelijk. Het is allemaal niet zo erg als ze het doen voorkomen. Jezus man, het is maar een beetje wiet, geen meth of crack, hoor. Gewoon een blowtje.' Maar zo'n klein beetje wiet was het niet – hij had veel in zijn zak en in de auto gehad toen hij werd aangehouden wegens het negeren van een stoplicht en het vermoeden dat hij onder invloed was.

'Het is verboden,' zei Sean, die nog steeds in de kamer naar zijn broer stond te kijken. Kevin lag volkomen relaxed languit op zijn bed. Toen hij werd aangehouden, was hij zo stoned geweest dat hij zich de nacht in de cel amper herinnerde, en hij had geslapen als een roos. 'Misschien is het de volgende keer wel crack, of meth, of paddo's of lsd, of wat voor troep je ook maar gebruikt met je vrienden.'

'Hoe kun jij nou weten wat ik met mijn vrienden doe?' vroeg Kevin verontwaardigd. Zijn broertje gedroeg zich alsof hij bij de narcoticabrigade zat.

'Ik hoor wel eens wat.'

'Je bent nog maar een kleuter, Sean. Je weet niet wat je zegt.'

'O jawel. En jij ook. Ik zweer je dat ik je in elkaar sla als je onze ouders dit nog eens aandoet,' zei Sean. Hij beefde van woede, maar zijn grote broer lachte hem uit en wees naar de deur van zijn kamer.

'Ik sta te trillen op mijn benen, kleintje. En nou wegwezen, voordat ik je een schop onder je kont geef.' Kevin leek uit een andere wereld te komen, een ander gezin. Hij was een vreemde in hun midden, en dat was hij altijd al geweest ook. Kevin zou altijd een manier vinden om te doen waar hij zin in had, ongeacht de consequenties voor hemzelf en iedereen om hem heen.

Sean liep stilletjes weg. De dagen erna overlegden zijn ouders met hulpverleners en advocaten. Ze hadden een kliniek in Arizona bereid gevonden Kevin op te nemen, en de advocaat zou de rechter vragen of Kevin een voorwaardelijke straf kon krijgen als hij naar de kliniek ging. Het spande er nog om, en de dag voor de zitting dwong Kevins vader zijn zoon naar de kapper te gaan en zijn baard af te scheren. Kevin stribbelde tegen, maar hij had geen keus. Zijn vader gaf hem een pak en zei dat hij het moest aantrekken. Zijn ogen schoten vuur terwijl hij het zei.

'Ik wil niet dat je je moeder ooit nog zoiets aandoet,' zei hij knarsetandend, amper in staat zijn woede te bedwingen, en Kevin schudde van nee. Mike gaf hem een overhemd en een stropdas voor bij het pak en een paar van zijn eigen nette schoenen, want ze hadden dezelfde maat en hij had geen zin om nieuwe schoenen met hem te gaan kopen in de stad. Kevin had twee weken binnenshuis rondgehangen, want hij mocht nergens heen van zijn ouders. Hun plan voor hem stond hem niet aan, maar het klonk nog altijd beter dan de vier jaar cel die hem te wachten stond als hij de maximumstraf kreeg.

Iedereen zweeg tijdens de lange rit naar Santa Cruz. Ze deden er bijna drie uur over vanuit San Francisco, en ze hadden met de advocaat bij de rechtszaal afgesproken. Ze hadden een officiële toelatingsbrief van de afkickkliniek in Arizona gekregen, en toen ze de rechtbank in liepen, drong het allemaal pas goed tot Kevin door. Hij zag er bang uit, maar niet zo bang als zijn ouders. Sean logeerde weer bij Billy, en Marilyn zou de jongens die middag naar hun honkbaltraining brengen.

De rechter luisterde naar het voorstel van de advocaat en nam de brief door die hij kreeg aangereikt, met een beschrijving van de kliniek en wat die te bieden had.

'Je mag van geluk spreken, jongeman,' zei hij tegen Kevin toen hij de informatie had gelezen. 'Veel ouders hadden je de rug toegekeerd en je naar de gevangenis laten gaan. Wat je veel goed zou kunnen doen,' zei hij streng. 'Wat ik nu ga beslissen, beslis ik meer voor hen dan voor jou. En ik zou mijn best maar doen, anders kom je toch nog in de gevangenis terecht. Ik veroordeel je tot zes maanden in die afkickkliniek in Arizona, die mij in de oren klinkt als een luxehotel. Als je ook maar één dag eerder weggaat, stuur ik je alsnog naar de gevangenis. En ik geef je een proeftijd van twee jaar. Als je in die twee jaar de wet overtreedt, ga je ook naar de gevangenis. Is dat duidelijk?'

Kevin knikte, maar hij kon zijn woede nauwelijks verhullen. Zes maanden in een afkickkliniek klonk hem als een nachtmerrie in de oren, en dat was allemaal te wijten aan zijn ouders, voor wie hij op dat moment weinig dankbaarheid kon opbrengen. Hij kon geen kant op. De rechter had gezegd dat hij zich binnen vierentwintig uur bij de kliniek in Arizona moest melden, en hij wilde bewijs hebben dat Kevin was opgenomen. Hij vroeg Kevin of hij nog iets wilde zeggen, en hij zei nee. Mike nam in zijn plaats het woord en bedankte de rechter schor van emotie voor zijn goedgunstigheid.

'Succes met uw zoon,' zei de rechter vriendelijk. Tranen welden op in Mikes ogen en biggelden over Connies wangen. De afgelopen twee weken waren een kwellende, beangstigende periode geweest.

Tijdens de terugrit naar San Francisco zweeg iedereen weer. Mike liet zijn secretaresse tickets reserveren voor de vlucht naar Phoenix van zeven uur 's ochtends de volgende dag. Hij wilde Kevin zelf brengen om er zeker van te kunnen zijn dat hij er aankwam en niet wegliep.

Kevin ging bij thuiskomst regelrecht naar zijn kamer, waar hij schaamteloos een joint rookte. Zijn ouders roken het wel, maar zeiden er niets van. De nachtmerrie was bijna voorbij, en Kevin zou de volgende dag in de kliniek zitten, tenzij hij vergat dat hij achter de tralies zou komen te zitten als hij wegliep omdat het programma hem te zwaar viel en ervandoor ging.

Toen Kevin naar boven was en Mike en Connie zich hadden omgekleed, ging Connie Sean bij Billy ophalen. De jongens waren net terug van hun honkbaltraining. Sean keek zijn moeder bezorgd aan. Zijn broer kon zich als een klootzak gedragen, maar hij hield toch van hem. Het bleef zijn broer, en Sean wilde niet dat hij naar de gevangenis zou gaan.

'Moet hij naar de gevangenis?' vroeg Sean angstig, en zijn moeder schudde haar hoofd. Ze zag er uitgeput en verslagen uit.

'Nee, hij moet een halfjaar naar een afkickkliniek in Arizona, en hij heeft een proeftijd van twee jaar, dus hij kan zich maar beter gedragen. Als hij uit de kliniek wegloopt of het weer verprutst, moet hij naar de gevangenis.' Het was goed nieuws, maar zo voelde het nog niet. Connie was zich maar al te sterk bewust van de risico's en ze had geen idee in hoeverre Kevin zou willen meewerken, of voor hoe lang. Ze zouden naar hem toe gaan als er gezinsweekends waren, om samen met hem therapiesessies te volgen, en misschien moest Sean zelfs wel mee. Kevin haalde het hele gezin door de mangel. Het was het ergste wat hij tot nu toe had gedaan, en het was nog niet voorbij.

'Het komt wel goed, mam,' zei Sean geruststellend, maar hij geloofde het zelf niet echt.

Terwijl Connie met Sean en Billy praatte, kwam Marilyn naar buiten om te vragen hoe het was gegaan, en Connie vertelde haar opgelucht dat Kevin geen gevangenisstraf had gekregen, maar moest afkicken. Marilyn, die wel zag hoe gespannen en moe Connie was, omhelsde haar vriendin en gaf haar een knuffel. Connie zag er zo wankel uit als ze zich voelde. Billy zag het allemaal zwijgend aan. Hij wist niet wat hij moest zeggen, maar hij gaf Sean een vriendschappelijke klap op zijn rug en een duw voordat hij wegging, wat zijn manier was om te zeggen hoe erg hij het vond. Sean keek grinnikend naar hem op. Die avond belde Izzie hem op om te vragen hoe het was gegaan.

'En, moet hij naar de gevangenis?'

'Nee. Nog niet tenminste. Maar als hij er weer een potje van maakt waarschijnlijk wel. Ik weet niet wat er met hem is, hij is altijd dwars geweest,' zei Sean, die ook moe klonk. Hij had de hele dag over zijn broer gepiekerd, en over zijn ouders, die zo zichtbaar kapot waren van wat Kevin had gedaan en wat er met hem zou kunnen gebeuren.

'Sommige mensen zijn gewoon anders, denk ik,' zei Izzie kalm. 'Ook binnen hetzelfde gezin. Hoe is het met je moeder?' Ze maakten zich allemaal zorgen om haar. Kevins aanhouding was een zware slag voor haar geweest.

'Slecht. Ze zegt niets, maar ze ziet eruit alsof ze onder een bus is gekomen. Mijn vader ook. Hij brengt Kevin morgen naar Phoenix.'

'Ziet Kevin ertegen op?' vroeg Izzie, die onder de indruk was van het gebeurde. Kevin was de eerste die ze kenden die naar een afkickkliniek moest.

'Nee, ik denk dat hij vooral de pest in heeft. Hij zegt weinig, en vanavond kwam hij knetterstoned aan tafel. Mijn ouders zagen het niet, maar ik wel. Hij moest van pap beneden komen eten voor mam. Ze heeft de hele tijd gehuild onder het eten.' Izzie vond het vreselijk klinken, en ze hoorde aan Seans stem hoe erg hij het vond om zijn ouders zo van streek te zien.

Toen Sean de volgende ochtend opstond, waren Mike en Kevin al weg. Connie was eerder opgestaan om afscheid te nemen van haar zoon. Toen ze hem wilde omhelzen, schudde hij haar af en draaide zich om. Het was te veel voor Mike, en hij pakte zijn zoon hard bij de arm.

'Neem eens fatsoenlijk afscheid van je moeder,' zei hij knarsetandend, en Kevin knuffelde Connie, die huilde. Vervolgens gingen ze weg, terwijl het nog donker was, en Connie ging in bed liggen snikken. Toen Mike die avond laat thuiskwam, ging hij op het bed zitten en barstte in huilen uit. Connie nam hem in haar armen en hield hem vast om hem te troosten.

'Hoe was hij toen je wegging?' vroeg ze.

'Hij leek me te haten. Hij keerde me gewoon de rug toe en liep weg.' Kevin was alweer vergeten dat hij door de rechter naar de kliniek was gestuurd, niet door zijn ouders.

Huize O'Hara leek op slag veel te stil zonder Kevin, al had hij niet meer thuis gewoond. De afgelopen twee weken was hij sterk aanwezig geweest met zijn vijandigheid, zijn clandestiene drinken en blowen en de stress die hij iedereen om hem heen bezorgde. De rust in huis leek aanvankelijk onnatuurlijk en vreemd. Sean miste het idee van een grote broer, maar Kevin was in het echt nooit wat hij van hem hoopte.

Sean zocht afleiding in zijn huiswerk en bij de tv. Hij keek nog steeds het liefst naar misdaadprogramma's, en Izzie kwam wel eens naar hem toe om samen met hem te leren. Ze bakte de koekjes en cupcakes die hij het lekkerst vond voor hem en voor zijn ouders. Ze wist niet goed wat ze kon doen om te helpen; ze zag het verdriet in hun ogen en zelfs in die van Sean.

Sean was een paar weken stilletjes, maar hij knapte op toen de proefwerkweken eraan kwamen. Toen Izzie op een avond op haar kamer zat te blokken, klopte haar vader aan en vroeg haar naar beneden te komen. Ze ging verbaasd met hem mee naar de woonkamer, en toen ze haar moeder gespannen op de bank zag zitten, werd ze bang.

'Heb ik iets gedaan?' vroeg Izzie van de een naar de ander kijkend. Ze was zich van geen kwaad bewust, maar je wist het maar nooit. Alles was mogelijk. Misschien had de school gebeld om te zeggen dat ze alleen maar onvoldoendes had gehaald. Dat zou dan wel voor het eerst zijn.

'Je moeder en ik moeten je iets vertellen,' zei Jeff zacht toen ze alle drie zaten. Alles leek vreemd. Haar moeder keek haar niet aan en het was zo stil dat Izzie de antieke wandklok in de gang hoorde tikken. Ze kon zich niet herinneren dat ze hem ooit eerder vanuit de woonkamer had kunnen horen, maar het was nu muisstil. 'We gaan scheiden,' zei Jeff verslagen.

Izzie keek haar ouders met grote ogen aan. Wat kon ze zeggen? *Wat erg? Hoe durven jullie? Waarom? Houden jullie niet van elkaar? Hoe moet het nu met mij?* Er schoten wel duizend gedachten door haar hoofd, maar er kwam niets uit haar mond. Ze wilde gillen of huilen, maar kon geen van beide. Ze kon alleen maar van de een naar de ander kijken, en ten slotte dwong haar moeder zichzelf haar blik te beantwoorden.

'Wiens idee was het?' was het enige wat Izzie kon verzinnen, maar ze was er zeker van dat haar moeder degene was die wilde scheiden. Ze gedroeg zich altijd alsof ze liever ergens anders was.

'Van ons samen,' antwoordde haar vader. Katherine keek naar haar man en dochter alsof ze vreemden voor haar waren. Ze voelde zich al jaren zelf een vreemde in hun midden. Ze had nooit kinderen gewild en dat had ze Jeff ook verteld toen ze gingen trouwen. Ze hadden elkaar leren kennen tijdens hun rechtenstudie, en Jeff had toen nog de ambitie gehad om het bedrijfsleven in te gaan, maar later was hij van gedachten veranderd en dol geworden op zijn werk voor de burgerrechtenbeweging. Hij had er een vakantiebaantje gekregen dat hij had omgezet in een stage voor studiepunten, en hij was er nooit meer weggegaan.

Katherines ambities en doelstellingen waren nooit veranderd, maar Jeff was in de loop der jaren een ander mens geworden. Hij had gedacht dat een kind goed zou zijn voor hun huwelijk en hen, en hij had beloofd al het mogelijke te doen om Katherine te helpen, wat hij ook had gedaan. Hij had veel meer aandacht voor Izzie dan zij, en dat wist Katherine ook. Maar zelfs na Izzies geboorte kon ze tot haar eigen afgrijzen niet warmlopen voor het idee van een kind. Wat haar betrof was het een verschrikkelijke vergissing. Maar het ging wel om een mens. Izzie was een schat, maar Katherine had geen moederlijke gevoelens voor haar, toen niet en nu nog steeds niet. Ze wist dat ze iets belangrijks miste. Ze kon zich niet aan haar dochter hechten. Ze voelde zich er schuldig over en ze verweet Jeff dat hij haar had gedwongen, of overgehaald, een kind te nemen. Hij was heel overtuigend geweest. Katherines eigen ouders waren altijd heel kil tegen haar geweest, waardoor ze niet had geleerd hoe je moeder moest zijn, en diep in haar hart wilde ze dat ook helemaal niet leren. Wanneer ze naar haar eigen kind keek, voelde ze zich een monster, en ze wist dat Izzie het wist. Jeff had het zo lang mogelijk ontkend, maar hoewel hij het niet aan Izzie vertelde, had hij de echtscheiding aangevraagd, en Katherine was opgelucht geweest.

'Je moeder heeft een heel belangrijke nieuwe baan gekregen,' legde Jeff uit. 'Ze wordt eerste vennoot van een grote firma, en ze zal veel moeten reizen. Zo willen we geen van beiden getrouwd zijn. Soms veranderen er dingen tussen twee mensen,' zei hij, en hij keek zijn dochter aan. 'Ons huwelijk is niet meer te rijmen met het werk van je moeder.'

'Dus je laat ons in de steek voor je nieuwe baan?' vroeg Izzie gekwetst aan haar moeder. Het kwam bij Katherine aan als een dolk in haar hart. Ze had altijd geweten dat ze beter niet aan kinderen kon beginnen, en nu moest Izzie eronder lijden. Zelfs zij wist hoe verkeerd dat was, maar dat veranderde niets aan haar gevoelens, of aan het feit dat ze gewoon geen moederinstinct had. Dat wist Izzie beter dan wie ook. Het was haar nooit gelukt haar moeders hart te winnen of zelfs maar een beetje aandacht van haar te krijgen. Ze had altijd het gevoel gehad dat ze haar moeder tot last was, wat in veel opzichten ook zo was. Jeff probeerde het wel te compenseren, maar hij was haar vader, niet haar moeder, en Izzie had haar hele leven gesnakt naar moederliefde. En nu ging haar moeder weg. Vanwege haar werk.

'Ik laat je niet in de steek,' zei Katherine. Ze keek naar haar dochter en wist dat ze haar in haar armen moest nemen, maar ze kon het niet. 'Je vader en ik hebben een eerlijke regeling opgesteld. Je gaat elke week drie dagen bij hem wonen, en dan drie dagen bij mij, als ik in de stad ben, en op zondag mag je kiezen, als ik er ben. We kunnen ook een schema aanhouden van telkens drie dagen achter elkaar, als je dat liever hebt.' Ze vond het redelijk klinken, voor een zakelijke afspraak, maar zo beleefde Izzie het niet.

'Meen je dat?' vroeg Izzie ontzet. 'Verwachten jullie dat jullie me van de een naar de ander kunnen gooien als een bal, of een hond? Zo kan ik toch niet leven? Ik zou om de drie dagen mijn koffer moeten pakken. Ik ga nog liever naar een weeshuis. Wat een krankzinnig idee.'

Katherine keek ervan op, en Jeff zei maar niets. Hij had wel bedacht hoe lastig het voor Izzie zou worden, maar Katherine vond het een 'eerlijke' regeling. 'Je zou misschien ook een hele week bij de een kunnen wonen en dan bij de ander,' stelde hij aan Izzie voor, alsof ze een cliënt was die hij tevreden wilde stellen.

'Ik wil niet heen en weer reizen tussen jullie tweeën,' zei Izzie. De tranen sprongen haar in de ogen. Wilden haar ouders haar leven verwoesten? 'Julie zijn allebei gek. Zo kan ik niet leven. Het is niet mijn schuld dat jullie niet meer van elkaar houden en dat mam een nieuwe baan heeft. Waarom laten jullie mij ervoor opdraaien?'

'Maar zo werkt dat met gezamenlijke voogdij,' zei Katherine kalm. Ze probeerde niet te reageren op de paniek die ze in de ogen van haar dochter zag. Zelf zou ze nooit om een scheiding hebben gevraagd – ze had zich verzoend met de manier waarop ze leefden. Toen ze Jeff over haar nieuwe baan vertelde, had hij gezegd dat hij wilde scheiden, en toen ze erover nadacht, vond ze het ook een verstandig voorstel. Izzie was oud genoeg om het te begrijpen.

'Ik ben geen meubelstuk dat jullie van de een naar de ander kunnen schuiven. Ik wil niet twee keer per week verkassen.'

'Je went er wel aan. Het zou zelfs een paar voordelen voor je kunnen hebben. Ik heb net een mooie flat in het centrum gevonden, vlak bij mijn kantoor, in een gebouw met een zwembad.'

'Ik hoef geen zwembad. Ik wil een vader en een moeder en een huis. Kunnen jullie het niet bijleggen of zo?' Ze had het nog niet gevraagd of haar ouders schudden allebei van nee.

'We verdienen allebei een beter leven. Ons huwelijk stelt al heel lang niets meer voor,' zei Jeff verdrietig. 'En het spijt me dat het zo moeilijk voor je is.'

'Over een jaar, als je veertien bent, mag je zelf tegen de rechter zeggen wat je wilt, maar voorlopig moeten je vader en ik nog een billijke regeling treffen,' legde Katherine uit.

'Billijk voor wie? Telt mijn mening niet meer mee?' Haar ouders keken haar allebei hulpeloos aan. 'Ik vind gezamenlijke voogdij stom, en jullie ook,' zei Izzie, en toen rende ze naar haar kamer en sloeg de deur achter zich dicht. Ze belde Gabby, barstte in tranen uit en vertelde haar wat er was gebeurd. Gabby, die het ongelooflijk vond, zei tegen Izzie dat ze zo vaak mocht komen logeren als ze wilde, maar Izzie wilde niet bij Gabby logeren, ze wilde haar eigen huis hebben. Daarna belde ze Sean en Andy, die het allebei heel erg voor haar vonden.

Izzie lag de hele nacht in bed te huilen, en de volgende ochtend bij het ontbijt zei haar vader dat ze zouden proberen een regeling te treffen die makkelijker voor haar was.

'Misschien kun je een week bij de een en een week bij de ander wonen, of twee weken, of een maand. Als het aan mij lag bleef je gewoon hier, maar je moet je moeder ook zien.'

'Waarom? Ze is toch de hele tijd op reis. Waarom gaan jullie niet om beurten hier wonen, zodat ik hier kan blijven? Ik heb gehoord van ouders die het zo hebben opgelost.'

'Ik denk dat dat heel lastig voor ons zou zijn,' zei Jeff. Hij vond het vreselijk dat ze Izzie dit moesten aandoen, maar het huwelijk was al jaren voorbij. Hij had een jaar in groepstherapie gezeten en had besloten dat hij niet meer wilde samenleven met een vrouw die niet van hem hield en van wie hij ook niet meer hield, alleen werd Izzie er nu de dupe van.

'Maar dat jullie het mij lastig maken, doet er niet toe,' zei Izzie wrang terwijl ze met haar cornflakes speelde. Toen keek ze ongelukkig naar haar vader op. 'Als jullie me maar geen verwijten maken als ik blijf zitten. Ik kan niet én fatsoenlijke cijfers halen én drie keer per week verhuizen omdat mam en jij elkaar niet meer leuk vinden. En zodra ik veertien ben, zeg ik tegen de rechter dat ik niet meer heen en weer wil reizen, dus jullie kunnen maar beter iets anders verzinnen.'

'We zullen ons best doen,' zei haar vader verdrietig, maar hij kon niets verzinnen. Even later hoorde hij de voordeur achter Izzie dichtslaan.

Het enige wat Izzie die dag kon troosten, en nog maanden daarna, waren haar vrienden. Ze bracht zo veel mogelijk tijd door bij Sean thuis, waar ze werd vertroeteld door Connie, en ze ging wel eens bij Gabby logeren, wat ook hielp. Judy was een hartelijke vrouw, die altijd dol was geweest op Izzie, en medelijden met haar had nu haar ouders gingen scheiden. Gabby en Michelle steunden haar ook, net als haar andere vrienden.

De omgangsregeling met Katherine liep op niets uit. Ze was bijna altijd de stad uit op de dagen dat Izzie bij haar zou moeten zijn, en uiteindelijk mocht Izzie gewoon bij haar vader blijven wonen en ging ze in het weekend wel eens een nachtje bij haar moeder logeren. Dan ging Katherine met haar uit eten, en ze mocht Gabby meebrengen om samen in het zwembad te zwemmen. Soms zag Izzie haar moeder een volle maand niet, of nog langer, maar zelfs als ze haar moeder zag, wist Izzie dat ze er nooit echt voor haar was. Wat haar overeind hield, waren haar vader, die van haar hield, en haar vier fantastische vrienden. En Connie O'Hara, als liefdevolle adoptietante. Het was niet alles wat je hoorde te hebben in het leven, maar bij elkaar opgeteld leek Izzie er genoeg aan te hebben.

4

De eerste belangrijke gebeurtenis in de vierde klas van de middelbare school was dat Billy en Gabby 'het deden', het weekend voor Thanksgiving. Gabby vertrouwde het Izzie de volgende dag toe, en haar moeder de dag daarna. Ze verzekerde haar moeder dat ze een condoom hadden gebruikt, en aan Izzie bekende ze dat het niet zo fantastisch was geweest als ze had gehoopt. Billy was afgegaan als vuurwerk, sneller dan ze allebei hadden verwacht, en het had pijn gedaan, echt pijn. Ze waren allebei nog maagd, maar het beste was de tederheid tussen hen. Ze hadden nu drie jaar verkering en ze hadden elkaar nog nooit bedrogen of zelfs maar naar een ander gekeken. Ze waren smoorverliefd, en Gabby zei dat hun band nog hechter was nu ze het met elkaar hadden gedaan. En haar moeder vatte het heel goed op. Judy vond dat ze een zware verantwoordelijkheid op zich namen, maar ze was blij dat Gabby er eerlijk over was, zodat ze wist wat er speelde in het leven van haar dochter.

Aan het eind van het weekend wisten alle leden van de Grote Vijf, zoals Connie ze nog steeds noemde, ervan. Billy schepte er niet over op, maar iets aan de manier waarop Gabby en hij nog dichter bij elkaar stonden en elkaar aankeken alsof ze een geheimpje hadden, zorgde ervoor dat iedereen het wel kon raden. Izzie vond nog steeds dat ze te jong waren om met elkaar naar bed te gaan, maar Gabby en Billy twijfelden geen moment aan hun liefde voor elkaar en vonden dat ze eraan toe waren om de verantwoordelijkheden op zich te nemen die erbij hoorden. Billy gebruikte condooms en Gabby zei tegen haar moeder dat ze aan de pil wilde om niet zwanger te raken. Ze deden het nog twee keer bij Billy thuis toen zijn moeder weg was, zijn vader op zijn werk en Brian op school. Ze hadden een vrij uur tussen de middag, en de tweede keer ging het al beter en de derde keer was het heerlijk. Ze waren blij dat ze eindelijk hadden besloten seks aan hun relatie toe te voegen.

Judy ging op de dag voor Thanksgiving met Gabby naar de dokter om de pil te halen, en de anderen voelden zich opeens heel onvolwassen en buitengesloten. Zij hadden geen van allen een vriendje of vriendinnetje. Andy deed niets anders dan leren, Sean was stil en minder fors dan Billy en klaagde altijd dat de meisjes hem niet zagen staan, en Izzie was de afgelopen twee jaar bezig geweest de scheiding van haar ouders te boven te komen. Ze zag haar moeder nog maar zelden, al belde Katherine wel regelmatig uit andere steden op om te vragen hoe het was. Af en toe brachten ze nog een weekend met elkaar door. In zekere zin miste Izzie haar moeder. Het was vreemd om geen moeder meer in huis te hebben, alleen nog een moeder die ze amper zag. Soms maakte het haar verdrietig. Jeff probeerde de afwezigheid en onverschilligheid van haar moeder te compenseren, maar toch miste Izzie bij vlagen echt een moeder die ze elke dag kon zien, hoe druk Katherine het voor de scheiding ook had gehad.

Jeff had nog geen nieuwe liefde ontmoet, maar hij was sinds ongeveer een jaar op zoek. Wanneer hij een vrouw mee naar huis bracht, moest hij Izzies commentaar over zich heen laten komen, en ze had meestal gelijk. Hij wilde niet hertrouwen, maar hij zou het fijn vinden als hij een vrouw vond om mee samen te wonen. Nog twee jaar, dan ging Izzie het huis uit om te studeren. Hij wist hoe eenzaam hij zich dan zou voelen, en hij maakte zichzelf niet wijs dat zijn dochter in San Francisco zou blijven. Izzie wilde de wereld zien, ook al zou ze daarna misschien terugkomen. Jeff besefte dat hij zonder haar geen sociaal leven had. Alles draaide om zijn dochter.

Jeff ging nu een paar maanden om met een vrouw van zijn werk, en hij vroeg haar thuis te eten. Izzie vond haar vreselijk. Jeff was inmiddels drieënvijftig en de jonge juriste op wie hij een oogje had was begin dertig. Izzie wees haar vader er de volgende dag op dat die vrouw te jong voor hem was, en hij hoorde het gegeneerd aan. Hij had het zelf ook wel bedacht, maar het was niet prettig om het uit de mond van zijn vijftienjarige dochter te horen, die qua leeftijd dichter bij de juriste stond, al scheelde het niet veel. Alleen trokken vrouwen van zijn eigen leeftijd hem niet zo.

'Ik ga niet met haar trouwen. Ik ga gewoon met haar om,' zei hij tegen Izzie.

'Als je dat maar zo houdt,' zei Izzie streng. 'Bovendien is ze niet zo slim als jij.'

'Waarom denk je dat?' vroeg Jeff verbaasd.

'Ze vroeg telkens naar dingen die ze zou moeten weten als jurist, dus of ze doet alsof ze dom is, of ze is het echt. Je verdient hoe dan ook beter,' zei Izzie terwijl ze de ontbijtborden afspoelde en in de afwasmachine zette. Ze was echt de vrouw in huis geworden, en ze had een prettige, volwassen relatie met haar vader.

'Niemand kan ooit zo slim zijn als je moeder,' zei Jeff nuchter. 'Ik weet niet eens of ik wel zo slim ben als zij. Waarschijnlijk niet.' *Of zo kil*, dacht hij erbij, maar dat sprak hij niet uit. 'Ik weet niet of ik wel een genie nodig heb, of dat zelfs maar wil. Ik zoek gewoon een aardige, vriendelijke vrouw,' zei hij, en Izzie keek hem aan.

'Je moet een slimme vrouw hebben, pap. Een domme zou je gaan vervelen.' Haar moeder had een nieuwe vriend, de algemeen directeur van de firma waarvoor ze werkte. Hij was pas gescheiden. Izzie had hem nog niet gezien, maar haar moeder had haar over hem verteld. In de twee jaar sinds de scheiding van haar ouders was ze wijs geworden voor haar leeftijd.

Ze hadden geen plannen voor Thanksgiving, dus nam Jeff een uitnodiging voor hen beiden aan van een van zijn collega's van de burgerrechtenbeweging, een aardige, gescheiden vrouw met twee kinderen van ongeveer Izzies leeftijd. Ze had nog een stuk of tien mensen gevraagd. Het leek een leuke manier om de dag door te komen. Katherine was voor zaken naar New York en vierde het feest daar met vrienden.

De O'Hara's waren van plan vrienden en familie uit te nodigen. Ze hadden veel om dankbaar voor te zijn dat jaar. Kevin had het goed gedaan in de afkickkliniek en na zijn terugkeer voldeed hij aan al hun verwachtingen. Hij was nu tweeëntwintig, volgde een beroepsopleiding en hoopte dat jaar af te studeren. Het was een enorme opluchting voor zijn ouders. Kevin en Sean konden nu ook goed met elkaar opschieten. Kevin had Sean tijdens een gezinstherapiesessie in Arizona zijn excuses aangeboden omdat hij altijd zo'n slechte broer was geweest. Hij was als een ander mens thuisgekomen.

Andy en zijn ouders gingen naar familie van zijn moeder in South Carolina. Judy en Adam gingen met Michelle naar het Fairmont Hotel en Gabby bracht Thanksgiving door bij Billy's ouders. Marilyn wilde een familiediner houden met Larry, haar twee zoons en Gabby. Ze bereidde de maaltijd altijd zelf, en goed ook, en Gabby had beloofd haar te helpen.

Gabby ging bijtijds naar Billy's huis om Marilyn te helpen alles in orde te maken. Marilyn had haar mooiste linnen tafelkleed tevoorschijn gehaald en Billy en Gabby dekten samen de tafel met Marilyns mooiste porselein en kristal. Marilyn bedroop de kalkoen, die zalig rook. Ze zouden om zes uur aan tafel gaan. Larry was football gaan kijken bij een vriend. Hij had beloofd op tijd thuis te komen, maar om zes uur was hij er nog niet en hij nam zijn mobiele telefoon niet op toen Marilyn hem belde. Ze wachtten tot zeven uur op hem. Tegen die tijd begon de kalkoen droog te worden, en Marilyn raakte overstuur.

Om halfacht gingen ze aan tafel, anderhalf uur later dan gepland. De broodjes waren een beetje aangebrand en de gevulde kalkoen was onmiskenbaar droog. Niemand zei iets over Larry's afwezigheid, en Marilyn serveerde pompoen- en appeltaart met zelfgemaakt vanille-ijs toe. Na het eten hielpen Gabby en de jongens met afruimen. Om halfelf was de keuken weer aan kant en ging Marilyn huilend naar boven. Gabby deed alsof ze het niet zag. Op hetzelfde moment kwam Larry nonchalant binnen. De kinderen trokken zich muisstil terug in de tv-kamer in het souterrain om een film te kijken.

Marilyn draaide zich op de trap om en keek haar man aan. Haar stem klonk vlak, maar haar ogen schoten vuur. Larry zag eruit alsof hij de hele dag aan het drinken was geweest.

'Waar heb je gezeten?' Ze was de hele avond ongerust geweest.

'Ik heb bij een vriend gegeten,' zei Larry op een toon alsof het een doodgewone dag was, maar hij hield alleen zichzelf voor de gek.

'Je hebt het Thanksgiving-diner gemist,' zei Marilyn.

'Sorry, ik had wat anders te doen,' zei hij bot. Hij wrong zich langs haar heen de trap op, en in het voorbijgaan rook ze de drank en zag ze lippenstift op zijn boordje, een dikke veeg die als een klap in haar gezicht aankwam.

'Ik walg van je,' zei ze binnensmonds. Hij hoorde haar, pakte haar arm en trok haar naar zich toe.

'Het kan me geen moer schelen wat jij vindt,' zei hij, en hij duwde haar van zich af. Ze verloor haar evenwicht en kon maar net op tijd de trapleuning pakken voordat ze viel.

'Moest dat nu uitgerekend vanavond?' zei ze terwijl ze achter hem aan naar hun slaapkamer liep. Larry leek even niet te weten waar hij was, wat haar deed beseffen hoe dronken hij was. Hij liep onvast naar het bed en ging zitten. Hij was de hele dag bij een andere vrouw geweest.

'Ik doe verdomme wat ik wil, wanneer ik het wil. Thanksgiving kan me gestolen worden,' zei hij. 'Met jou erbij,' besloot hij om het af te maken. Marilyn was blij dat de jongens hem niet konden horen. Ze keek naar hem en vroeg zich af waarom ze zo lang bij hem was gebleven, waarom ze alle beledigingen en vernederingen had geslikt, het drinken, de teleurstellingen en de pijn van het weten of vermoeden dat hij haar continu bedroog. Ze had zichzelf voorgehouden dat ze het voor de jongens deed, maar daar was ze niet meer zo zeker van. Misschien was ze gewoon bang om alleen te zijn, of om een man kwijt te raken van wie ze al jaren niet meer hield. Larry had niets aardigs, en ze wist dat hij ook niet van haar hield.

'Ga maar terug naar waar je vandaan komt. Ik wil niet dat de kinderen je in deze toestand zien,' zei ze bedaard.

'Waar heb je het over?' Hij ging op het bed liggen alsof er niets aan de hand was. Ze zag aan hem dat hij het gevoel had dat de hele kamer tolde, maar dat deed haar niets.

'Ik zeg dat je weg moet gaan,' zei ze op hem neerkijkend. Hij haalde uit en ze stapte weg. 'Als je nu niet meteen gaat bel ik de politie.'

'Mijn reet. Hou toch je kop. Ik wil slapen.' Marilyn pakte

de telefoon en maakte aanstalten om het alarmnummer te bellen. Ze zou het niet echt doen, maar dat wilde ze hem wel laten denken. Hij sprong van het bed, griste de telefoon uit haar hand en smeet hem tegen de muur, en toen gaf hij haar een klap in haar gezicht die ze niet kon ontwijken. Hij raakte haar hard, en ze keek hem aan met een haat waarvan ze het bestaan zelf niet had vermoed. Er liep een straaltje bloed langs haar wang.

'Eruit, Larry. Nu!' Iets in haar ogen zei hem dat ze het meende. Hij pakte zijn colbert van het bed, haastte zich de trap af en sloeg de voordeur achter zich dicht. Marilyn, die van top tot teen stond te beven, deed de slaapkamerdeur dicht om te voorkomen dat de kinderen haar zo zouden zien, zakte op het bed en barstte in tranen uit. Het was voorbij, en het had jaren eerder al voorbij moeten zijn.

De volgende ochtend belde ze Larry voordat hij weer naar huis kon komen en zei dat hij niet meer welkom was.

'Kom je spullen volgende week maar halen. Ik laat vandaag de sloten vervangen. Ik wil van je scheiden.' Haar stem klonk kil en zakelijk.

'Je hebt me gisteren kwaad gemaakt. Dat had je niet moeten doen.' Hij had haar honderden keren eerder de schuld gegeven wanneer hij haar sloeg of vernederde, met andere vrouwen flirtte of zo dronken thuiskwam dat hij niet meer op zijn benen kon staan, en zij had het geslikt. De jongens hadden gezien hoe ze op onaanvaardbare manieren werd behandeld, en Marilyn vermoedde dat Larry al jaren vreemdging.

'Ik ben er klaar mee, Larry. Ik ga echtscheiding aanvragen.'

'Stel je niet aan,' probeerde hij het te bagatelliseren. 'Ik kom over een paar uur thuis.'

'Als je in de buurt van dit huis komt bel ik de politie. En ik meen het.' Met die woorden hing ze op. Larry hoorde dat ze het meende.

Toen ze de jongens hoorde ging ze naar beneden om ontbijt te maken. Ze had de slotenmaker intussen gebeld, en die zette binnen een halfuur nieuwe sloten op de deuren. Ze vroeg hem reservesleutels voor de jongens. Na het ontbijt gaf ze hun de nieuwe sleutels, en toen ging ze bij hen aan de keukentafel zitten.

'Geef die sleutels niet aan je vader als je hem ziet. We gaan scheiden.' Haar zoons leken er geen van beiden van op te kijken. Billy keek verdrietig en Brian leek opgelucht te zijn. Zijn vader had hem jaren gekleineerd omdat hij niet van sport hield.

'Omdat hij gisteren niet thuis is gekomen?' vroeg Billy kleintjes. 'Misschien was hij bij een belangrijke cliënt.' Billy probeerde altijd excuses voor zijn vader te verzinnen, loyaal als hij was.

'We weten alle drie heel goed waarom. Hij drinkt, hij houdt er andere vrouwen op na, hij behandelt Brian en mij slecht en jou soms ook,' zei Marilyn tegen Billy. 'Ik hoop dat hij iets aan dat drinken gaat doen, maar ik heb het hoe dan ook gehad met hem.' Ze was te veel jaren geschoffeerd en misbruikt. Ze had het zelf toegelaten, maar nu was de maat vol. De klap van de vorige avond was de druppel. 'Hij komt er hier niet meer in. Jullie kunnen hem opzoeken wanneer hij zijn eigen huis heeft.'

'Moet dat?' vroeg Brian zacht, en ze schudde haar hoofd.

'Je kunt hem niet zomaar op straat zetten, mam,' zei Billy, die bijna in tranen was. 'Dit is ook zijn huis. Hij kan nergens heen.'

'Hij gaat maar naar een hotel, dat kan hij best betalen.' Toen keerde ze Billy haar gezicht toe. Hij zag het smalle streepje geronnen bloed op haar wang en de kneuzing eromheen en wist dat zijn vader te ver was gegaan. Hij stond op en ging naar zijn kamer. Hij belde niet Gabby, maar Izzie, die wist dat er iets ergs was gebeurd zodra ze zijn stem hoorde.

'Gaat het wel?' vroeg ze snel, en hij begon op slag te huilen.

'Ik geloof dat mijn vader mijn moeder gisteravond heeft geslagen. Hij heeft het wel vaker gedaan. Hij was niet thuis komen eten, terwijl het Thanksgiving was. Ze gaan scheiden. Nu word ik net zoals jij,' zei hij angstig. Maar bij Izzie thuis waren geen klappen gevallen. Haar ouders hielden gewoon niet meer van elkaar, en de scheiding was ongecompliceerd en in goed overleg verlopen. Izzie wist dat niemand Billy's vader aardig vond, dat hij een rotzak en een dronkenlap was en zelfs gemeen deed tegen Billy, die om hem huilde. 'Hoe gaat het nu verder?' Hij was bang, en het voelde alsof alles op zijn schouders neerkwam. Hij was de enige bondgenoot die zijn vader nog had.

'Het wordt beter,' zei Izzie geruststellend. 'Je moeder wordt blijer, en ze hoeft zich niet meer druk te maken. En het is ook goed voor Brian.' Izzie had gezien hoe wreed meneer Norton zijn jongste zoon kon bejegenen. 'Het komt wel goed. Ik zweer het je. Ik heb het nu ook beter. Het duurde even voordat ik eraan gewend was dat mijn moeder weg was, maar ze was er toch nooit echt. En jouw vader ook niet. Hij is altijd met cliënten en vrienden op stap, dat heb je me zelf verteld.' Ze hoorde Billy tot bedaren komen terwijl ze praatten.

'Het zal wel vreemd zijn dat hij er niet meer is,' zei Billy verdrietig. Hij vond het niet prettig dat zijn ouders gingen scheiden, maar de manier waarop zijn vader zijn moeder behandelde stond hem ook niet aan, en zijn moeder was altijd ongelukkig, al jaren. Ze konden de schijn niet meer ophouden.

'Ja, het zal wel een tijdje raar zijn,' beaamde Izzie. Liegen had geen zin, en ze loog dan ook nooit. 'Maar daarna wordt het weer goed.' Billy zweeg, en daarna praatten ze nog een paar minuten. Izzie stelde zich bemoedigend en troostend op, zoals altijd. De andere vrienden beschouwden haar als de wijze vrouw in hun midden, degene bij wie ze terechtkonden voor geruststelling en emotionele steun. Het was nog net zoals op die eerste schooldag, toen ze de anderen een lunch had voorgezet om ze op hun gemak te stellen. Izzie stond voor hen klaar wanneer ze het zwaar hadden. Tegen de tijd dat ze ophingen voelde Billy zich beter, en zo zag hij er ook uit. Er was nog veel te zeggen, en er was nog veel om over te piekeren. Het enige wat Billy zeker wist was hoe blij hij was met zijn vrienden. Zonder hen had hij het niet gered. Ze waren zijn grootste zegening.

Toen hij zijn moeder even later zag leek die ook al iets vrolijker, en Brian glimlachte naar hem. Billy vroeg zich af of Izzie gelijk had. Ze had meestal gelijk. Billy besloot naar Gabby te gaan om haar het nieuws te vertellen. Ze keek er niet van op. Ze praatten lang met elkaar die ochtend.

5

Een jaar later, toen de Grote Vijf in hun op één na laatste schooljaar zaten, waren Brian en Billy sleutelkinderen, maar ze waren oud genoeg om ermee om te gaan. Billy was zestien en hield een oogje op Brian, die elf was. Billy had meestal footballtraining na school en dan bleef Brian kijken. Hij genoot ervan Billy te zien spelen. Zijn grote broer was de quarterback en de ster van de ploeg. Gabby kwam ook vaak kijken. Billy en zij waren nog steeds het enige echte stel op school, maar ze gedroegen zich verantwoordelijk en zelfs de docenten vonden hun toewijding aan elkaar vertederend. Gabby had Billy door de scheiding van zijn ouders heen geholpen, samen met zijn andere vrienden. Izzie gaf hem in alle opzichten goede raad, want ze had het zelf meegemaakt. Het enige waar ze hem niet op had voorbereid, omdat ze het zelf niet had ondervonden, was dat zijn moeder meteen weer op zoek was gegaan, wat hem dwarszat. En zijn vader ging uit met hordes jonge meiden, die vaak maar een paar jaar ouder waren dan Billy zelf. Larry maakte er geen geheim van dat hij het bed deelde met elk lekker jong ding dat hij kon krijgen. Hij schepte er zelfs over op tegen iedereen die het maar wilde horen, zelfs tegen zijn zoon, en hij was niet minder gaan drinken, maar meer. Hij ontspoorde, en daar maakte Billy zich zorgen om.

Marilyn had vrijwel direct werk gevonden bij een makelaar in huizen en bedrijfspanden. Ze had haar examen gehaald en deed het goed bij een groot kantoor, waar ze de kneepjes van het vak leerde. Ze leek er talent voor te hebben, en het leuk te vinden. Zij had het huis toegewezen gekregen na de scheiding, en na zeventien jaar huwelijk moest Larry haar alimentatie betalen. Hoewel hij zich erover beklaagde bij Billy, kon hij het zich veroorloven. Marilyns hele leven was veranderd. Vlak na de scheiding, nu een halfjaar geleden, had ze Jack Ellison leren kennen, een knappe man van achter in de veertig die ook gescheiden was en twee zoons in Chicago had. Hij was de eigenaar van een goedlopend restaurant in het centrum, een populaire ontmoetingsplaats voor zakenlieden die er kwamen lunchen of dineren. Het was niet chic of trendy, maar het was een solide onderneming. Hij had een jaar tevoren een tweede, al net zo geliefd restaurant in Napa Valley geopend.

Jack deed aardig tegen Marilyns zoons, en ze was gek op hem. Brian bloeide op onder zijn aandacht en vriendelijkheid, en hoewel Billy onwillig toegaf dat Jack een aardige man was, voelde hij zich verplicht een hekel aan hem te hebben, uit loyaliteit ten opzichte van zijn vader. Billy meed Jack en zijn moeder zo veel mogelijk en bracht vrijwel al zijn tijd met Gabby door. Larry maakte zelden tijd voor hem vrij, daar had hij het te druk voor, en hij deed al helemaal geen moeite om Brian te zien. Hij maakte liever lol. In de weekends, wanneer Jack niet in zijn restaurant werkte, nam hij Marilyn en Brian mee naar zijn ranch in Napa, om te zien hoe het met zijn restaurant daar ging. Soms nam hij hen ook mee de baai op in zijn boot, wat Brian geweldig vond. In zijn ogen was Jack een held. Marilyn was voor het eerst in jaren echt gelukkig. Ze vertelde Connie dat ze het gevoel had dat er een wonder was gebeurd. De enige die dwarslag, was Billy, maar ze wist zeker dat hij wel aan Jack zou wennen. Jacks oprechte vriendelijkheid was onweerstaanbaar.

Het grootste probleem dat Billy in de vijfde had, naast de vriend van zijn moeder en de verdwijning van zijn vader uit zijn leven, was dat zijn schoolprestaties hadden geleden onder alle veranderingen die hij het hoofd had moeten bieden. Zijn mentor waarschuwde hem dat hij met zijn cijfers nooit een footballbeurs zou krijgen, hoe goed hij ook speelde. Hij had geen idee wat hij eraan moest doen, en de vijfde klas was van cruciaal belang voor zijn toelating tot een universiteit en het krijgen van een beurs, wat zijn doel was. Het was een spannend jaar voor hem, en al vanaf het begin van het schooljaar waren er scouts naar zijn wedstrijden komen kijken. De universiteiten van Florida, Alabama, Tennessee, Louisiana en Zuid-Californië en Notre Dame in Indiana streden om zijn gunsten. Larry had videoclips van Billy's beste wedstrijden op internet gezet, die ze allemaal hadden gezien. Maar als Billy aangenomen wilde worden, moest hij zijn cijfers omhoog zien te krijgen.

Marilyn nam een huiswerkbegeleider in de arm, maar die leek alles nog ingewikkelder te maken. Billy beklaagde zich er een keer tijdens de middagpauze over bij Izzie.

'Mijn vader vermoordt me als ik geen football kan spelen op de universiteit,' zei hij somber. Gabby had wel geprobeerd hem te helpen, maar ze was zelf ook geen uitblinker. Ze wilde niet eens naar de universiteit. Het enige wat ze wilde doen wanneer ze haar diploma had, was naar Los Angeles gaan en actrice worden. Daar droomde ze al sinds haar zesde van, en nu was die droom heel dichtbij.

'Wil je zelf eigenlijk wel football spelen in een universiteitsteam?' vroeg Izzie ernstig aan Billy. 'Of wil je het alleen voor je vader?' Izzies moeder wilde dat haar dochter rechten ging studeren, maar dat was wel het laatste wat Izzie wilde. Ze had bewondering voor het werk van haar vader als pro-Deoadvocaat, maar wist dat het niets voor haar was, al had ze geen idee wat ze wilde worden. Ze had overwogen docent te worden, of psycholoog, of verpleegkundige, of bij het Peace Corps te gaan. Ze hielp graag mensen, maar wist nog niet welke vorm ze aan die hulp wilde geven. Ze vond dat Connie O'Hara een goede echtgenote en moeder was. Izzie keek tegen haar op, en Connie was onderwijzeres geweest. Izzie wist echter dat haar moeder zou willen dat ze een loopbaan met meer glamour koos. Katherine wilde dat Izzie naar een gerenommeerde topuniversiteit ging, iets waar Izzie geen zin in had, al waren haar cijfers er goed genoeg voor. Ze wilde in Californië blijven, en haar vader zei tegen haar dat ze moest doen wat ze zelf wilde. Hij zei dat ze niet naar Harvard of Yale hoefde voor een goede opleiding, wat een bevrijding voor haar was, ondanks de druk van haar moeder.

Billy keek haar verbluft aan. 'Natuurlijk wil ik football spelen,' zei hij toen vastbesloten. 'Ik heb nooit iets anders gewild. Wat zou ik anders moeten doen? Al die universiteiten bieden me fantastische kansen.' Billy wist dat zijn vader het van hem verwachtte, en hij wilde hem niet teleurstellen.

'Nou, dan zullen we je moeten helpen,' zei Izzie laconiek. Ze hield haar huiswerk goed bij en haalde hoge cijfers. Zij was goed in talen en geschiedenis, en Andy was de beste van de school in de exacte vakken. Samen zouden ze Billy's prestaties wel kunnen opkrikken, dacht Izzie, als hij bereid was hard te werken, zoals hij beweerde. Billy had er alles voor over om op een topuniversiteit te kunnen footballen.

Izzie en Andy zetten een studieprogramma voor Billy op. Andy gaf hem elke dag bijles in zijn vrije uren tussen de middag, in de bibliotheek op school. En Izzie hielp hem na school. Billy's vriend en vriendin bleven hem het hele schooljaar trouw steunen. Ze hielpen hem met opstellen, bereidden hem voor op schriftelijke overhoringen en proefwerken en verdeelden het lesmateriaal in hapklare brokken die hij kon begrijpen en hanteren, en tegen het eind van het tweede trimester was Billy een van de betere leerlingen, met gemiddeld een zevenenhalf voor bijna al zijn vakken en hier en daar een tien voor een natuurkundeproefwerk, dankzij Andy. Het was een heroïsche prestatie van Izzie en Andy, en Billy kon de beurs krijgen die hij zo graag wilde. Het was voor hen alle drie een grote overwinning. Sean, die vloeiend Spaans had geleerd, hielp Billy nu met zijn Spaans. Aan het eind van het jaar geloofde Billy's mentor zijn ogen niet toen hij zag hoe Billy vooruit was gegaan. Hij had geen idee hoe Billy het voor elkaar had gekregen. Marilyn was ook dolblij. Billy was hard op weg zijn droom te verwezenlijken. Zijzelf ook. In juni vroeg Jack Ellison haar ten huwelijk, en ze zei ja.

Ze wilden niet wachten, en ze besloten in augustus op Jacks ranch in Napa te trouwen. Marilyn vertelde het de jongens de ochtend nadat Jack haar had gevraagd. Ze wilde dat zij de eersten waren die het hoorden. Brian vond het fantastisch, want hij hield meer van Jack dan van zijn echte vader. Billy daarentegen bleef twee dagen dronken. Hij zei tegen zijn moeder dat hij buikgriep had, maar Izzie, Gabby en de anderen wisten hoe erg hij van streek was en hoe hij op het nieuws had gereageerd. Hij was er kapot van. Het drong nu pas echt tot hem door dat zijn ouders nooit meer bij elkaar zouden komen, dat zijn vader nooit zou stoppen met drinken en dat Marilyn hem zelfs niet terug zou willen als hij dat wel deed. Ze ging met Jack trouwen.

Die zomer betekende het eind van Billy's jeugd. Het aanstaande huwelijk van zijn moeder zat hem zo dwars dat hij stiekem begon te drinken en te blowen. Niemand wist wat hij deed of vermoedde het zelfs maar, zo goed hield hij het verborgen. Op de bruiloft van zijn moeder werd hij echter zo dronken dat hij bewusteloos raakte en Sean en Andy hem met hulp van Izzie en Gabby naar zijn kamer moesten dragen. Ze dachten dat het een eenmalige uitspatting was. Marilyn was zo blij en opgewonden dat ze niet eens merkte dat Billy er niet bij was toen de taart werd aangesneden. Het feest duurde tot vier uur 's ochtends, en ze zei tegen Connie dat ze nog nooit zo gelukkig was geweest.

'Waar is Billy?' vroeg Connie op een gegeven moment aan Sean toen ze hem aan een tafeltje ver van de dansvloer met Izzie zag praten. Jacks restaurant in Napa had de catering verzorgd, en het eten en de hapjes waren heerlijk.

'Ik weet het niet, mam,' zei Sean ontwijkend met een blik op Izzie, zijn zuster in het kwaad. 'Misschien is hij naar bed gegaan.' Hij vertelde haar niet dat Billy uren tevoren buiten westen was geraakt en nu in zijn kamer lag.

Connie en Mike dansten veel die avond. Het was een schitterende bruiloft, en iedereen die zag hoe gelukkig de bruid en bruidegom waren, kreeg zelf romantische gevoelens. Marilyn had Connie toevertrouwd dat Jack en zij nog een kind wilden. Ze was tweeënveertig en dacht dat het nog wel kon. Ze zouden meteen beginnen met proberen. Connie had zo'n donkerbruin vermoeden dat Billy het niet leuk zou vinden, maar tegen de tijd dat het kind er was, zou hij al bijna gaan studeren, en Marilyn had recht op een eigen leven nadat ze jaren ongelukkig was geweest met Larry. En Jack was goed voor haar. Hij was nuchter en gemakkelijk in de omgang en hij was gek op Marilyn en haar jongens. Zijn eigen zoons, die ook op de bruiloft waren, leken heel aardig.

De O'Hara's waren oprecht op Jack gesteld en vonden het leuk om met Marilyn en hem om te gaan. Gabby's ouders, Judy en Adam, waren ook op de bruiloft. Ze waren met Michelle gekomen, die er verbijsterend dun uitzag, maar heel knap was.

Ze leek sterk op haar grote zus Gabby, maar dan bleker, kleiner en minder sprankelend.

Andy's ouders hadden niet kunnen komen vanwege hun werk. Zijn moeder was nog steeds verloskundige, en ze had dienst, en zijn vader was in Los Angeles voor tv-opnames om zijn nieuwe boek te promoten. Andy was met de O'Hara's meegereden. En Jeff Wallace, de vader van Izzie, was met een nieuwe vlam gekomen. Connie wist dat Izzie haar niet mocht. Geen van de kinderen wilde dat hun leventje veranderde, ze wilden dat alles altijd hetzelfde bleef, maar dat kon niet. Er waren al twee ouderparen gescheiden, en wie weet wat voor andere veranderingen het leven nog zou brengen. De kinderen veranderden zelf ook. Nog een jaar, dan zouden ze allemaal klaar zijn met de middelbare school.

Het enige waar ze het allemaal over eens waren, was dat ze Larry nooit hadden gemogen en Jack een prima vent vonden. Jack behandelde Marilyn als een prinses, en dat had Larry nooit gedaan.

De dag na de bruiloft was er een brunch in Jacks restaurant in Yountville in Napa Valley, en alle goede vrienden kwamen het stel uitzwaaien. Jack ging met Marilyn naar Europa voor hun huwelijksreis. Ze begonnen in Parijs, en Jack had een zeilboot gehuurd in Italië. Hij had de jongens gevraagd of ze mee wilden, maar Brian had last van reisziekte en Billy wilde niet, dus bleven ze allebei bij de O'Hara's logeren, en Jacks eigen zoons gingen terug naar hun moeder in Chicago.

Na de brunch vertrokken de bruid en bruidegom en ging iedereen terug naar huis. Brian voerde tijdens de rit een geanimeerd gesprek met Sean – hij bloeide op onder de aandacht van zijn vriendelijke stiefvader. Billy zei amper een woord. Hij had nog te veel last van zijn kater. Connie dacht dat hij gewoon moe was, en zodra ze thuiskwamen ging hij naar zijn bed op Seans kamer.

Connie glimlachte in zichzelf bij de herinnering aan haar eerste ontmoeting met Marilyn, op de allereerste schooldag, de dag van Brians geboorte. Ze stond er versteld van dat Marilyn weer een kind wilde, dat ze van voren af aan wilde beginnen. Connie kon zich er niets bij voorstellen. Marilyn en zij waren nu twaalf jaar bevriend. Het was ongelooflijk, zo snel was het allemaal voorbijgevlogen. En het was nog ongelooflijker dat de schooltijd van de kinderen, de vijf dikke vrienden, er bijna op zat. De twaalf jaren sinds ze elkaar in groep twee hadden leren kennen, waren in een oogwenk verstreken.

6

Toen Marilyn en Jack drie weken na hun bruiloft terugkwamen van hun huwelijksreis, was het al half september. Brian zat in de brugklas en de Grote Vijf zaten voor hun eindexamen. Dit was het staartje van hun middelbareschoolcarrière.

Marilyn trakteerde Connie op een lunch om haar te bedanken omdat ze voor de jongens had gezorgd tijdens haar afwezigheid, en Connie hield vol dat het geen enkele moeite was geweest. Mike en zij vonden het enig om de jongens bij hen thuis te hebben, en Sean ook.

'Ons huis staat zo bol van het testosteron met Mike, Kevin en Sean dat twee kerels erbij geen enkel probleem is, neem dat maar van mij aan. Ik zou me geen raad weten met een meisje.' Dat deed haar denken aan Michelle, het zusje van Gabby. 'Heb je Michelle op je bruiloft gezien? Ze lijkt met de dag dunner te worden. Ik maak me zorgen om haar. Ik wilde er iets over tegen Judy zeggen, maar ik wilde haar niet van streek maken. Ze is altijd zo op Gabby gericht dat ik me afvraag of ze wel doorheeft wat er aan de hand is. Volgens mij heeft Michelle anorexia.'

'Ik heb het ook gezien,' erkende Marilyn. 'Ik zie het al een tijdje. Ik blijf me maar afvragen of ik het tegen Judy moet zeggen of dat ik me beter met mijn eigen zaken kan bemoeien.'

'Ja, dat heb ik ook, maar ik was altijd dankbaar als mensen me dingen over Kevin vertelden toen hij nog zo moeilijk was. Soms zit je er te dicht op om het te zien, of je kinderen houden dingen voor je verborgen.'

'Ik weet het. Hoe is het trouwens met Kevin?'

'Uitstekend. Hij zit nog steeds op school. Het gaat langzaam. Hij zou volgend jaar klaar moeten zijn. Het duurt langer dan we hadden gehoopt, maar hij haalt goede cijfers en hij is nog steeds clean. Hij is goed in vorm...' Ze brak haar zin af. 'Nu we het er toch over hebben,' vervolgde ze toen ernstig, 'ik heb een paar bierflesjes onder Billy's bed gevonden. Misschien hebben Sean en hij een keer een feestje gebouwd. Ze zijn bijna achttien, maar ik heb ze wel op hun donder gegeven. Ze hebben allebei gezegd dat het ze speet, maar ik vind dat je het toch moet weten. Ik denk dat Billy er nog steeds mee zit dat je met Jack bent getrouwd. Hij mag Jack graag, maar hij voelt zich heen en weer geslingerd tussen hem en Larry. Hij wil zijn vader niet afvallen, maar hij is wel blij voor je. Jack is een prima vent. Hij is tien keer zoveel waard als Larry.'

Dat wist Marilyn ook. 'Daarom ben ik met hem getrouwd,' zei ze met een lome glimlach. Ze zag er vredig en gelukkig uit, en Connie was blij voor haar. 'Ik denk dat Larry Billy sterk onder druk zet om te voorkomen dat hij een band met Jack krijgt. Brian had geen goede relatie met zijn vader, dus hij heeft zich op Jack gestort, maar voor Billy is het een stuk moeilijker. Ik denk dat het goed voor hem is dat hij volgend jaar gaat studeren, weg van zijn vader. Larry maakt er zo'n puinhoop van, ik snap niet hoe hij zijn bedrijf draaiend houdt.' Connie wist dat Larry nog steeds veel verdiende, maar hij dronk meer dan ooit en versierde meisjes die maar half zo oud waren als hij. Het was gewoon zielig. En ze wist dat Billy het ook maar niets vond. Hij had zelden openlijk kritiek op zijn vader, maar hij had een paar toespelingen gemaakt.

'Billy zegt dat hij nog steeds niet weet waar hij naartoe wil,' zei Connie belangstellend. De universiteiten met de beste footballteams probeerden hem al sinds het voorjaar van de vijfde klas binnen te halen, wat spannend voor hem was, en ook voor Larry. 'Hij zegt dat hij nog steeds professioneel footballer wil worden, en hij heeft er zeker de vaardigheden voor. Mike heeft hem beloofd dat we naar al zijn belangrijke wedstrijden gaan, waar dan ook.' Marilyn glimlachte naar haar trouwe vriendin die ze al zo lang kende, en ze wist dat Connie en Mike echt zouden gaan. Jack, Brian en zij waren ook van plan te gaan. 'Zo te horen zou hij voor de universiteit van Los Angeles kunnen kiezen om dicht bij Gabby te zijn. Die is fantastisch voor hem.' Billy had het voor het kiezen, en de scouts hadden al het mogelijke gedaan hem over te halen voor hun universiteit te kiezen.

'Jack is bang dat hij alleen prof wil worden om indruk te maken op zijn vader,' vertelde Marilyn. 'Larry heeft sinds Billy's geboorte nergens anders iets om gegeven. Jack heeft geprobeerd hem te vragen of hij ook andere dingen zou willen doen. Ik geloof niet dat Billy er ooit over heeft nagedacht. En het is een zwaar leven als prof, een korte carrière, veel druk en veel blessures. Ik begrijp Jacks standpunt wel.'

'Ik denk niet dat jullie Billy nu nog op andere gedachten kunnen brengen,' zei Connie, 'en al helemaal niet nu de beste universiteiten op hem azen. Wie kan daar nee tegen zeggen? En hij zit al te lang op dat spoor. Je zult moeten afwachten hoe hij het doet op de universiteit, natuurlijk, en of hij in dienst moet, maar Mike zegt dat hij alles in zich heeft om een fantastische quarterback te worden en een schitterende carrière in de NFL te krijgen. Hij boft maar. Dat is de droom van iedere jongen.'

'Dat denkt Jack ook. Hij vraagt zich alleen af of Billy er gelukkig van zal worden.' Het was een oprechte twijfel, en Marilyn was blij dat hij erover was begonnen.

'Billy wil het echt,' zei Connie zacht. 'Wanneer hij het erover heeft, stralen zijn ogen. Dat heeft Sean ook wanneer hij over de politie praat.' Billy's droom was echter veel ambitieuzer en een stuk moeilijker te verwezenlijken. De prijs kon hoog zijn. Connie en Marilyn wisten allebei dat Larry's belangrijke sportcliënten niet allemaal gelukkig waren. Ze leidden soms een leeg leven, zeker wanneer hun carrière was afgelopen of ze zwaar geblesseerd raakten op het veld. De risico's waren hoog, hoeveel er ook te verdienen was, en Marilyn wist beter dan de meesten dat zo'n leven ook een minder mooie kant had die ze niet voor haar zoon wilde. Maar de teerling was geworpen toen Billy nog een klein jongetje was, door zijn vader. Larry wilde dat Billy zijn dromen zou verwezenlijken, zodat hij ze via zijn zoon kon beleven. Marilyn wist dat ze er niets meer aan kon veranderen, zeker niet nu de beste universiteiten om hem streden.

'Hoe was je huwelijksreis?' vroeg Connie tegen het eind van de lunch. Ze was benieuwd, maar ze zag het antwoord al aan Marilyns ontspannen, gelukkige houding.

'Fantastisch! Parijs was ongelooflijk, en het zeilen in Italië leek op een droomhuwelijksreis uit een film. Jack is echt een schat. Na het zeilen zijn we nog een paar dagen in Rome gebleven, en toen zijn we naar Florence gereden. We zijn via Londen terug naar huis gegaan. Het was een ongelooflijke vakantie. Hij heeft me schandalig verwend.' Jack was een heel liefdevolle man, die ervan genoot dat hij een goede vrouw had op wie hij zo dol was, en hij was gek op haar zoons en zij op die van hem. Ze vormden het ideale gezin, ondanks Billy's terughoudendheid. Ze hoopten maar dat hij zich daar uiteindelijk overheen zou kunnen zetten, dat hij erachter zou komen dat hij zijn vader niet ontrouw was als hij Jack aardig vond.

'Ik heb nieuws voor de jongens, maar ik wil het niet te vroeg vertellen.' Marilyns hele gezicht lichtte op toen ze Connie in vertrouwen nam. Ze snakte er al naar haar het nieuws te vertellen sinds ze thuis was.

'Wat dan?' Connie kreeg zo haar vermoedens toen ze Marilyn zag stralen. Haar nieuws was niet moeilijk te raden.

'Ik ben zwanger. Nog maar een week of vijf, maar ik ben gisteren bij de verloskundige geweest en die zei dat alles in orde was.' Na Brians geboorte was Marilyns verloskundige met pensioen gegaan, en nu was ze toevallig bij Helen Weston terechtgekomen, de moeder van Andy. Ze vond haar heel aardig. Helen was een goede verloskundige, met veel aandacht voor haar patiënten. Ze vond het niet zorgwekkend dat Marilyn al tweeënveertig was, maar ze had haar wel verteld dat ze beter tot na de twaalfde week kon wachten voor ze het vertelde, want er was wel een verhoogd risico op een miskraam op haar leeftijd. Ze vertelde dat ze veel zwangere vrouwen in haar praktijk zag die nog ouder waren dan Marilyn. 'Ik moet volgende week terugkomen voor een echo, maar ze denkt dat alles goed is. Het enige waar ze me voor heeft gewaarschuwd, afgezien van een miskraam, is dat de kans op meerlingen groter is. Jack zou het fantastisch vinden als ik een paar meisjes kreeg. We hebben samen vier jongens, dus hij wil echt graag een meisje.' Marilyn keek stralend naar Conny, die haar enthousiasme deelde.

'Wauw! Ik had niet gedacht dat het zó snel zou gaan.'

'Wij ook niet. Het moet in Parijs gebeurd zijn. Ik ben uitgerekend op de dag van de diploma-uitreiking in juni,' zei Marilyn schaapachtig, en Connie schoot in de lach.

'Je sluit Billy's schooltijd af zoals je eraan bent begonnen, met een bevalling. Brian is op de allereerste schooldag geboren, immers?'

'Daar had ik ook al aan gedacht,' zei Marilyn. Haar gezicht betrok. 'Brian zal het wel leuk vinden, want hij is dol op Jack, maar Billy zal wel kwaad zijn.' Ze leek zich er echt zorgen om te maken. 'Hij is nog niet eens aan het idee gewend dat we getrouwd zijn, en nu krijgen we ook nog eens meteen een kind. Maar we wilden geen tijd verspillen, gezien onze leeftijd. Ik mag blij zijn dat ik zo snel zwanger ben geraakt zonder dat ik hormonen hoefde te slikken of andere behandelingen hoefde te ondergaan. Jack is net zo blij als ik, maar we zijn een beetje bezorgd om Billy.'

'Het komt wel goed,' stelde Connie haar gerust. 'Het is een prima jongen, en hij houdt van je. En twee maanden na je bevalling gaat hij studeren. Dan krijgt hij zijn eigen leven. Na hun studententijd komen je kinderen nog maar zelden thuis, als er geen problemen zijn. Als Kevin straks klaar is met zijn opleiding en een baan vindt, zien we hem ook nooit meer. Je mag blij zijn als Billy met Kerstmis en op je verjaardag naar huis komt, zeker als hij football gaat spelen voor de universiteit. Een baby thuis zal hem weinig uitmaken, maar voor jullie is het heerlijk.' Connie keek er weemoedig bij. 'Ik zou bijna ook nog een kind willen. Sean gaat volgend jaar studeren en Kevin is dan ook weg, als hij een baan vindt en zijn eigen huur kan betalen. Het gaat zo verdraaid snel, die kindertijd. Maar ik ben vijfenveertig, drie jaar ouder dan jij, en ik denk dat ik te oud ben om nog opnieuw te beginnen. Tegen de tijd dat het kind afstudeert, ben ik al bijna zeventig. En Mike zou me villen. Hij heeft van die romantische ideeën dat we elkaar naakt achterna gaan zitten door het huis als de jongens weg zijn, en hij heeft twintig jaar gewacht om reisjes met me te maken die we ons nu kunnen veroorloven. Nee, ik denk niet dat een kind er nog in zit voor mij.'

'Dat dacht ik ook,' zei Marilyn, die met een verzaligde glimlach achteroverleunde.

Toen Marilyn de week daarop een echo moest laten maken, ging Jack met haar mee. Ze vonden het allebei spannend om een eerste glimp op te vangen van hun kindje en te horen dat het gezond was, met een krachtige hartslag. Marilyn hield haar adem in en Jack pakte haar hand toen de assistente de echokop over haar buik bewoog, en ze keken alle drie naar de monitor. Ze zagen het beeld verschijnen, en de assistente bleef zonder iets te zeggen de echokop over Marilyns met gel ingesmeerde buik bewegen. Ze glimlachte opgewekt naar hen allebei, zei dat ze zo terug zou komen en liep de kamer uit. Marilyns ogen vulden zich met tranen en ze keek angstig naar Jack op.

'Er is iets niet goed,' fluisterde ze schor. Ze keken allebei weer naar de monitor, maar ze zagen niets. Ze zagen alleen een grijzige vlek. Het was nog te vroeg om de baby te kunnen zien zonder dat de assistente uitleg gaf, en ze had niets gezegd. De tranen rolden over Marilyns wangen en Jack streelde haar vuurrode haar waar hij zo gek op was, boog zich over haar heen en kuste haar. Hij was net zo geschrokken als zij, maar wilde het niet laten merken. Hij had zijn hele leven op deze vrouw gewacht en hij hield van haar. Hij wilde niet dat haar ooit nog iets ergs zou overkomen. Hij wist hoe ongelukkig ze was geweest met Larry, en hoe slecht die haar had behandeld, en daar haatte hij hem om, al zei hij dat nooit waar haar zoons bij waren, uit respect voor hun relatie met hun vader, hoe weinig die ook voorstelde.

Jack omklemde Marilyns hand, waaraan ze de brede trouwring met diamant droeg die hij haar had gegeven, stevig. Toen kwam Helen Weston de kamer binnen en schonk hun beiden een brede glimlach die Marilyn zowel beangstigde als geruststelde. Als de assistente de dokter erbij haalde, moest er wel iets ernstigs aan de hand zijn, maar Helen kon hun tenminste meer vertellen. Marilyn was erg op haar verloskundige gesteld, en hun zoons waren ook nog eens bevriend, wat een extra band gaf.

'Laten we maar eens kijken,' zei Helen, die een witte doktersjas droeg met haar naam erop. Uit de zak hing een soort stethoscoop waarmee ze de hartslag van een baby kon horen.

'Wat is er toch?' vroeg Marilyn, die nog steeds huilde. Ze was op het ergste voorbereid. Misschien kreeg ze een misvormd kindje, of misschien was het al gestorven zonder dat ze het had gemerkt. Ze wist dat dat soms gebeurde in de eerste weken van een zwangerschap, dat een zich ontwikkelende foetus zich niet goed hechtte, niet meer groeide en dan stierf of zelfs zomaar verdween.

'Niets ergs,' zei Helen vriendelijk. 'Ik mag ook wel eens goed nieuws brengen.' Ze glimlachte kalm naar hen beiden. Marilyn hield op met huilen en kneep nog harder in Jacks hand. 'Elaine wilde alleen zeker weten dat ik hetzelfde zag als zij. Het is nog vroeg dag, maar ik vind het fantastisch nieuws. Jullie ook, hoop ik.' Ze wendde zich af van de monitor en keek Jack en Marilyn vriendelijk aan. Ze mocht hen graag en vond het jammer dat ze niet naar hun bruiloft had kunnen komen. Ze had dienst gehad en Robert, een tamelijk bekende mediapsychiater, was in Los Angeles geweest voor tv-opnames. 'Het ziet ernaar uit dat we een dubbele geboorte te vieren krijgen. Jullie verwachten een tweeling,' zei ze. Marilyn barstte weer in tranen uit en sloeg opgelucht haar armen om Jacks nek. Ze snikte nu openlijk en toen Jack naar Helen keek, had hij ook tranen in zijn ogen. Ze vonden het allebei fantastisch nieuws. Ze hadden het erover gehad dat ze graag tijd hadden gehad voor nog twee baby's in plaats van een, maar Marilyn was tweeënveertig en dacht niet dat ze na dit kind nog een keer zwanger zou kunnen worden. Het was mogelijk, maar het leek niet waarschijnlijk. Nu ging hun wens toch nog in vervulling. Twee kindjes, een tweeling, naast de vier kinderen uit hun eerste huwelijken.

'Weet u het zeker?' vroeg Jack, die dolblij was.

'Ja, heel zeker.' Helen keek hem stralend aan. 'Daarom heeft Elaine mij laten komen.'

'Zijn het er meer dan twee?' vroeg Marilyn hoopvol, en Helen schoot in de lach.

'Laten we niet te hebberig worden. Met twee kinderen krijgen we het druk genoeg. Als de baby's te groot worden, moet je tegen het eind van de zwangerschap misschien bedrust houden. Je hebt nooit een prematuurtje gekregen en je jongens waren allebei vrij groot, dus je zou ze zonder probleem moeten kunnen voldragen, maar je bent iets ouder dan toen je Brian kreeg, dus het blijft afwachten. Toch voorzie ik geen problemen. Jij bent gezond en dat zouden je kindjes ook moeten zijn. Weten de jongens al dat je zwanger bent?'

'Ik wilde het pas vertellen als we uit de gevarenzone zijn,' zei Marilyn, die het nog steeds niet leek te kunnen bevatten. Ze had Jacks hand niet meer losgelaten vanaf het moment dat ze op de onderzoektafel was gaan liggen.

'Wacht nog een paar weken. Met een tweeling aan boord wordt het lastig om twaalf weken te wachten. Vermoedelijk ga je het vrij snel zien. Misschien kunnen jullie tot die tijd wachten.' Jack en Marilyn waren het met haar eens. Helen schreef Marilyn zwangerschapsvitaminen voor en gaf haar wat informatie op papier over wat ze wel en niet moest doen, die ze al kende, en een boek over het baren van een tweeling en wat ze de eerste maanden erna kon verwachten.

Twintig minuten later zaten ze in Jacks auto op weg naar huis. Zodra ze afscheid hadden genomen van de verloskundige, had Jack Marilyn hartstochtelijk gekust en tegen haar gezegd hoeveel hij van haar hield. Ze waren allebei ongelooflijk opgewonden en vonden het moeilijk om het nieuws niet meteen rond te bazuinen, maar het leek verstandiger om nog even te wachten. En Marilyn durfde het nog niet goed aan de jongens te vertellen. Ze wist vrijwel zeker dat Brian het niet erg zou vinden, ook niet dat het een tweeling werd, maar ze was bang voor Billy's reactie. Hij had al genoeg zorgen over zijn schoolprestaties, en hij moest een universiteit kiezen. Het was een belangrijke fase in zijn leven, en ze wilde hem niet met nog meer problemen opzadelen, of hem van streek maken. Jack stelde haar op weg naar huis gerust en zodra ze thuis waren, belde ze Connie om te vertellen dat ze een tweeling kreeg. Connie was net zo enthousiast als Jack en zij waren.

'Allemachtig. Wat fantastisch!' zei Connie enthousiast. 'Ben je wel blij? Je zei dat je er nog een wilde,' merkte ze op.

'We zijn in de wolken! De assistente liep zonder iets te zeggen de kamer uit, en ik was bang dat de baby dood was, of misvormd of zo, maar toen kwam Helen binnen en zei dat we een tweeling kregen. Ik heb doodsangsten uitgestaan, maar alles is in orde.' Marilyn ratelde maar door. Jack wierp haar vanuit de deuropening een kushandje toe voordat hij terugging naar zijn restaurant.

'Tot vanavond, moedertje,' zei hij.

'Ik hoop maar dat ik niet in bed hoef te blijven tegen het eind, want dan zou ik Billy's diploma-uitreiking moeten missen en daar wil ik per se bij zijn, maar tweelingen komen wel eens te vroeg, dus misschien heb ik ze dan al.'

'Als je ze maar niet tijdens de uitreiking krijgt, is er niets aan de hand. Ik ben zo benieuwd hoe ze eruitzien!'

'Ik ook.' Connie en Marilyn praatten nog een paar minuten opgewonden met elkaar. Marilyn zei dat ze hoopte dat het meisjes waren, maar dat ze ook blij was met een paar jongens, als ze maar gezond waren. De rest van de dag had Marilyn het gevoel dat ze op een wolk liep. Haar leven had een nieuwe wending genomen. Na een pijnlijk huwelijk van jaren had ze ten slotte een geweldige man gevonden, en nu droeg ze zijn kinderen. Het was bijna te mooi om waar te zijn. Jack belde die middag twee keer om te vragen hoe ze zich voelde, en haar antwoord was: 'Extatisch!' Hij voelde zich net zo.

Aan het begin van november werd het steeds moeilijker om haar buikje te verbergen. Ze droeg wijde blouses en truien. Ze was elf weken zwanger volgens de medische berekeningen, dus geteld vanaf de eerste dag van de laatste menstruatie. Helen zei dat ze het heel goed deed en ze voelde zich prima. Ze was 's ochtends een beetje misselijk, maar meer ook niet. De enige opvallende verandering was dat haar borsten enorm aanvoelden en met de dag groter werden. Jack zei dat hij het mooi vond.

Twee weken voor Thanksgiving hakte Billy de knoop door en koos voor de universiteit van Los Angeles. Hij had het er uitgebreid over gehad met Gabby en met zijn vader. Het was een goede universiteit met een uitstekend footballteam, en als hij naar Los Angeles ging, zou hij dicht bij Gabby zijn, die daar aan haar acteer- en modellencarrière ging werken. Hij was in de verleiding gekomen naar Florida of Louisiana te gaan, maar Los Angeles beviel hem beter en de quarterback daar was onlangs geblesseerd geraakt, dus ze hadden hem echt nodig en wilden hem al in zijn eerste jaar opstellen. Gabby had ook een belangrijke rol gespeeld in zijn beslissing. Hij vertelde haar nog eerder dan zijn ouders wat hij had besloten, en ze was dolblij. Haar ouders kochten een flatje in Los Angeles voor haar, en hij kon in de weekends bij haar slapen. Hun leven begon nog maar net, maar het zag er al heel goed uit.

Nu hij zijn beslissing had genomen, werd het leven één

groot feest voor Billy. Hij was een held op Atwood en onder zijn vrienden, en Marilyn vond dat de tijd nu rijp was om hem over de tweeling te vertellen. Billy was in een opperbeste stemming, en zijn vader was door het dolle heen en zei dat hij een appartement in Los Angeles wilde huren om alle wedstrijden van zijn zoon te kunnen zien.

Jack en Marilyn gingen in de week voor Thanksgiving met Brian en Billy in Jacks restaurant eten. Hij had ook beloofd het diner met Thanksgiving te verzorgen, want hij wilde niet dat Marilyn zich extra moest inspannen nu ze zwanger was en deed al het mogelijke om haar bij te staan. Het eten was zalig, en tegen het eind liet Jack een fles champagne komen. Hij gaf Billy een half glas en Brian amper een vingerhoedje; ze zaten immers in de privézaal van het restaurant en het was een heel bijzondere gelegenheid. Toen glimlachte Marilyn naar Jack en vertelde het nieuws.

'We moeten jullie iets vertellen,' zei ze, en beide jongens zagen dat het belangrijk was.

'Gaan jullie scheiden?' vroeg Brian panisch.

'Dan zou ik geen champagne schenken, Brian,' zei Jack met een glimlach. 'In dat geval zou ik zakdoeken uitdelen en huilen. Jullie tweeën en jullie moeder zijn het beste wat me ooit is overkomen.' Brian klaarde meteen op. Hij hield van Jack en wilde hem niet kwijt.

'Het is juist goed nieuws,' zei Marilyn. Ze haalde diep adem en waagde de sprong. 'We krijgen een kindje, of nee,' verbeterde ze zichzelf, 'we krijgen er twee. We krijgen een tweeling. In juni. We wilden dat jullie het als eersten hoorden.'

De jongens keken hen perplex aan en toen trok er een schuchtere glimlach over Brians gezicht.

'Wat raar,' zei hij tegen Jack, maar hij glimlachte erbij. 'Zijn jullie daar niet allebei te oud voor?'

'Blijkbaar niet,' zei Jack, die zijn glimlach beantwoordde.

Billy, die geen woord had gezegd, keek zijn moeder ijzig aan. 'Dat meen je toch niet, hè? Het is toch zeker een grap?' Hij zag eruit alsof hij elk moment in tranen kon uitbarsten.

'Nee, Billy, dat is het niet. Het is echt. Maar ze zullen je 's nachts niet uit je slaap houden, want tegen die tijd studeer je al.' Marilyn had al plannen om van de logeerkamer een babykamer voor de tweeling te maken. Jack was bij haar ingetrokken omdat het vertrouwd was en makkelijker voor de jongens, en er pasten nog wel twee kinderen bij.

'Ik vind het een stom plan,' zei Billy. 'Jullie hebben kinderen zat. En stel dat jullie over twee jaar genoeg van elkaar hebben, hoe moet het dan met die twee? Nemen jullie er allebei eentje?' Billy was nog niet over de scheiding en het nieuwe huwelijk van zijn moeder heen, en dat was te merken.

'Dat zal hopelijk nooit gebeuren,' zei Jack bedaard. 'Ik denk dat je moeder en ik wel wisten wat we deden toen we trouwden. Als we niet zeker van onze zaak waren, hadden we geen kinderen gewild.'

'Misschien ben je nu zeker van je zaak, maar je weet niet wat er nog kan gebeuren. Kijk maar naar de ouders van Izzie, en naar pap en jou,' zei Billy tegen Marilyn. 'Pap maakt er een zootje van, en jij bent met een ander getrouwd en krijgt weer kinderen.'

Marilyn vertelde Billy maar niet dat zijn vader er voor de scheiding al een zootje van had gemaakt. Ze begreep dat Billy zijn gevoelens moest uiten en ze had medelijden met hem, en even kreeg ze het gevoel dat ze hem had verraden door zwanger te worden. Hij mocht dan achttien zijn en voor zijn eindexamen zitten, hij was ook nog een kleine jongen.

'Het spijt me dat je het erg vindt, Billy,' zei ze zacht. Ze wilde zijn hand pakken, maar dat stond hij niet toe. Hij zei niets meer tot ze weggingen, en toen beende hij het restaurant uit en ging bij de auto op hen staan wachten. Zodra ze thuis waren, ging hij naar Gabby, zonder zijn moeder en Jack te hebben gefeliciteerd. Hij had een gezicht als een donderwolk, en een paar minuten later trof Jack Marilyn huilend in de keuken aan, wrijvend over haar buik. De afloop van het dinertje had haar een verschrikkelijke indigestie bezorgd.

'Gaat het wel?' vroeg Jack terwijl hij naar zijn vrouw toe liep en haar omhelsde. 'Jammer dat Billy het zo slecht opvatte, maar het komt wel goed. In veel opzichten is hij nog een kind, denk ik.' Marilyn knikte en hield haar man stevig vast. Billy van streek maken was wel het laatste wat ze had gewild. Hij had al genoeg meegemaakt, gezien de echtscheiding en de druk die Larry op hem uitoefende. 'Als hij de baby's ziet zwicht hij wel. Het is een aanpassing, en hij gaat toch naar Los Angeles.' Jack knuffelde zijn vrouw en streelde over haar rug.

Brian kwam de keuken in. 'Weten jullie al wat het wordt?' vroeg hij nieuwsgierig. 'Jongetjes, meisjes of eentje van allebei?' Hij leek er klaar voor te zijn, en zijn moeder en stiefvader keken hem glimlachend aan.

'Zodra we het weten ben jij de eerste die het hoort,' beloofde Marilyn, die opgelucht was dat Brian het zo makkelijk accepteerde. 'Heb je een voorkeur?'

'Ja, hèhè,' zei Brian, die een quasivertwijfeld gezicht trok. 'Twee jongens. Dan kunnen Jack en ik ze leren honkballen.' Brian verheugde zich nu al op zijn rol van grote broer, en hij wisselde een blik van verstandhouding met Jack.

'Meisjes kun je ook leren honkballen, hoor,' wees Marilyn hem terecht. Brian trok weer een vertwijfeld gezicht, pakte een koekje en ging aan de keukentafel zitten.

'Meisjes zijn stom.'

'Daar ga je wel anders over denken,' zei Jack vol overtuiging, en daarna deden ze het licht in de keuken uit en gingen naar boven. Brian had het nieuws extreem goed opgevat, in tegenstelling tot zijn grote broer. Billy voelde het als een persoonlijke belediging, en dat zei hij die avond met zoveel woorden tegen Gabby, die het juist leuk leek om met een paar baby's te kunnen spelen, een tweeling, wanneer ze uit Los Angeles overkwamen. Billy leek niet blij te zijn toen ze dat zei, en de volgende ochtend vond Marilyn twee lege bierblikjes onder zijn bed. Ze besloot hem met rust te laten en er niets van te zeggen, maar het was verontrustend dat Billy bier dronk om zijn stress te verlichten. Ze wilde niet dat hij net zo zou worden als zijn vader, maar twee biertjes was nog geen reden tot paniek. Ze vertelde het aan Jack, die voorstelde een oogje op Billy te houden en niet meteen alarm te slaan, en ze was het met hem eens.

Het etentje met Thanksgiving bij Marilyn thuis verliep een stuk vrolijker dan een jaar eerder. Jacks zoons kwamen en Gabby was ook weer van de partij. Ze hielp Marilyn de tafel te dekken, en Jack liet het hele diner door zijn restaurant verzorgen, compleet met twee obers in de bediening die na afloop alles opruimden. Marilyn hoefde alleen maar te gaan zitten en te eten, en het was heerlijk. Het was een traditionele feestmaaltijd met kalkoen, en iedereen was in een opperbest humeur, behalve Billy, die geen woord zei. Jacks zoons probeerden een gesprek met hem aan te knopen over zijn footballcarrière aan de universiteit, maar Billy gaf alleen korte, zakelijke antwoorden en ging na het eten met Gabby naar zijn kamer. Hij verraste haar door een fles tequila tevoorschijn te halen en een shotje voor hen beiden in te schenken. Hij had de fles in een la verstopt. Gabby schrok ervan en weigerde haar glas.

'Dat is niet cool, Billy,' zei ze zacht. 'Ik weet dat je het erg vindt dat je moeder een baby krijgt, of twee baby's, maar dronken worden lost niets op.' Het zou hem alleen zijn beurs kosten als hij werd gesnapt.

'Ik word niet dronken van één shotje. Het gaat me helemaal niet om mijn moeder en haar baby's, en het is Thanksgiving, godsamme.' Zo had hij nog nooit tegen Gabby gepraat, en toen ze haar glas weigerde, dronk hij dat ook leeg. Ze had Billy vaker dronken zien worden op feestjes, van het bier, maar ze had hem nog nooit sterkedrank zien drinken, of zien drinken omdat hij ongelukkig was, zelfs niet tijdens de scheiding van zijn ouders. Het was pas begonnen toen zijn moeder had besloten met Jack te trouwen.

'Dat kun je niet doen als je in training bent,' zei Gabby afkeurend.

'Je hebt niets over me te zeggen, en stel je niet aan als een oud wijf,' zei Billy, die heel even net zo klonk als zijn vader. Gabby was beledigd en ging een paar minuten later weg. Marilyn keek ervan op dat ze zo snel vertrok, maar het was wel duidelijk geweest dat Billy een slechte bui had. Het had het etentje bijna voor haar bedorven. Gelukkig waren Brian en Jack heel lief geweest. Jack en zij hadden Jacks zoons voor het eten over de tweeling verteld, en ze waren verbaasd maar blij geweest. Zij hoopten ook dat het twee jongens zouden worden.

Op maandagochtend vond Marilyn de twee gebruikte borrelglaasjes in Billy's ondergoedla toen ze zijn schone was opborg, en toen ze iets dieper groef vond ze de fles tequila ook. Het maakte haar misselijk. Ze belde Connie meteen op om het aan haar te vertellen.

'Shit, ik wil niet dat hij een alcoholist wordt, net als Larry. Ik denk dat hij al drinkt sinds Jack en ik zijn getrouwd. Nu is hij van streek vanwege de tweeling, dus drinkt hij weer.'

'Dat is geen reden om te drinken,' zei Connie, die het ook erg leek te vinden. 'Ik heb dit weekend een fles wodka in Kevins kast gevonden. Hij is nuchter gebleven sinds de afkickkliniek, en hij is nu volwassen. Als ik er iets van zeg, beschuldigt hij me van snuffelen. Hij is vierentwintig, hij is een man die onder ons dak woont, maar als hij weer gaat drinken vergooit hij zijn leven. Mike wil dat hij bij hem komt werken, en dat hij in volledige dienst komt als zijn school erop zit, maar Kevin wil de bouw niet in en hij wil al helemaal niet voor zijn vader werken. Mike is streng tegen hem – hij denkt dat het goed voor hem is.'

'Soms denk ik dat ze ons dood willen hebben, ik zweer het je,' verzuchtte Marilyn, en Conny lachte, maar ze vonden het geen van beiden echt grappig. Ze wisten maar al te goed dat de toekomst van hun zoons op het spel stond. En Billy had veel te verliezen. Al zijn dromen stonden op het punt uit te komen. 'Laten we maar hopen dat het een fase is en dat ze snel tot inkeer komen. Ga jij iets tegen Kevin zeggen?'

'Mike gaat hem vanavond zeggen waar het op staat. Als Kevin hier wil blijven, moet hij stoppen met drinken en in zijn vrije tijd voor Mike werken. Als het hem niet aanstaat gaat hij maar ergens anders wonen. Het wordt dus een stevig gesprek vanavond. Wat gaan jullie aan Billy doen?'

'Billy is in training. Hij mag niet drinken. Misschien is het gewoon de universiteitsgekte. Alle ouders zeggen dat hun kinderen door het dolle heen zijn wanneer ze op een universiteit zijn aangenomen. Voor Billy is de druk van de ketel tot hij gaat studeren, tenzij hij voor zijn eindexamen zakt. Ik ga goed op dat drinken letten.'

'Ik ook,' zei Connie, maar ze klonk moedeloos. Ze was er zeker van geweest dat Kevin zijn problemen had overwonnen en dat ze het ergste achter de rug hadden, maar nu twijfelde ze. Kevin liep onmiskenbaar het risico dat hij weer ging blowen of drinken en zijn leven vergooide. Hij had tenslotte op een haar na een gevangenisstraf gekregen, en de volgende keer zou hij echt achter de tralies moeten. Ze vond het minder zorgwekkend dat Billy een paar biertjes en een shotje tequila op zijn kamer dronk. Het was niet leuk, maar het viel niet te ontkennen dat kinderen van Billy's leeftijd zo af en toe dronken, ook gehoorzame kinderen. Maar Kevin was geen kind meer, hij was een man.

De kerstvakantie bracht goed en slecht nieuws. Connie en Marilyn kwamen Michelle op een dag tegen bij de nagelsalon en wisten niet wat ze zagen. Michelle was griezelig mager. Ze leed onmiskenbaar aan anorexia, en toen Marilyn eindelijk moed had verzameld en het tegen Judy zei, vertelde die dat ze die week bij de dokter waren geweest en dat Michelle net was begonnen aan een dagbehandeling bij een kliniek voor eetstoornissen. Judy vond het heel erg. Marilyn was opgelucht toen ze hoorde dat Michelle werd behandeld.

Het beste nieuws kwam op de dag voor de kerstvakantie: Andy kreeg de langverwachte brief van Harvard. Hij was toegelaten tot de studie geneeskunde. Hij was de enige die er verbaasd over was. Izzie slaakte een gil die door de gangen weerkaatste toen hij het haar vertelde, en Sean en Billy namen hem op hun schouders en liepen een rondje met hem terwijl Gabby grinnikend toekeek. Hij was hun held, en al zijn docenten waren heel blij voor hem, maar niet verrast.

Hij belde zijn moeder op haar werk om het haar te vertellen maar kreeg de voicemail, wat betekende dat ze een patiënt had of een baby aan het halen was, dus stuurde hij haar een sms'je. Zijn vader zat net tussen twee patiënten in. Hij klonk alsof hij het druk had, maar hij was blij het nieuws te horen.

'Ik zou verbaasd zijn als ze je niet hadden toegelaten,' zei zijn vader kalm. 'Je dacht toch niet echt dat ze je zouden afwijzen?' Robert leek het een grappig idee te vinden, temeer omdat hij zelf ook op Harvard had gezeten. Gezien Andy's cijfers moest de toelatingsprocedure een formaliteit zijn, vond

Robert. Alleen Andy zelf had in de rats gezeten en weken slecht geslapen, al had hij er niets van laten merken. De enige die hij over zijn zenuwen had verteld, was Izzie. Hij had nachtmerries waarin hij werd afgewezen, nu al of na zijn eindexamen, en zijn vader hem erom verstootte. Zijn moeder had het wel begrepen en het hem vergeven, maar zijn vader verwachtte niet minder dan de tienen die Andy altijd met gemak haalde, al was het soms iets moeilijker dan hij deed voorkomen.

'Bedankt voor je hulp met mijn aanmeldingsopstel,' fluisterde Andy tegen Izzie na hun laatste les van die dag. 'Ik denk dat ik daarop ben toegelaten.' Hij was dankbaar en opgelucht.

'Ben je gek geworden?' Izzie keek hem verbijsterd aan. 'Je denkt dat je door mijn hulp bent aangenomen, niet door je eigen prestaties? Word wakker, Andy Weston! Je bent zo ongeveer het genie van de klas.'

'Nee, gekkie, dat ben jij. Ik ken niemand met zo'n scherpe analytische geest als jij. Je zegt zinniger dingen dan mijn ouders, en die zijn allebei heel slim, en mijn vader schrijft boeken en wordt gezien als een briljante geest.' Izzie wist dat de boeken van Andy's vader succesvol waren, maar ze had hem altijd een kille man gevonden. Ze vond zijn moeder een stuk aardiger.

'Neem nou maar van mij aan dat je een genie bent en dat je nog eens een fantastische arts wordt. Heb je al een idee wat voor specialisatie je gaat kiezen?' vroeg ze terwijl ze de school uit liepen.

'Onderzoek, denk ik. Ik vind het verschrikkelijk om mensen te zien lijden, en ik zou nooit een fout willen maken die iemand het leven kost. Die verantwoordelijkheid is me te zwaar.' Na twaalf jaar met Andy op school te hebben gezeten wist Izzie dat Andy nooit iemand pijn zou willen doen, of het nu met woorden was of met daden. Hij was een attent, oppassend, zorgzaam, meelevend mens, en Izzie had een enorme bewondering voor hem. Ze hield van iedereen in haar groepje, maar hij was degene voor wie ze het meeste respect had. En nu was hij nog vóór zijn eindexamen aangenomen op Harvard. Ze was dolblij voor hem.

Ze wilde haar eigen aanmelding in de kerstvakantie rondmaken. Haar eerste keus was nog steeds de universiteit van Los Angeles, en ze vond het geweldig dat Gabby en Billy daar ook naartoe gingen. Ze hoopte maar dat ze werd toegelaten. Haar andere keuzes hadden niet echt haar voorkeur, al zat de universiteit van Boston er ook tussen. Dat Andy naar Harvard ging en dus vlakbij zou zijn, troostte haar een beetje. Ze vond het vreselijk dat ze over een halfjaar allemaal hun eigen weg zouden gaan, en ze hoopte maar dat ze elkaar in de vakanties thuis zouden blijven zien. Ze wist dat ze het allemaal meenden wanneer ze zeiden dat ze vrienden voor het leven waren, en ze hoopte dat het zou lukken.

Andy had goed nieuws gekregen, maar Izzie kreeg slecht nieuws in de vakantie. Haar vader kwam met een nieuwe vriendin thuis, en ze wist meteen dat deze belangrijk voor hem was. Dat was geen enkele vrouw sinds de scheiding van haar ouders geweest. Ze heette Jennifer, ze was maatschappelijk werkster en hij kende haar van het werk. Ze had op de universiteit van Columbia gezeten en was twee jaar voordat Jeff haar leerde kennen teruggekomen naar San Francisco. Zij was achtendertig en Jeff was nu vijfenvijftig. Izzie vond het leeftijdsverschil van zeventien jaar bespottelijk. Jennifer was aardig, en Izzie begreep wel wat haar vader in haar zag. Ze was knap en slim, ze had een prima lijf en een goed gevoel voor humor, en ze zag eruit als vijfentwintig. Jeff ging met Jennifer en Izzie naar een Mexicaans restaurant in de Mission. Daar hoorde Izzie dat Jennifer vloeiend Spaans sprak. Ze was opgegroeid in Mexico, want haar vader was diplomaat, en ze had iets exotisch over zich dat haar nog aantrekkelijker maakte. Ze was slimmer en wereldwijzer dan alle andere vrouwen die Jeff sinds de scheiding had ontmoet, en Izzie besefte onmiddellijk dat ze een serieuze bedreiging vormde voor het vredige leventje dat ze de afgelopen vijf jaar met haar vader had geleid. Ze zag haar moeder nog wel af en toe, maar Katherine was nu meestal in New York voor haar werk, en elke schijn van gezamenlijke voogdij was overboord gezet. Izzie wilde haar leventje met haar vader graag zo houden als het was.

Na het etentje bracht Jeff Jennifer naar huis en daarna zocht hij Izzie in haar kamer op. Ze zat met Gabby te telefoneren, maar hing op zodra haar vader binnenkwam.

'Zo, Iz, wat vond je ervan?' vroeg hij. Izzie aarzelde even. Ze wilde voorzichtig zijn met wat ze zei. Ze wilde haar vader niet kwetsen, maar ze vond Jennifer te jong voor hem. Toen Jennifer tijdens het etentje zei dat ze graag kinderen wilde, had Izzie zich bijna verslikt. Wat haar betrof was haar vader veel te oud om nog een gezin te stichten, of dat hoopte ze althans.

'Vind je haar niet een beetje aan de jonge kant, pap?'

'Niet echt. We kunnen het heel goed vinden samen.' Het leeftijdsverschil leek hem geen zorgen te baren.

'Hoe lang ken je haar al?' Haar vader had nooit iets over Jennifer gezegd. Ze was er gewoon opeens. Maar elke keer dat hij tijdens het etentje naar haar keek, had Izzie sterretjes in zijn ogen gezien. Het joeg haar angst aan. Ze zag Jennifer als een grote bedreiging.

'Een maand of drie. We hebben samen een zaak gedaan, een geval van discriminatie in een kinderdagverblijf. Ze weet echt waar ze het over heeft.'

'Fijn,' zei Izzie, die zich kalmer voordeed dan ze zich voelde. 'Het is een aardig mens en ik begrijp wel dat je iets in haar ziet. Ik denk alleen dat ze binnenkort wil trouwen en een gezin stichten, en ik wil niet dat je gekwetst raakt.'

'Ik ben niet te oud voor kinderen,' zei hij gepikeerd. Izzie voelde een koude rilling over haar rug lopen. Nu kon ze zich beter in Billy verplaatsen. 'Marilyn krijgt nota bene een tweeling met haar nieuwe man, en Billy is van jouw leeftijd.'

'Ja, maar Marilyn is tweeënveertig. Jij bent vijfenvijftig. Wil je echt meer kinderen, pap?' vroeg ze met een beverig stemmetje.

'Ik heb er nooit over nagedacht. Misschien wel, met de juiste vrouw. Ik weet het niet. Jij bent straks weg en dan wordt het hier erg stil.' Hij zei het vol zelfbeklag, en Izzie werd heel bang.

'In hemelsnaam, pap, neem dan een hond, geen kind. Daar zit je je hele leven aan vast, en je kent dat mens amper.'

'Ik mag haar bijzonder graag,' zei Jeff, die plotseling onverzettelijk klonk.

'Begin dan iets met haar, maar ga geen gezin met haar stichten. Ik vind haar gewoon iets te jong voor je, meer niet.'

'Ze is heel volwassen voor haar leeftijd. Ze denkt zoals iemand van mijn leeftijd.'

'Nee, dat doet ze niet,' sprak Izzie hem tegen. 'Ze denkt zoals iemand van mijn leeftijd. Ik had onder het eten de hele tijd het gevoel dat ik met een meisje praatte.'

'Ze is heel flexibel en goed met mensen,' bracht Jeff ertegen in. Izzie begreep wel dat ze niet ver zou komen.

De volgende dag popelde ze om Sean erover te vertellen. Ze maakte zich ongerust.

'Ik geloof dat mijn vader nu iemand heeft leren kennen die hij echt leuk vindt. Ze is zeventien jaar jonger dan hij. Daar zit ik net op te wachten, dat hij met de een of andere del trouwt zodra ik weg ben.'

'Is het dan een del?' vroeg Sean verbaasd. Izzies vader had hem altijd heel verstandig geleken, net als zijn eigen ouders.

Hij kon zich niet voorstellen dat Jeff met een wilde meid aan de haal zou gaan.

'Nee, niet echt. Dat is het probleem nou juist. Ik vind haar zelfs aardig.' Izzie slaakte een zucht. 'Ik wil gewoon niet dat er iets verandert voor ons of voor onze ouders. Het is al moeilijk genoeg om het huis uit te gaan zonder je angstig af te vragen of alles nog wel hetzelfde is als je terugkomt.'

'Het wordt niet anders,' verzekerde Sean haar. 'Je vader houdt van je en hij is een fantastische man. Hij gaat geen stomme dingen doen wanneer jij weg bent. Waarschijnlijk vindt hij het gewoon leuk om met haar om te gaan.'

'Wie weet,' zei Izzie, maar ze was er niet gerust op. Ze wist hoe eenzaam haar vader sinds de scheiding bij vlagen was geweest, en hij had tot dan toe geen serieuze relaties gehad.

'Relax, het komt allemaal wel goed. Het zou volgende week alweer uit kunnen zijn,' zei Sean troostend.

'Ja, hoor,' zei Izzie. Het was zwaar om overal over te piekeren, en ze konden hun ouders met geen mogelijkheid hun wil opleggen. Daar was Marilyn het levende bewijs van. Gescheiden, hertrouwd en zwanger van een tweeling, en dat allemaal binnen een jaar. In Billy's leven waren snel veel veranderingen opgetreden, en Sean en zij wisten allebei dat hij het nog niet had verwerkt.

'Hoe is het trouwens met je broer?' veranderde Izzie van onderwerp. Sean had het zelden over hem, maar Izzie wist dat hij zich meer zorgen om Kevin maakte dan hij wilde toegeven.

'Ik weet het niet,' zei Sean naar waarheid. 'Het voelt niet goed. Het lijkt prima met hem te gaan, maar ik geloof er niets van. Ik heb het idee dat hij weer stiekem bezig is, en als ik hem zie, is hij altijd zo opgewekt dat ik begin te denken dat hij weer drugs gebruikt. Ik hoop van niet. Hij werkt nu voor mijn vader, maar als hij dat verpest, wordt pap echt boos.'

Izzie knikte en ze praatten verder over andere dingen. Ze wilden allemaal in Tahoe gaan skiën tijdens de kerstvakantie, en de O'Hara's hadden hun huis daar een paar dagen ter beschikking gesteld. Izzie moest zich nog bij een paar universiteiten aanmelden en de vakantie zou voorbij zijn voor ze het wisten. Ze stormden regelrecht op hun eindexamen af, en dat was de griezeligste gedachte van allemaal.

7

De O'Hara's hielden een barbecue in de achtertuin voor het hele eindexamenjaar van Atwood. Het was echt een evenement. Iedereen was uitgenodigd, en ze hadden de chef-kok van Jacks restaurant in San Francisco ingehuurd om steaks, hotdogs, hamburgers, ribbetjes en de rest te bakken. Het werd een uitbundig feest, en iedereen vermaakte zich kostelijk. De eindexamenleerlingen vormden een blakende, blije groep, al kwamen er een paar mensen dronken aanzetten die met een taxi naar huis werden gestuurd. De O'Hara's waren gespitst op dronkenschap. Ze hadden T-shirts laten bedrukken met de namen van de hele eindexamengroep erop, en iedereen kreeg er een bij aankomst. De Grote Vijf klitten bij elkaar, etend, pratend en lachend. Sean dacht dat Billy high was en vroeg hem ernaar, maar Billy ontkende. Toen Sean Izzie vroeg wat zij dacht, zei ze tot zijn opluchting dat Billy naar haar idee niets had gebruikt.

Marilyn en Jack kwamen ook even langs. Marilyn moest de laatste maand van haar zwangerschap eigenlijk het bed houden, maar aangezien ze over vijf dagen toch was uitgerekend, had Helen het goed gevonden dat ze de diploma-uitreiking en alles eromheen bijwoonde. Ze wisten nu dat ze twee meisjes zouden krijgen, en Marilyn zei dat ze nog nooit ergens zo aan toe was geweest. De zwangerschap van Brian was een makkie geweest vergeleken bij deze, maar Marilyn had er geen spijt van. Jack en zij waren dolblij en Jack bediende haar op haar wenken, en maar goed ook, zei Marilyn, want ze kon al sinds Kerstmis haar voeten niet meer zien en ze was nu zo dik dat ze niet meer zonder hulp uit bed kon komen. Jack was heel goed voor haar. En Billy klaagde er niet meer over. Hij richtte zich op zijn opleiding, en hij ging een maand eerder van huis vanwege de footballtraining aan de universiteit.

Judy was van plan in augustus met Gabby naar Los Angeles te gaan om haar te helpen een flatje te vinden en in te richten. Michelle zag er iets beter uit na haar behandeling in de kliniek en Judy had tegen Connie en Marilyn gezegd dat ze beter was, al leek ze nauwelijks iets aangekomen. Ze leek wel vrolijker en meer op haar gemak in Gabby's vriendengroep. Judy en Gabby hadden het druk met hun plannen voor Los Angeles, en tijdens Judy's afwezigheid zou Michelle bij een vriendin gaan logeren.

Izzie was aangenomen op alle universiteiten waar ze zich had aangemeld, maar ze ging toch het liefst naar Los Angeles, en ze vond het een prettig idee dat ze Gabby en Billy kon blijven zien. Ze beloofden elkaar zo vaak mogelijk op te zoeken. Sean had gekozen voor de George Washington Universiteit in Washington omdat hij politicologie en buitenlandse betrekkingen wilde studeren met Spaans als groot bijvak. Hij had een talenknobbel, en hij had een prijs gekregen omdat hij de beste was in Spaans van hun jaar. Wat hij alleen aan Izzie vertelde, was dat hij wilde proberen zijn studie zo veel mogelijk te laten aansluiten op de eisen van de FBI. Hij had zich verdiept in de kwalificaties die ze zochten en alles over de FBI op internet gelezen. Connie en Mike dachten dat hij te veel hooi op zijn vork nam en vonden het jammer dat hij zo ver weg ging studeren, maar het was wel een mooie kans om meer van de wereld te zien. Hij had uiteindelijk bedankt voor de universiteit van Georgetown en het MIT, want hij wist zeker dat George Washington de beste opleiding voor hem was. Hij was een heel intelligente jongen.

Kevin kwam naar het eindexamenfeest, maar hij was een stuk ouder dan de anderen en hij voelde zich niet thuis bij een stelletje schoolkinderen die vierden dat ze hun diploma hadden. Hij was snel weer vertrokken.

Het feest in de achtertuin van de O'Hara's duurde tot een uur of drie, al moesten ze de muziek om twee uur zachter zetten, en al die tijd bleef het eten komen. Er werd geen alcohol geschonken, want niemand was oud genoeg om te mogen drinken, maar iedereen vermaakte zich prima, en zelfs Marilyn en Jack bleven de O'Hara's tot middernacht gezelschap houden. Izzies vader, Jeff Wallace, kwam met zijn vriendin Jennifer. Izzie leek niet erg blij te zijn haar te zien, maar ze gedroeg zich altijd beleefd tegen haar. Helen Weston kwam ook, maar ze werd na een paar minuten al weggeroepen voor een bevalling. Andy's vader liet zijn gezicht niet zien, maar dat deed hij nooit. Hij had het te druk met zijn praktijk en zijn boeken. Helen zag Marilyn op weg naar buiten en begroette haar.

'Wat doe jij hier?' vroeg Marilyn verbaasd. Helen kwam maar zelden naar dingen die met school te maken hadden, want ze was altijd aan het werk.

'Ik kwam even zien hoe het met je gaat. Ik wilde hier je kinderen wel even halen, tussen de hotdogs en hamburgers door,' zei ze plagerig. 'Hoe voel je je?' vervolgde ze iets ernstiger. Marilyn zag er vrij goed uit, maar haar voeten en enkels waren opgezwollen tot ballonnen.

'Alsof ik elk moment kan ploffen,' zei Marilyn grinnikend. Jack, die naast haar stond, sloeg zijn arm om haar schouders.

'Nou, als je je benen maar tot morgenmiddag over elkaar geslagen houdt. We willen allemaal graag naar de uitreiking. Desnoods verlos ik je op het parkeerterrein.'

'Dat komt wel goed,' zei Marilyn ontspannen. Haar lichaam bereidde zich voor op het grote gebeuren en ze had continu weeën, maar daar maakte ze zich geen zorgen om. Ze kwamen regelmatig, maar ze waren niet hevig. Jack hield haar scherp in de gaten. Hij was bang dat hij haar niet op tijd naar het ziekenhuis zou kunnen krijgen, al had Helen hem gerustgesteld. Ze gingen kort na middernacht naar huis en Marilyn sliep lekker die nacht, ondanks de ongemakken. Ze was er zo langzamerhand aan gewend. Het voelde alsof haar lichaam was overgenomen door buitenaardse wezens, maar ze verheugde zich er erg op haar meisjes te zien. Jack en zij hadden al namen bedacht: Dana en Daphne.

Toen alle ouders weg waren en alleen Connie en Mike nog discreet toezicht hielden, glipten de Grote Vijf een voor een weg naar Seans kamer. Ze hadden iets spectaculairs willen doen, zoals het 'Friends4Ever' dat ze al die jaren in hun schooltafeltje hadden gekerfd als tatoeage laten zetten, maar Gabby zei dat haar moeder haar zou vermoorden en Izzie had ook geen zin in een tatoeage. De jongens waren enthousiaster geweest over het idee. Izzie was zoals zo vaak degene die met een compromis kwam waar iedereen tevreden over was. Het was niet zo indrukwekkend als een tatoeage, maar ze waren het erover eens dat het de gelegenheid zou onderstrepen en hun verbond zou bezegelen. Izzie had overal voor gezorgd, zoals gewoonlijk. En zodra Sean de deur van zijn kamer achter hen had gesloten en op slot gedraaid, haalde Izzie een pakje naainaalden tevoorschijn en deelde ze uit, samen met de ontsmettende alcoholdoekjes die ze ook had meegebracht. Iedereen trok een toepasselijk plechtig gezicht terwijl Izzie een toespraakje hield en ze hun geloften aflegden. Het was Izzies idee geweest en ze deden allemaal mee, al hadden de jongens het eerst een beetje onnozel gevonden.

'We zijn hier bijeengekomen,' begon Izzie op vormelijke toon, 'om elkaar plechtig te beloven dat we elkaar nooit zullen vergeten of uit het oog zullen verliezen en er altijd voor elkaar zullen zijn, waar we ons ook bevinden. We beloven van elkaar te houden tot in de dood en voor altijd beste vrienden te blijven.' Ze zweeg even en keek de anderen een voor een aan. Ze beantwoordden haar blik ernstig. 'Nu zeggen we allemaal "dat beloof ik",' zei ze de anderen voor. Een vijfvoudig 'dat beloof ik' klonk op in de kamer en toen wees Izzie naar de naalden. Ze wisten wat hun te doen stond. Alleen Gabby en zij gebruikten de alcoholdoekjes – de jongens vonden het onzin. Ze prikten allemaal in hun vinger, en toen er een bloeddruppel opwelde, drukten ze hun vingers tegen elkaar en zeiden hun vertrouwde leuze uit volle borst: 'Vrienden voor altijd!' Izzie hielp iedereen een superheldenpleister om zijn vinger te plakken. Na dertien jaar zorgde Izzie nog net zo goed voor haar vrienden als op die eerste schooldag. Ze plakte een Wonder Woman-pleister om Gabby's vinger en een van Batman om de vingers van de jongens. Ze lachten allemaal en toen omhelsden ze elkaar. Hun verbond was met bloed bezegeld. Ze hadden er maanden naartoe geleefd.

'Oké jongens, het is klaar. Nu is het officieel,' zei Izzie, die tevreden was over het resultaat. Ze liepen als groep de kamer uit met hun superheldenpleisters en gingen pratend en lachend naar beneden. Connie, die net uit de keuken kwam, zag het stel de trap af komen.

'O-o, wat hebben jullie uitgespookt?' De jongelui zagen er triomfantelijk en euforisch uit, maar ze was blij te zien dat ze allemaal nuchter waren.

'Niks. Ze hebben mijn jaarboek gesigneerd,' zei Sean snel.

'Waarom geloof ik je toch niet?' zei Connie glimlachend. Wat ze ook hadden gedaan, waarschijnlijk kon het geen kwaad. Het waren leuke kinderen. Ze zou ze verschrikkelijk missen straks, bijna net zo erg als ze elkaar zouden missen. 'Ik heb net die cheesecake die jullie zo lekker vinden op tafel gezet, en nog wat taarten,' zei ze, en ze gingen allemaal naar buiten. Ze zagen er allemaal uit alsof ze bijzonder in hun nopjes waren, en toen ze een paar minuten later allemaal een stuk cheesecake pakten, wisselden ze een lange, raadselachtige glimlach met elkaar. Vrienden voor het leven. Het was echt: het verbond was met bloed bezegeld.

De volgende ochtend om tien uur zaten ze allemaal buiten op rijen stoelen. Er was een stuk van Golden Gate Park bij het museum afgezet voor de diploma-uitreiking. Hier hadden ze allemaal vanaf de eerste schooldag naar uitgekeken. En iedereen was erbij: ouders, grootouders, oude en nieuwe vrienden. Izzies vader had Jennifer uitgenodigd, tot Izzies grote woede, en haar moeder was er ook. Zij leek het niet erg te vinden dat Jeff een andere vrouw bij zich had. De scheiding lag vijf jaar achter hen en ze had nu haar eigen leven. Ze omhelsde Izzie en zei dat ze heel trots op haar was, en ze zag eruit alsof ze het meende. Larry Norton was voor Billy gekomen. Hij had een jonge meid bij zich die eruitzag als een hoer die hij voor de gelegenheid had opgepikt. Billy wist dat ze typerend was voor de vrouwen met wie zijn vader omging, en hij probeerde haar te negeren. Brian zat er ook, samen met zijn moeder en Jack, vier rijen voor Larry en die vrouw. Kevin zat bij zijn ouders. Michelle droeg een mooie gedessineerde jurk met lange mouwen die verhulden hoe dun haar armen waren. Ze worstelde nog om op gewicht te komen, maar ze zag er beter uit. En bij wijze van uitzondering waren Andy's ouders er ook eens allebei. Zijn vader was de vorige avond overgevlogen vanuit Chicago, waar hij een belangrijk psychiatrisch congres had, en zijn moeder vertelde aan Marilyn waar ze haar kon vinden, voor het geval ze opeens moest bevallen. De ouders die de vijf vrienden dertien jaar lang hadden aangemoedigd en de docenten met wie ze waren opgegroeid, iedereen was er.

De kandidaten stonden in een rij te wachten, en de rector en de voorzitter van het schoolbestuur zaten op het podium klaar voor de uitreiking. De geslaagden hadden een toga aan en een baret op, die ze de lucht in zouden gooien zodra de plechtigheid voorbij was. Toen werd de muziek ingezet. De docenten kwamen in een stoet aangelopen en gingen op de voorste rijen zitten. Wel tweehonderd camera's werden in de aanslag gehouden voor het moment dat 'Pomp and Circumstance' werd ingezet en de rij eindexamenkandidaten aan kwam lopen, volwassen en waardig, en ze hun plek op het podium innamen.

Andy was als beste geslaagd en hield een ontroerende, goed geschreven toespraak. Zijn jaargenoten applaudisseerden voor hem toen hij klaar was, en overal in het publiek werd een traantje weggepinkt door ouders die het allemaal even te veel werd. Het was een langverwachte dag, het begin van het volwassen leven van de geslaagden. En, zoals Andy in zijn toespraak had gezegd, hun leven zou nooit meer hetzelfde zijn.

Toen hield Izzie een toespraak als klassenvertegenwoordiger, waarin ze iedereen aanspoorde nooit te vergeten hoeveel ze voor elkaar betekenden en hoeveel ze hun hele jeugd hadden gedeeld. Ze wenste iedereen een behouden levensreis en moedigde haar klasgenoten aan vaak naar huis te komen. Ze beloofde niemand te vergeten, en terwijl ze dat zei, keek ze naar haar vier speciale vrienden. 'Ik hou al van jullie sinds de eerste schooldag,' zei ze, 'en ik ben niet van plan daar nu mee op te houden. Dus ga de wereld in, maak iets van jezelf, word beroemd, en Billy Norton, zorg dat je de beste quarterback in de geschiedenis van het universiteitsfootball wordt!' Iedereen lachte, en toen vervolgde ze: 'Maar hoe beroemd jullie ook worden, en hoe ver jullie ook komen, hoe belangrijk je ook wordt of denkt te zijn, vergeet nooit hoeveel we van jullie houden.' Na deze slotwoorden ging ze weer op haar plek naast Andy zitten. Hij heette Weston en zij Wallace, de laatste twee namen van de klassenlijst, dus zaten ze naast elkaar.

Vervolgens werden de diploma's uitgereikt en was het voorbij. De gediplomeerden haalden de kwastjes van hun baret als aandenken en gooiden hem toen in de lucht. Iedereen rende rond, huilend en elkaar omhelzend. Het was een vrolijke chaos in het park. Izzie vond het ongelooflijk dat het voorbij was. Hun dertien jaar op Atwood zat erop.

Ze hadden allemaal plannen voor de lunch met hun familie, maar spraken af elkaar 's avonds weer te zien. Het gerucht ging dat er ergens een feest was, en ze wuifden elkaar allemaal na toen ze wegreden. Brian en Billy gingen met hun moeder en stiefvader naar Jacks restaurant, en ze hadden Larry en zijn vriendin gevraagd of ze mee wilden, uit hartelijkheid. Ze waren nog niet binnen of Larry bestelde een whisky met ijs en een fles dure wijn bij wijze van maaltijd. Zijn vriendin vertelde dat ze eenentwintig was en zelf nooit had gestudeerd, en ze sloeg een hele fles champagne achterover. Ze vertrokken al snel weer, maar Larry vergat tenminste niet tegen Billy te zeggen hoe trots hij was. Hij zei dat hij stond te trappelen om Billy's eerste wedstrijd te zien, en daar keek Billy ook naar uit. Hij had Gabby graag bij de lunch gehad, maar ze moest die dag bij haar eigen familie zijn, dus had hij na de lunch met haar afgesproken.

Na Larry's vertrek bracht de chef-kok een speciale taart voor Billy naar de tafel, bekroond door een footballer in het rood-met-goudkleurige uniform van de Trojans, en daarna gingen ze naar huis. Billy ging naar Gabby, Brian ging met de buurjongen spelen en Marilyn sleepte zich de trap op naar de slaapkamer. Ze had het gevoel dat ze geen stap meer kon verzetten, plofte op het bed en keek naar haar man.

'Goddank wordt het geen drieling. Ik kan deze twee amper nog met me meezeulen.' Helen had tegen haar gezegd dat het stevige meisjes waren, en ze maakten nog geen haast om naar buiten te komen. Jack ging bij haar op het bed zitten, glimlachte naar haar en masseerde haar enkels.

'Waarom blijf je de rest van de dag niet in bed?' stelde hij voor. Marilyn was die ochtend al vroeg opgestaan om te zorgen dat iedereen op tijd klaar was voor Billy's diploma-uitreiking. Tijdens de plechtigheid had ze wel duizend foto's van hem gemaakt. Ze was ontzettend trots op hem, en ze had gehuild toen hij zijn diploma in ontvangst nam. Ze besloot even een dutje te doen. Toen ze wakker werd, was het bijna etenstijd, en het voelde alsof er een oorlog woedde in haar buik. De meisjes spartelden als wilden. Het kostte haar veel moeite om naar beneden te gaan en Jack te zoeken. Die stond in de keuken soep voor zichzelf te maken. Hij vertelde dat Brian bij zijn buurjongen at en daarna mee mocht naar een film, en dat Billy bij Gabby was en daar bleef eten. Bij hen thuis was weinig meer te beleven, want Marilyn kon zich amper nog bewegen, en ze vonden het prettig om met zijn tweeën te zijn en van hun rust te genieten.

'En, gaan we vanavond kennismaken met onze meisjes?' vroeg Jack hoopvol. Marilyn lachte en schudde haar hoofd.

'Ik geloof dat ze een soort dansfestijn hebben, maar ik denk niet dat ze al op weg zijn. Ik voel amper weeën. Misschien moet ik een blokje om rennen of zo.'

'Doe dat nou maar niet,' zei Jack. Hij bood aan voor haar ook iets te eten te maken, maar ze had geen trek. Ze had niet eens plaats meer voor eten. Ze zat altijd na twee happen vol en kreeg al brandend maagzuur als ze alleen maar naar eten kééék. Het was echt tijd dat de tweeling kwam. Ze zei telkens dat ze er klaar voor was, maar de meisjes dachten er kennelijk anders over.

Ze hield Jack gezelschap terwijl hij zijn soep at en toen stommelde ze weer naar boven. Jack zette een dvd op. Ze stond op om nog even naar de wc te gaan voordat de film begon en net toen ze er iets over tegen Jack wilde zeggen, voelde het alsof er iets ontplofte en ze een vloedgolf over zich heen kreeg. Het leek overal te zijn en even wist ze niet wat haar overkwam, maar toen besefte ze wat er gebeurde.

'Jack...' zei ze zo zacht dat hij haar niet hoorde. 'Jack,' zei ze iets harder, 'eh... mijn vliezen zijn net gebroken...' Hij liep naar de badkamer om te horen wat ze zei en zag haar daar verdwaasd staan.

'Hè? O, mijn god...' Marilyns benen waren kletsnat. 'Wat is er gebeurd?' Toen drong het ook tot hem door, maar hij wist niet hoe het verder moest. Marilyn schoot in de lach.

'Ik zie eruit alsof ik heb gezwommen.'

'Je moet gaan liggen of zo,' zei Jack zenuwachtig, en hij pakte een stapel handdoeken voor haar. Ze trok haar natte kleren uit, sloeg een badjas om, liep terug naar de slaapkamer en ging op de handdoeken liggen. Ze voelde nog steeds vruchtwater lekken, maar het ergste was achter de rug. Jack dweilde de badkamer en kwam terug. 'Heb je weeën?'

'Helemaal niet, maar de meisjes zijn wel heel stil. Ik voel niets bewegen.' Een halfuur eerder had het nog gevoeld alsof ze dansten. Misschien rustten ze uit voor wat er komen ging.

'Ik vind dat we Helen moeten bellen.'

'Die zit nu vast te eten, en ik heb geen weeën. We kunnen toch nog wel even wachten? Zolang ik geen weeën heb, wil ze me toch niet laten komen.'

'Ik denk dat het met een tweeling anders gaat,' zei Jack bezorgd.

'Ja, dat duurt langer,' friste Marilyn zijn geheugen op. 'Zullen we maar naar die film kijken?' Jack had er geen belangstelling meer voor, maar hij zette de film op om Marilyn wat afleiding te bezorgen, ging naast haar liggen en hield haar nauwlettend in het oog.

'Kijk niet zo naar me, er is niets aan de hand.' Marilyn boog zich over hem heen en wilde hem een zoen geven. Op hetzelfde moment voelde het alsof ze door een bom werd geraakt. De ergste wee die ze zich kon heugen trok door haar heen. Ze pakte Jack bij zijn schouder en kon vijf minuten lang geen woord uitbrengen. Zodra de wee voorbij was, sprong Jack van het bed en pakte zijn mobiele telefoon.

'Nu is het genoeg, we gaan naar het ziekenhuis. Ik bel Helen.' Terwijl hij het zei, kreeg Marilyn weer een wee, en ze stak haar hand naar hem uit. Ze hield zijn hand stevig vast terwijl hij belde. Zodra Helen zijn naam op het scherm van haar telefoon zag, nam ze op.

'Hallo daar, hoe is het? Gebeurt er al wat?' vroeg ze kalm en opgewekt.

'Ja, er gebeurt opeens van alles. Haar vliezen zijn een minuut of tien geleden gebroken en ze heeft nu hevige weeën, met een minuut of twee tussenpauze, en ze duren lang. Wel een minuut of vijf.'

Helen fronste zorgelijk haar voorhoofd terwijl ze luisterde. 'Zo te horen hebben jullie dametjes haast.' Ze dacht even na en nam toen een beslissing. 'Laat Marilyn maar liggen. Niets doen. Ik stuur een ambulance. Ze kunnen haar op een brancard naar beneden dragen. Er gebeurt vast niets, maar ik heb liever dat jullie met een ambulance naar het ziekenhuis gaan, voor het geval de meisjes meer haast hebben dan we denken. Ik zie jullie daar.' Ze verbrak de verbinding en belde de ambulance. Intussen kreeg Marilyn weer een wee en nu schreeuwde ze het uit. Jack wilde het haar niet bekennen, maar hij was bang. Het ging allemaal veel sneller dan ze hadden verwacht.

De ambulance was er binnen vijf minuten. Terwijl Jack achter de broeders aan naar boven liep, vertelde hij dat het om een tweeling ging, maar dat had Helen al gezegd. Ze gespten Marilyn op een brancard en nog geen drie minuten nadat ze waren gekomen, waren ze met Jack en Marilyn op weg naar het ziekenhuis.

Marilyn omklemde Jacks arm en schreeuwde telkens wanneer het pijn deed, en er leek geen eind aan te komen. De ambulance zoefde met loeiende sirene naar medisch centrum California Pacific, waar Helen klaar zou staan.

'Ik kan het niet,' hijgde Marilyn tussen twee weeën door.

'Jawel,' zei Jack kalm. 'Ik ben bij je. Ze komen nu heel snel, schatje... Straks is het allemaal achter de rug.'

'Nee, ik kan het niet...' zei ze nog eens. 'Te veel.' Ze schreeuwde weer, en toen haar hoofd op de brancard terugzakte, rolden haar ogen weg. Jack raakte in paniek, maar de broeder gaf haar zuurstof en haar ogen gingen weer open. Haar bloeddruk was laag, maar ze verkeerde niet in gevaar.

'Het gaat heel goed,' zei de broeder om hen beiden gerust te stellen, en toen waren ze bij het ziekenhuis, waar ze door Helen werden opgewacht. Die keek met haar geoefende oog naar Marilyn en glimlachte naar Jack en haar.

'Zo, je hebt er geen gras over laten groeien,' zei ze tegen Marilyn. Ze kon zien dat Marilyn al in de late ontsluitingsfase moest zijn. Als Helen geen ambulance had gestuurd, had ze de tweeling thuis gekregen. 'Ik wil je graag naar de verloskamer brengen, dus nog niet persen graag,' zei ze gedecideerd tegen Marilyn, die haar gezicht vertrok van de pijn en het weer uitschreeuwde. 'Schiet op!' riep ze naar de broeders die haar uit de ambulance haalden. Helen rende voor hen uit en Jack holde naast Marilyn mee en hield haar hand vast. Marilyn schreeuwde van de ambulance tot aan de verloskamer, waar al een team klaarstond. Ze trokken haar badjas uit, deden haar een ziekenhuishemd aan en tilden haar op de verlostafel, en net op dat moment slaakte ze zo'n doordringende gil dat Jack bang was dat ze doodging.

In plaats daarvan dook er even later een hoofdje met rode manen tussen Marilyns benen op en hoorde hij een ander kreetje. Hun eerste dochter was geboren. Marilyn glimlachte door haar tranen heen naar hem, en Jack pakte huilend haar hand. Helen knipte de navelstreng door en gaf het kindje aan een verpleegster. Het was nog niet klaar, en binnen een paar seconden begon het allemaal van voren af aan: de gruwelijke weeën en de ondraaglijke pijn. Marilyn schreeuwde het uit en deze keer hielp Helen haar met de tang. Toen klonk er weer een kreetje. De meisjes waren binnen tien minuten na elkaar geboren, drie kwartier nadat Marilyns vliezen waren gebroken. Helen zei dat ze nog nooit zo'n snelle bevalling van een tweeling had meegemaakt, maar ze wist ook hoe zwaar het was als het zo vlug ging.

Marilyn lag na te schokken, huilend, lachend en zich vastklampend aan haar man, die telkens van haar naar hun mooie kindjes keek. Het ene had Marilyns rode haar, het andere zijn zwarte. Het was geen eeneiige tweeling, en ze besloten meteen wie Dana was en wie Daphne. Jack leek het nog niet te kunnen bevatten. Hij had nog nooit iemand zoveel pijn zien lijden, maar het was allemaal in een mum van tijd voorbij geweest.

'Gelukkig heb je een ambulance gestuurd,' zei hij dankbaar tegen Helen. 'Anders had ze ze thuis gekregen.'

'Dat denk ik ook,' zei Helen met een glimlach. 'Je hebt het me wel makkelijk gemaakt. Jij hebt al het werk gedaan,' vervolgde ze tegen haar patiënt. Marilyn leek nog niet over de schok heen te zijn, maar toen ze haar kindjes kreeg aangereikt, fleurde ze meteen op. Jack zag het trots aan.

Marilyn werd nog twee uur op de verloskamer gehouden, en de baby's werden in een couveuse gelegd om warm te worden. Het waren stevige meisjes, die allebei net iets meer dan drieënhalve kilo wogen. Jack belde al hun andere kinderen om te vertellen dat hun zusjes er waren. Billy vroeg of alles goed was met zijn moeder en bedankte hem toen kortaf, en Brian wilde weten wanneer hij mocht komen kijken. Marilyn zou nog een paar dagen in het ziekenhuis moeten blijven.

Om tien uur die avond werd Marilyn naar een kamer gebracht. Een verpleegster duwde een van de plastic wiegjes op wieltjes de kamer in en Jack het andere. Hij keek vol aanbidding naar Marilyn. Hij wist dat hij deze dag nooit zou vergeten, en de liefdevolle blik die hij met Marilyn wisselde, raakte Helen in haar hart, zoals altijd. Ze was bij Marilyn gebleven om zeker te weten dat het goed met haar ging, maar er waren geen complicaties opgetreden.

Helen gaf Marilyn iets tegen de pijn en ging toen weg. Marilyn had veel doorstaan. Brian bleef bij de buren logeren. Billy zou bij Gabby blijven en Jack bleef bij Marilyn in het ziekenhuis.

Hij keek naar haar toen ze sliep, en naar hun slapende kindjes. Ze waren perfect, roze en beeldschoon. Hij had een volmaakte avond achter de rug.

8

Iedereen kwam bij Marilyn op kraamvisite. Brian als eerste, de volgende ochtend vroeg. Hij werd gebracht door de buurvrouw, die zei dat ze nog nooit zulke mooie baby's had gezien en dat ze totaal niet op elkaar leken.

Brian hield ze een voor een vast en Jack maakte foto's. Aan het begin van de middag kwam Billy met Gabby, die haar ogen niet van de baby's af kon houden en aan hun teentjes en vingertjes voelde. Marilyn vroeg aan Billy of hij ze wilde vasthouden, maar hij zei dat ze te klein waren. Connie en Mike kwamen langs met de truitjes en sokjes die Connie de afgelopen maanden had gebreid. Ze hadden Sean ook bij zich. Kevin was een weekendje weg met vrienden, vertelde Connie, en toen ze het zei, zag Marilyn haar gezicht betrekken en keek haar bezorgd aan.

'Gaat het wel goed met hem?' vroeg ze zacht. Kevin had een afstandelijke, afwezige indruk gemaakt op de avond van de barbecue, maar hij was maar heel even geweest en ze had niet op hem gelet. Ze wist wel dat Connie zich al een tijdje zorgen om hem maakte.

'Ik hoop het maar,' zei Connie zacht, en toen richtte ze haar aandacht weer op de baby's. Izzie kwam erbij, en toen Connie en Mike weggingen kwam Andy ook. Rond etenstijd dook Judy op met Michelle en Gabby, voor de tweede keer, en een berg cadeautjes. Ze zeiden allemaal dat ze nog nooit zulke snoezige baby's hadden gezien. De stroom bezoek bleef twee dagen aanhouden. Jacks zoons waren bij hun moeder, dus die hadden de tweeling nog niet gezien, maar Jack stuurde tientallen foto's met zijn telefoon.

Na twee dagen zei Marilyn dat ze naar huis wilde om uit te rusten, en Helen vond het een goed idee. Ze was heel tevreden over moeder en dochters, en de volgende ochtend om negen uur ontsloeg ze Marilyn uit het ziekenhuis. Marilyn wilde borstvoeding geven, met wat bijvoeding, maar ze gaf nog geen melk. Helen dacht dat ze beter thuis kon zijn wanneer haar melk op gang kwam. In het ziekenhuis kreeg ze zoveel bezoek dat ze niet in alle rust aan haar kindjes kon wennen. Jack hielp haar fantastisch, zoals altijd, en toen ze thuiskwam, installeerde hij haar in bed. Brian wilde ook al het mogelijke doen om voor zijn zusjes te zorgen.

Toen Marilyn in hun vertrouwde bed kroop slaakte ze een zucht van verlichting.

'Wauw! Het is allemaal zo snel gegaan dat het nog niet echt lijkt.'

'Het is echt,' verzekerde Jack haar. Op hetzelfde moment begonnen allebei de baby's te huilen, en de ouders schoten in de lach. Het zou nog een tijdje een gekkenhuis blijven. Marilyns moeder had aangeboden te komen helpen, maar ze was in de zeventig en niet zo gezond, dus ze zou Marilyn alleen maar extra werk bezorgen. Marilyn had haar dan ook gevraagd later die zomer te komen. Jack en zij zouden voorlopig proberen het zelf te rooien, met een beetje hulp van Brian. Marilyn wilde pertinent geen kraamhulp. Jack had het wel aangeboden, en hij kon het betalen, maar Marilyn wist dat dit haar laatste baby's waren en ze wilde geen minuut missen, dus wilde ze alles zelf doen. Toch verbaasde het haar hoe uitgeput ze zich voelde. Het leek al een heel karwei om door de kamer naar de wiegjes te lopen, en ze gaf nog niet eens borstvoeding. De tweeling en zij moesten nog aan elkaar wennen.

Brian was met vrienden weg en Marilyn had de kindjes net in bed gelegd en wilde zelf een dutje gaan doen toen de telefoon ging. Ze zag op haar scherm dat het Connie was, maar toen ze opnam, hoorde ze niets aan de andere kant van de lijn. Ze dacht dat de verbinding was verbroken en net toen ze wilde ophangen, hoorde ze een lang, laag gejank dat eerder dierlijk klonk dan menselijk. Ze begreep niet wat ze hoorde, maar toen ze bleef luisteren, klonk de stem van haar vriendin opeens en liep er een rilling over haar rug.

'Kevin,' was het enige wat Connie kon uitbrengen, en toen snikte ze alleen nog maar. Marilyn wist niet of hij gewond was, een ongeluk had gehad, ruzie met zijn ouders had gemaakt of weer was gearresteerd. Ze kon alleen maar wachten tot Connie weer op adem was gekomen.

'Rustig maar, ik ben hier... Zal ik naar je toe komen?' Marilyn was even vergeten dat ze nog maar net was bevallen, maar ze was hoe dan ook gegaan. 'Connie, wat is er gebeurd?' Jack kwam de kamer in en zag aan het gezicht van zijn vrouw dat er iets verschrikkelijks was gebeurd.

'Wie?' fluisterde hij, en Marilyn mimede Connies naam terwijl Connie bleef snikken.

'Ik kom naar je toe,' zei Marilyn, die het niet meer verdroeg. Ze dacht dat ze sneller bij Connie kon zijn dan dat die haar over de telefoon kon vertellen wat er mis was.

'Hij is dood,' zei Connie toen opeens, en ze maakte weer dat dierlijke, jankende geluid dat Marilyn had gehoord toen ze opnam.

'O, mijn god... O, mijn god... Ik kom eraan. Ben je alleen thuis?' Marilyn sprong zo snel uit bed dat het haar even zwart voor de ogen werd, en toen haastte ze zich met de telefoon nog in haar hand naar de badkamer. 'Waar is Mike?'

'Hier. We hebben het net gehoord,' bracht Connie moeizaam uit.

'Hou nog even vol. Ik ben er binnen vijf minuten.' Marilyn verbrak de verbinding met bevende hand en keek ongelovig naar Jack. 'Kevin O'Hara is dood. Ik weet niet wat er is gebeurd. Ik moet erheen. Blijf jij bij de baby's. Als ze wakker worden, geef je ze maar zo'n flesje voeding uit het ziekenhuis... Ze redden zich wel.'

'Je mag nog niet rijden,' zei Jack panisch. 'Je bent net bevallen.'

Marilyn belde Billy al, die meteen opnam.

'Waar ben je?' vroeg ze gejaagd.

'Bij Gabby. Wat is er?' Hij hoorde dat zijn moeder van streek was, maar hij wist niet waarom.

'Je moet nu meteen hierheen komen.'

'Waarom?' Hij klonk argwanend en geërgerd.

'Je moet me naar de O'Hara's brengen. Er is iets met Kevin gebeurd.'

'Ik kom eraan,' zei Billy meteen. Tegen de tijd dat Marilyn aangekleed beneden zat, was hij er al. Jack gaf haar een afscheidszoen en zei dat ze zich niet te druk mocht maken. Ze zag er bleek en overstuur uit, maar ze wilde per se naar haar vriendin. Het ondenkbare was gebeurd.

Billy bracht haar binnen vijf minuten naar de O'Hara's, en Marilyn rende zo snel als ze kon naar de voordeur, op de voet gevolgd door Billy. Sean wachtte hen in de hal op, en hij stortte zich snikkend in Billy's armen terwijl Marilyn zich de trap op haastte op zoek naar Connie. Ze vond Mike en haar in de slaapkamer, hartverscheurend huilend, en zodra ze hen zag, barstte Marilyn zelf ook in tranen uit. Ze ging bij hen op het bed zitten en omhelsde hen.

'Hij is doodgeschoten tijdens een drugstransactie in de Tenderloinbuurt,' vertelde Connie terwijl Mike op het bed zat te beven en te snikken. 'Ze zeiden dat hij een partij drugs wilde kopen voor de verkoop en dat hij de dealer nog geld schuldig was. Ze kregen ruzie en toen heeft de dealer hem neergeschoten... Mijn kindje... Mijn kindje... Mijn kindje is dood.' Connie was ontroostbaar, en Mike was finaal van streek. Marilyn had geen idee wat ze kon zeggen of hoe ze kon helpen, behalve dan door er voor haar vrienden te zijn en haar armen om hen heen te slaan. Ze wiegde Connie in haar armen en uiteindelijk ging ze naar beneden om thee te zetten en water te halen. Toen ze terugkwam, bood ze Connie aan hun huisarts te bellen, maar Connie schudde haar hoofd.

'We moeten hem gaan identificeren,' zei ze, en ze barstte weer in snikken uit. 'Ik ben bang om hem te zien... Ik kan het niet...' Ze kon amper uit haar woorden komen van verdriet. Marilyn gaf haar een slokje water en kneep in Mikes hand. Toen kwamen Billy en Sean de kamer in. Marilyn besefte met een schok dat Sean nu Connie en Mikes enige zoon was. Hoe hard ze ook hun best hadden gedaan om Kevin tegen zichzelf te beschermen en hoeveel ze ook van hem hielden, uiteindelijk was hij hun te slim af geweest. Ze hadden hem niet kunnen tegenhouden. Sean leek er net zo kapot van te zijn als zijn ouders. Billy, die het verschrikkelijk vond voor zijn vriend, bleef dicht bij hem staan. Kevin was Seans held geweest vroeger, en nu was hij vermoord terwijl hij drugs kocht om te verkopen. Connie had gelijk toen ze dacht dat hij weer afgleed, maar Kevin was ongrijpbaar en kon de verleiding nooit lang weerstaan, hoe goed hij het op het oog ook leek te doen. Het was beangstigend hoe snel alles mis kon lopen, en waar het toe leidde: ouders die rouwden om de dode zoon van wie ze hadden gehouden. Zowel ouders als kinderen waren veel kwetsbaarder dan ze beseften.

Mike stond op en schuifelde doelloos door de kamer, gadegeslagen door Connie en Marilyn. Ze moesten naar het mortuarium. Marilyn kon zich er niet eens iets bij voorstellen.

'Zal ik vragen of Jack met je meegaat?' bood Marilyn aan, maar Mike schudde zijn hoofd en keek haar aan met ogen waar zijn ziel uit leek te bloeden.

'Nee, ik kan het wel,' zei hij zacht. Sean kwam naast hem staan.

'Ik ga wel mee, pap,' zei hij dapper. Hij beefde en hij leek klein naast Billy, al was hij dat niet. En hij had opeens een schrikbarend volwassen blik in zijn ogen. Hij was geen jongen meer, maar een man. Connie ging op het bed liggen en kreunde zacht bij het idee dat ze haar zoon zou moeten identificeren.

'Ik wil hem zo niet zien,' kermde ze. 'Ik kan het niet. Het wordt mijn dood.' Mike pakte zijn autosleutels en Sean liep met hem mee de kamer uit. Marilyn keek naar Connie.

'Waarom wacht je niet bij mij thuis tot ze terug zijn?' Marilyn vond het ondraaglijk om eraan te denken waar ze naartoe gingen, en waarvoor. 'Je kunt me helpen met de baby's.' Connie knikte en stond op. Ze bewoog zich als een zombie, en Marilyn loodste haar de kamer uit en de trap af. Ze was blij dat Connie met haar mee wilde. Ze maakte een docìele, geknakte indruk. Marilyn hielp haar op de passagiersstoel en ging achterin zitten, en Billy bracht hen thuis. Zodra Marilyn binnenkwam, hoorde ze beide baby's huilen. Toen dook Jack boven aan de trap op, met op elke arm een dochter en een panisch gezicht.

'Ze huilen al sinds je weg bent gegaan,' zei hij, en toen zag hij Connie. Marilyn schrok en haastte zich de trap op: haar melk was op gang gekomen en de hele voorkant van haar blouse was doorweekt. Connie volgde haar langzaam en liep mee naar de slaapkamer, terwijl Billy de anderen ging bellen om te vertellen wat er was gebeurd. Het was het schokkendste nieuws dat ze ooit hadden gehoord. Marilyn was blij dat Brian nog weg was, en ze vroeg Jack de ouders van zijn vriendje te bellen om te vragen of hij nog een tijdje mocht blijven, in elk geval tot etenstijd, en dat deed hij. Ze wilden al het mogelijke doen om Connie, Mike en Sean te helpen.

Marilyn ging in bed liggen en Connie zakte op een schommelstoel. Marilyn maakte haar blouse open, haakte haar voedingsbeha los en kreeg de huilende baby's door Jack aangereikt. Ze was nog niet geoefend in het voeden van twee baby's tegelijk, maar ze wist dat ze moesten eten en dat zij de enige was die dat kon bieden. Het was alleen niet het uitgelezen moment – ze hadden niet op deze tragedie gerekend. Kevin O'Hara, dood op zijn vijfentwintigste.

Jack sloeg behoedzaam een deken over Marilyn heen voor het geval Billy binnen zou komen, en Connie keek zacht huilend naar haar. Ze herinnerde zich nog als de dag van gisteren hoe ze Kevin aan de borst had gehad, en nu was hij er niet meer. Ze bleef maar snikken, en toen vroeg Marilyn haar bij haar in bed te kruipen. Het was troostend voor Connie om dicht bij Marilyn te zijn, en ze aaide voorzichtig over het bolletje van Daphne, die aan de borst van haar moeder in slaap viel. Jack nam de baby's van Marilyn over, liet ze een boertje doen en legde ze in hun wiegjes, en toen kwam hij aan het voeteneind van het bed zitten.

'Ik vind het verschrikkelijk voor je, Connie,' zei hij. Connie knikte en bleef huilen, en Marilyn sloeg haar armen om haar heen. Zo bleven ze zitten tot Mike en Sean kwamen. Mike was asgrauw na het identificeren van Kevin. Sean had zijn broer niet gezien, maar vader en zoon hadden allebei de hele rit naar Marilyn en Jacks huis om Connie op te halen gehuild. Ze praatten nog een tijdje, en toen ging Sean naar Billy en de anderen gingen naar huis. Marilyn zei dat ze maar moesten bellen als ze iets kon doen en beloofde de volgende ochtend langs te komen om Connie te helpen de uitvaart te regelen. Ze kon zich niet voorstellen hoe het voelde om een kind te verliezen, of hoe gebroken Connie moest zijn, en heel even was ze dankbaar dat haar eigen kinderen nog leefden, zoals ze later, toen ze de baby's weer voedde, schuldbewust aan Jack bekende. Ze moest er niet aan denken dat ze Billy of Brian zou verliezen.

Na het eten kwam Brian thuis. Hij was ontdaan toen ze hem over Kevin vertelden. Beide jongens waren die avond verdrietig en stil. Niet een van hun vrienden kon het geloven, en Marilyn en Jack evenmin. Die avond belde Marilyn Connie op om te vragen hoe het met haar ging. Ze kon nog steeds niet ophouden met huilen. Ze vertelde dat ze naar Kevins kamer was gegaan om een pak voor hem uit te zoeken voor in de kist, en terwijl ze het vertelde, barstte ze weer in tranen uit. Marilyn vond het heel erg dat ze niet bij haar kon zijn, maar ze kon Jack niet alleen achterlaten met de tweeling, die telkens gevoed moest worden. De meisjes waren uitgehongerd en het was niet eerlijk om ze aan Jack over te laten. Het kwam allemaal heel slecht uit, maar Marilyn was vastbesloten Connie hoe dan ook te helpen. Ze belde Judy en vroeg haar de volgende dag mee te gaan naar Connie. Judy had het nieuws net van Gabby gehoord en kon het nog niet geloven.

Billy werd de hele avond gebeld door vrienden, en hij ging terug naar de O'Hara's om Sean te steunen. Izzie kwam langs en huilde met hen mee, en toen kwam Andy, die haar naar huis bracht.

Toen Marilyn de volgende ochtend bij de O'Hara's aankwam, was Billy er nog. Judy had haar opgehaald en haar geholpen met de baby's. Ze namen bij toerbeurt de telefoon op en deden al het mogelijke voor Connie, die samen met Mike naar het uitvaartcentrum moest om een kist uit te zoeken en de uitvaart te regelen. Maar er was veel meer te doen. De bloemist moest gebeld worden en de priester, en er moest een advertentie in de krant komen. Marilyn deed wat ze kon terwijl Connie en Mike weg waren. Er zou een mis worden gehouden en ze moesten een overlijdensbericht opstellen. Connie zei dat de dienst in St. Dominic's zou worden gehouden, hun eigen kerk, waar Kevin zijn eerste communie had gedaan en het vormsel had gekregen. Ze vonden het allemaal onbevattelijk dat ze het over Kevins uitvaart hadden, en toen Marilyn een blik op Mike wierp, zag ze dat hij een gebroken man was.

Sean zat op het stoepje voor het huis met Billy, die er triest uitzag. Gabby was er, en even later kwam Izzie, en Andy belde een paar keer. Ze wisten geen van allen hoe ze de O'Hara's konden helpen. Ze konden Kevin niet terughalen, en het enige wat ze konden doen, was er zijn voor hun vrienden. Marilyn dacht dat ze het verlies van een kind niet zou overleven, maar Connie was een sterke vrouw en tegen de tijd dat ze naar het uitvaartcentrum gingen, huilde ze niet meer onafgebroken. Ze had Kevins pak bij zich aan een hanger, met een wit overhemd en een stropdas, en ze had sokken en nette schoenen voor hem in een boodschappentas gestopt. Voordat ze bij haar man in de auto stapte, keek ze Marilyn verdrietig aan en omhelsde haar vriendin toen lang.

'Dank je wel,' was het enige wat ze kon uitbrengen voordat ze weer in snikken uitbarstte.

'Ik hou van je,' zei Marilyn uit de grond van haar hart. 'Ik vind het heel erg voor je.' Connie knikte en keek haar aan.

'Ik weet het,' zei ze. Toen stapte ze in de auto en reed Mike met haar naar het uitvaartcentrum, waar hun prachtige oudste zoon voor het laatst gewassen en aangekleed zou worden.

9

De uitvaart van Kevin O'Hara was ondraaglijk, onvoorstelbaar en onverteerbaar voor de hele groep. De ouders luisterden vol afgrijzen naar de toespraken en waren tegelijkertijd dankbaar dat hun eigen kinderen er nog waren. De vrienden met wie hij was opgegroeid kwamen hem de laatste eer bewijzen en haalden goede herinneringen aan hem op. Connie, Mike en Sean zaten als verdoofd op de voorste rij met de gesloten kist tegenover hen, als een waarschuwing voor iedereen.

De boodschap was er een die ouders noch kinderen wilden horen: *Pas op. Kijk uit. Wees slim. Dit kan jou ook overkomen.* Het was hun overkomen, en ze konden het niet bevatten. Het was makkelijk om te zeggen dat Kevin ergens van het rechte pad af was geraakt, dat hij was gearresteerd, in een afkickkliniek was beland en twee jaar voorwaardelijk had gekregen, maar ooit was hij een jochie geweest, een onschuldig kind met dezelfde kansen in het leven als ieder ander. Was het zijn eigen schuld? Die van zijn ouders? Was het zijn lot? Het toeval? Welke waarschuwing hadden ze genegeerd, welke tekenen van gevaar niet opgemerkt? Waarom lag Kevin in die kist voor in de kerk, en niet iemand anders? Anderen hadden dezelfde risico's genomen als hij en het overleefd. Connie, die zijn hele leven in gedachten doornam, had geen enkele zekerheid meer. Ze wist alleen maar dat Kevin er niet meer was en dat het ongelooflijk veel pijn deed. De pijn was zo enorm en intens dat het voelde alsof haar oogbollen smolten en haar hart in brand stond, terwijl ze het tegelijkertijd ijskoud had.

Connie wist niet meer wat ze voelde, op die verzengende pijn na, toen ze zag hoe haar man en haar jongste zoon en zes studiegenoten van Kevin de kist de kerk uit droegen en behoedzaam in de lijkwagen naar de begraafplaats zetten, waar ze hem in een gat in de grond zouden begraven. Ze wilde zich bij hem in het graf storten, zoveel hield ze al sinds zijn geboorte van hem, maar dat kon ze Mike en Sean niet aandoen. Ze moest er voor hen zijn, en ze moest sterk zijn. Ze wist niet hoe ze het moest opbrengen – ze wist alleen dat er niets anders op zat. Kevin had haar achtergelaten met de taak zijn broer en vader overeind te houden, en ze had geen antwoorden meer. Er was een stuk van haarzelf doodgeschoten daar bij die drugstransactie in de Tenderloinbuurt. Het was ondenkbaar. En ze hadden geen idee wie de dader was. Ze wisten alleen dat Kevin dood was en dat hij drugs bij zich had gehad. Er was niemand die ze konden straffen, niemand om Kevins dood op te wreken, maar zelfs al hadden ze de moordenaar gevonden, dan zou ze haar zoon nog niet terugkrijgen.

Ze reden in de gehuurde limousine naar de begraafplaats en stonden aan het graf. De priester sprak nog een paar woorden en toen raakte Connie de kist van haar zoon voor het laatst aan, de met wit satijn gevoerde kist die ze hadden uitgezocht. Kevin had zijn pak aan, een stropdas om en zijn mooiste schoenen aan, en hier zouden ze hem achterlaten, samen met een stuk van Connies hart. Op weg naar huis was ze te verdrietig om zelfs maar te huilen, en thuis wachtte iedereen die de uitvaartdienst had bijgewoond.

Marilyn begroette de rouwenden, en Jacks restaurant had de catering gedaan, alsof het een bruiloft of verjaardag was, maar dat was het niet: het was een begrafenis.

Connie kon zich naderhand niet herinneren wie er allemaal waren geweest. Ze wist alleen nog dat Marilyn allemaal foto's van Kevin in de woonkamer en in de hal had gezet. Toen het allemaal achter de rug was, zaten Mike en Sean als overlevenden van een scheepsramp in de studeerkamer. Seans vrienden waren gebleven om hem te steunen, en de jongelui gingen allemaal naar Seans kamer. Connie en Mike, Marilyn en Jack, en Judy en Adam keken elkaar aan, niet in staat te geloven dat het allemaal echt was gebeurd. Connie en Mikes zoon Kevin was dood, maar wat betekende dat? Hoe kun je bevatten dat je een dierbaar kind nooit meer zult zien? Het was onvoorstelbaar. Connie bleef dan ook maar denken dat Kevin elk moment in zijn nette pak naar beneden kon komen om te zeggen dat het allemaal maar een grap was. Alleen was het geen grap. Het was maar al te echt. Zijn kamer zou voorgoed leeg blijven. Zijn trofeeën zouden onder het stof komen en niets meer waard zijn. Zijn kleren zouden in zijn kast hangen tot Connie de moed had om ze weg te geven. Het enige wat ze begreep terwijl ze naar Mike keek, was dat ze nooit meer dezelfden zouden zijn.

'Jullie tweeën hebben rust nodig,' zei Marilyn zacht. Ze zagen er allebei uitgeput uit, en Connie zei dat ze niet meer hadden geslapen sinds het was gebeurd.

Jacks personeel had de keuken onberispelijk achtergelaten en er was nog eten in de koelkast, mochten ze honger krijgen, maar Connie dacht niet dat ze ooit nog een hap door haar keel zou kunnen krijgen. Haar kleren slobberden nu al om haar heen.

Rond etenstijd gingen Marilyn en Jack naar huis. Alle anderen waren toen al lang weg, en Sean zat nog boven met zijn beste vrienden. Nadat ze wat videospelletjes hadden gespeeld, haalde Billy een zakflacon tevoorschijn die hij rond liet gaan. Er zat whisky in, het enige wat hij uit de huisbar had kunnen pakken toen er even niemand keek. Gabby en Izzie namen één slokje en bedankten toen, maar Billy, Sean en Andy dronken door tot de flacon leeg was.

'Dat helpt echt niet,' zei Izzie, als altijd het geweten van de groep, bedaard. 'Daar ga je je alleen maar beroerder door voelen.' Andy keek haar schaapachtig aan, Billy haalde zijn schouders op en Sean ging op zijn bed liggen. Hij had niets te zeggen en hij had genoeg van al die mensen die zeiden dat ze het zo erg voor hem vonden. Ze vonden het niet erg, ze wisten er niets van. Hoe konden ze weten wat hij voelde? Zelfs zijn vrienden begrepen het niet. Hij zou zijn broer nooit meer zien. Hij was plotseling enig kind geworden.

'Heb je zin om bij mij te pitten?' bood Billy aan. Hij kon alleen maar raden hoeveel pijn zijn vriend had. Hij zag het aan zijn ogen.

'Ik denk dat ik beter hier kan blijven,' zei Sean met een zucht. Het was een zware dag geweest. 'Mijn ouders zijn er slecht aan toe,' zei hij laconiek. De inhoud van de flacon had de scherpe randjes weggehaald. Hij voelde zich niet meer zo rauw, alsof hij de hele dag door het prikkeldraad was getrokken. Dankzij de whisky voelde hij de pijn niet meer. Het voelde lekker om verdoofd te zijn.

Andy vertrok als eerste, want hij had zijn ouders beloofd op tijd te komen voor het eten. Toen gingen Gabby en Billy ook weg en was alleen Izzie er nog.

'Je komt eroverheen, hoor. Ik weet dat het vreselijk moet

zijn, en ik heb nooit een broer of zus gehad, maar je komt er op de een of andere manier overheen. Je redt het wel.' Als ze geen meisje was geweest, had hij haar willen slaan, maar bij de gedachte alleen al kon hij wel huilen.

'Ik ga dit soort dingen ooit een halt toeroepen,' zei Sean zacht toen ze naast elkaar op zijn bed naar het plafond lagen te staren. Soms dacht hij dat Izzie hem het meest na stond van de hele groep.

'Hoe wil je dat doen?' vroeg ze belangstellend, alsof ze weer kinderen waren en ze hem vroeg hoe je vissen vangt, of hoe een onderzeeër werkt, of waar de mist vandaan komt.

'Ik ga na mijn studie voor de FBI werken, en dan ga ik het soort klootzakken arresteren dat mijn broer heeft vermoord.' Ze spraken geen van beiden uit dat Kevin zich nooit met dealers had moeten inlaten. Het had geen zin meer, hij was toch al dood.

'Dat zei je al toen je nog klein was.' Izzie glimlachte naar hem.

'Ja, maar ik ga het echt doen.' Hij klonk zo zeker van zijn zaak dat ze hem bijna geloofde. Ze wist dat hij het op dat moment meende.

'Misschien bedenk je je nog na je studie. Misschien wil je dan iets anders doen.' Izzie was altijd de stem van de rede, en de meest praktische van de vijf.

'Nee, ik bedenk me niet. Ik heb altijd geweten dat ik zoiets wilde gaan doen. Ik wist alleen niet waarom. Nu wel.' Sean draaide zich op zijn zij en keek haar aan. Hij vroeg zich af hoe het zou zijn om haar te kussen, maar hij deed het liever niet, want ze was zijn vriendin.

'Ik zal je missen als je weg bent,' zei Izzie eerlijk, en hij knikte.

'Ik jou ook,' zei hij verdrietig, en hij meende het meer dan ooit. Door het verlies van Kevin zou het gemis van zijn vrienden nog erger zijn en hij vond het vreselijk om zijn ouders achter te moeten laten. Hij voelde het nu al.

'Ging je maar mee naar Los Angeles,' zei Izzie spijtig.

'Ik zie je met Thanksgiving en in de kerstvakantie,' zei hij, en hij rolde langzaam van zijn bed. 'Kom op, dan breng ik je thuis.'

Ze zeiden weinig in de auto – het was gewoon prettig om samen te zijn. Izzie probeerde er niet aan te denken hoe het was geweest als er die dag iemand uit hun groep was begraven. Ze kon en wilde het zich niet voorstellen. En ze vroeg zich af of Sean later echt bij de FBI zou gaan. Het leek haar gevaarlijk. En hij had nu meer verantwoordelijkheden ten opzichte van zijn ouders, als enig kind.

Hij zette haar bij het huis van haar vader af en ze zei dat ze de volgende dag weer bij hem langs zou komen. Hij ging terug naar zijn huis, dat nu zo doods leek. Het was donker binnen toen hij thuiskwam, en de kamerdeur van zijn ouders was dicht. Hij liep langs Kevins deur naar zijn eigen kamer en heel even wilde hij naar binnen gaan. In plaats daarvan liep hij naar zijn eigen kamer, sloot de deur achter zich, ging op zijn bed liggen en huilde.

Izzie en de anderen zochten Sean elke dag op en meestal nam Billy de zakflacon mee, gevuld met wat hij ook maar uit de huisbar had weten buit te maken terwijl zijn moeder het druk had met de tweeling. De baby's ergerden hem nog steeds, maar nu ze begonnen te glimlachen moest hij toegeven dat ze best schattig waren. Hij had ze zelfs al een paar keer vastgehouden. Brian leek weg van ze te zijn. Hij had geleerd hoe je luiers verschoont en hielp zijn moeder de baby's in bed te stoppen, iets waar Billy geen behoefte aan had, al vond Gabby de baby's ook lief. Billy was blij dat ze de pil slikte en dus niet zwanger kon raken. Zo'n ongelukje had hij niet aangekund.

Hij wist dat hij op zijn vroegst over een jaar of tien, vijftien pas aan kinderen toe zou zijn.

De ene keer dat het hem niet lukte drank van zijn ouders te stelen, had hij een dakloze overgehaald twaalf blikjes bier voor hem te kopen. Sean en Billy werden de hele maand juni elke dag samen dronken. Eerst ter nagedachtenis aan Kevin, later om iets te doen te hebben. Ze verveelden zich allemaal, al hadden enkelen van hen een vakantiebaantje. Sean hielp zijn vader een paar uur per dag, Izzie werkte op een zomerdagkamp in een wijkcentrum. Gabby had het druk met de voorbereidingen voor haar vertrek en had geen baan, en Billy ook niet. Jack en zijn moeder hadden gezegd dat hij de laatste zomervakantie voordat hij ging studeren niet hoefde te werken. In plaats daarvan ging hij elke middag naar Sean om te drinken. Andy had 's ochtends een vakantiebaan, maar 's middags ging hij naar zijn vrienden toe. Zijn moeder had hem een baan op een laboratorium bezorgd. Ze lieten hem nooit iets interessants doen, al waren ze er wel van onder de indruk dat hij medicijnen ging studeren aan Harvard. Hij mocht alleen maar het afval wegbrengen of de patiënten die de wachtkamer binnenkwamen een klembord met een formulier erop geven. Hij dronk niet zoveel als de andere jongens, maar hij nam wel eens een slokje.

Izzie was degene die hen half juni uiteindelijk tot de orde riep en zei dat ze een stelletje sukkels waren.

'Wat gaan jullie straks doen op de universiteit? Je opgeven bij de Anonieme Alcoholisten? Jullie beginnen een stelletje dronkenlappen te worden. Jullie zijn vervelend gezelschap, want jullie doen niets anders dan drinken, videospelletjes spelen en medelijden met jezelf hebben. Ik word er misselijk van.' Ze keek Sean recht aan terwijl ze het zei, en hij liet zijn hoofd hangen. Zijn broer was pas vijf weken dood en iedereen ontzag hem, maar Izzie niet, en hij wist dat ze gelijk had.

'Wat moeten we dan?' Billy keek haar aan terwijl Sean hem de flacon teruggaf. Hij had geen slok genomen, voor het eerst in weken.

'Waarom gaan we niet naar het strand?' stelde Izzie voor.

'Omdat het ijskoud is,' zei Billy praktisch. Het mistte al dagen. Het is in San Francisco altijd fris in juli en vaak ook somber en miezerig, wat de stemming niet bevorderde.

'Nou en? Dan doen we tenminste iets. Beter dan hier dronken zitten te niksen.'

De volgende dag staken ze dus na hun werk de Golden Gatebrug over naar Marin. Ze gingen naar het openbare strand bij Stinson, waar ze eerst hamburgers aten en toen in de kille bries aan het strand gingen zitten. Het was koud, maar toen ze thuiskwamen, gaven ze allemaal toe dat ze iets waren opgeknapt.

De anderen gingen weg, maar Izzie bleef nog even om met Sean te praten. 'Ga je het wel redden straks op de universiteit?' Ze maakte zich meer zorgen om hem dan ze wilde toegeven. Zijn ouders zagen er verschrikkelijk uit, maar in sommige opzichten leek Sean er nog slechter aan toe te zijn. Hij had donkere kringen onder zijn ogen en zei dat hij niet kon slapen. Hij bleef maar denken aan zijn broer en hoe hij gestorven moest zijn. Hij werd er gek van, zei hij.

'Ja hoor,' antwoordde Sean, maar hij klonk niet overtuigd.

'Je zult wel moeten, omwille van je ouders,' zei ze. 'Jij bent alles wat ze nog hebben.' Het was een zware last voor Sean. Andy en zij waren niet anders gewend, maar hun ouders hadden er zelf voor gekozen maar één kind te krijgen. Sean was echter de enige overlevende zoon, wat aanzienlijk erger en ingewikkelder was. Zijn ouders zouden Kevin de rest van hun leven missen, en Sean wist dat hij het op de een of andere manier goed moest maken. Het was het enige waaraan hij dacht als hij weer eens wakker lag. 'Weet je zeker dat je nog steeds naar het oosten wilt? Je zou ook naar de universiteit van Los Angeles kunnen gaan, dan ben je dichter bij je ouders.' Sean schudde alleen zijn hoofd. Hij wilde echt weg. Hij hield het thuis niet meer uit. Kevin was niet in zijn kamer en zou er nooit meer zijn, en hij hoorde zijn ouders continu huilen. Hij wilde alleen nog maar weg. Izzie begreep het wel. Zelfs zij vond het zwaar om bij hem thuis te zijn, en zij hoefde er niet te wonen.

De twee weken daarna bleven ze elkaar ook na het werk opzoeken, maar Sean dronk tenminste niet meer. De enige die nog uit de flacon dronk was Billy, en ook hij leek minder te drinken. Hij wist dat hij zich moest voorbereiden op de universiteit.

Hij ging als eerste weg, begin augustus. Hij moest drie weken voordat de colleges begonnen al trainen. Gabby vertrok het weekend na hem met haar moeder naar San Francisco om een flatje te zoeken. Voordat ze weggingen, gingen de vijf nog een keer samen uit eten en daarna naar het strand. Ze beloofden elkaar vaak te bellen, en ze zouden elkaar met Thanksgiving weer zien, maar nadat ze dertien jaar lang elke dag samen waren geweest, leek Thanksgiving nog heel ver weg. Ze beloofden ook allemaal naar Billy's wedstrijden te komen kijken.

Op de ochtend dat Gabby weg zou gaan, ging Izzie bij haar ontbijten. Het viel haar op dat Michelle weer dunner leek, maar ze zei er niets van. Ze nam aan dat iedereen het wel wist, en Michelle had het duidelijk moeilijk met haar eetstoornis. Izzie vroeg zich af of Gabby's afwezigheid het erger of juist beter zou maken. Het viel niet mee om in Gabby's schaduw te leven, hoe dol de zusjes ook op elkaar waren.

Michelle en zij wuifden Gabby na toen ze met haar moeder wegreed. Ze moesten allebei huilen. Gabby's moeder reed in een busje, en Gabby nam haar halve garderobe en haar dierbaarste bezittingen mee om het flatje in te richten dat ze hoopten te vinden. Gabby wilde in West Hollywood gaan wonen. Ze had online naar gemeubileerde appartementen gezocht en wilde er drie bezichtigen. Ze was verdrietig, maar ook opgewonden dat ze wegging. Toen het busje weg was, ging Izzie met Michelle mee terug naar binnen en praatte nog een tijdje met haar. Ze ging naar de vijfde klas en zag ertegen op. Daarna ging Izzie naar Andy. Ze wilde hem ook zien voordat hij wegging.

Vervolgens ging ze naar Sean. Zijn moeder was kasten aan het uitruimen en huilde telkens wanneer ze iets van Kevin tegenkwam. Hij was pas twee maanden dood. Het huis voelde aan als een mausoleum, en Connie zag Kevins kamer als een schrijn. Er was niets aangeraakt.

Andy was de volgende die wegging. Zijn vader vloog met hem mee naar Boston, en hij ging in een studentenhuis op de campus wonen. Hij zag Izzie en Sean de avond voor hij wegging, en vlak voordat hij in het vliegtuig stapte stuurde hij Izzie nog een sms'je: *Hou je haaks. Ik zal je missen. Liefs, A.*

Gelukkig gingen Izzie en Sean op dezelfde dag uit San Francisco weg. Ze wilden geen van beiden alleen achterblijven. Dat zou te zwaar zijn.

Izzie moest de avond voordat ze vertrok met haar vader uit eten, maar daarna ging ze afscheid van Sean nemen. Zijn moeder omhelsde haar stevig.

'Pas goed op jezelf in Los Angeles,' zei ze ernstig. 'Doe voorzichtig. Ik wil jullie allemaal heelhuids terugzien met Thanksgiving. En verlies je hart niet meteen de eerste dag.'

'Weinig kans,' zei Izzie met een lach. 'Ik krijg het te druk met mijn studie.'

'Als die jongens in Los Angeles ogen in hun hoofd hebben, krijg je ze allemaal achter je aan.'

Izzie had zich nooit zo knap gevoeld als Gabby en niet één

van haar vrienden had ooit iets over haar uiterlijk gezegd. Ze was er ook niet mee bezig. Ze waren gewoon vrienden. Haar moeder had haar nooit alle trucjes geleerd om sexy op een jongen over te komen die Judy Gabby wel had geleerd. En er was al in geen jaren meer iemand met Izzie gaan shoppen. Ze nam gewoon haar oude schoolkleren mee naar Los Angeles. Haar vader was niet op het idee gekomen en Izzie wilde er niet om vragen. Ze had genoeg. Connie daarentegen stuurde al weken dingen naar Seans nieuwe adres: lakens en handdoeken, een kussen, toiletspullen, posters, een sprei en een vloerkleed. Ze had allemaal nieuwe spullen voor hem gekocht, net als voor Kevin toen die naar Santa Cruz ging. Dit was nog belangrijker voor haar, omdat Sean zo ver weg ging. Zijn ouders zagen tegen zijn vertrek op. Connie had tegen Mike gezegd dat ze maar moesten doen of de jongens allebei studeerden. En ze had Marilyn beloofd haar te helpen met de tweeling, wat haar leuk leek. Ze eisten ongelooflijk veel zorg. Marilyn zei dat ze was vergeten hoeveel energie het kostte. Ze begon zich oud te voelen en zei dat ze altijd achter zichzelf aan holde. En deze keer moest ze alles dubbel doen.

Connie en Mike vlogen met Sean mee naar Washington om zijn kamer in te richten. De volgende dag vlogen ze laat terug, bang voor het lege huis dat op hen wachtte.

Jeff bracht Izzie met de auto naar Los Angeles en was de hele dag bezig haar geluidsinstallatie en computer te installeren. Hij had ook een koelkastje gekocht voor haar kamer op de campus. Izzies kamergenote, die heel aardig leek, had haar een e-mail gestuurd voordat ze kwam. Haar ouders waren er ook, en na Jeffs vertrek gingen de meisjes samen op zoek naar de kantine, want ze hadden hetzelfde maaltijdenrooster. Daarna belde Izzie Gabby op, die een flatje had gevonden aan Alta Loma, vlak bij Sunset Boulevard, waar ze weg van was. Izzie ging er dat weekend naartoe en vond het er heel volwassen uitzien. Het flatje was in een gebouw met een portier en een zwembad. De inrichting was simpel, maar Gabby had wat van haar eigen spullen meegebracht en haar moeder en zij hadden samen nog wat dingen gekocht.

'Wauw, je woont nu al als een filmster,' zei Izzie plagerig, en Gabby vertelde dat Billy elke avond naar haar toe kwam. Hij zou in zijn tweede jaar bij haar intrekken, want dan hoefde hij niet meer op de campus te wonen. Haar ouders vonden het goed. Gabby's flat was wel tien keer zo groot als Izzies studentenkamer.

Gabby had van haar vader een zwarte Land Rover uit zijn showroom gekregen die er gloednieuw uitzag. Izzie had alleen een fiets voor op de campus. Haar vader kon het zich niet permitteren haar een auto te geven en haar moeder vond haar er nog te jong voor. Ze zou zich dus met taxi's en het openbaar vervoer moeten zien te redden.

Judy en haar dochters hadden altijd mooie auto's, dankzij Gabby's vader en zijn showroom. Michelle had ook een zwarte Land Rover gekregen voor haar zestiende verjaardag. Als Izzie niet zo dol was op Gabby, was ze jaloers geweest.

De volgende dag ging Izzie weer naar Gabby toe. Haar kamergenootje had het druk met haar vriendinnen, en Gabby's flat was een ideale plek om naartoe te gaan als ze niets te doen had. Billy moest veel trainen en zou in het footballseizoen niet elke avond weg kunnen. De meisjes waren dus van plan elkaar vaak te zien wanneer Gabby tijd had, en Izzie mocht bij haar thuis studeren. Ze vonden het spannend om niet meer bij hun ouders te wonen. Het voelde heel volwassen.

Sean sms'te Izzie die avond vanuit Washington. Hij schreef dat de campus cool was en dat de colleges al waren begonnen. Hij had nog niets van Andy gehoord, en Izzie evenmin. Hij had het druk met zijn nieuwe kamer inrichten en wennen aan de nieuwe situatie, zoals alle vijf. Gabby had afspraken om een agent te krijgen. Ze wilde zich inschrijven bij een modellenbureau, als ze er een kon vinden dat haar wilde hebben. Izzie wist zeker dat het haar zou lukken: Gabby was beeldschoon. En ze wilde op acteerles gaan zodra ze alles op orde had, zodat ze ook reclamespotjes kon doen, en uiteindelijk wilde ze een screentest doen voor een rol in een speelfilm.

Izzie moest zich inschrijven voor de colleges, wat veel tijd kostte. Ze was iets eerder naar Los Angeles gegaan dan nodig was om met haar studieadviseur te overleggen welke vakken ze moest kiezen. Zodoende had ze ook meer tijd voor Gabby. Na een gesprek met haar adviseur schreef Izzie zich in voor filosofie, psychologie, een verplichte basiscursus wiskunde en een introductiecursus kunstgeschiedenis. Ze zag aan de syllabi van de cursussen dat ze het druk zou krijgen. Ze wandelde over de campus om uit te zoeken waar alles was. De mensen waren aardig en de studenten deden vertrouwd aan. De universiteit deed stads aan, in tegenstelling tot San Francisco, dat een stuk kleiner was. Het beviel Izzie wel. Bij vlagen miste ze haar oude vrienden, want het was voor het eerst sinds groep twee dat ze het zonder hen moest zien te redden, maar ze had Gabby en Billy tenminste nog in de buurt, en terwijl ze haar nieuwe stad ontdekte, voelde ze een zelfvertrouwen in zich groeien dat ze nooit eerder had gekend, en ze dacht bij zichzelf: oké wereld, ik kom eraan! Izzie had een vliegende start gemaakt.

10

De stilte in huis was nog veel erger dan Connie had verwacht. Mike en zij zaten elke avond ongelukkig bij elkaar, zonder veel te zeggen te hebben. Er klonken geen andere stemmen, er liepen niet meer de hele dag mensen in en uit. Alle ouders van de kinderen die het huis uit waren gegaan voelden de leegte, maar voor Mike en Connie was het veel zwaarder, na de dood van Kevin. En de dader was nog steeds niet gevonden. Er was wel een onderzoek ingesteld, maar de recherche had geen idee wie het had gedaan. Er hadden zich geen getuigen gemeld, dus de dader zou zijn straf ontlopen, wat het nog erger maakte. En het brak Connies hart om haar man elke avond met een doodse blik in zijn ogen te zien thuiskomen. Mike O'Hara was een gebroken man, en Connie voelde zich net zo gebroken. Ze kwamen de dag door, maar meer ook niet. Elk uur was een strijd.

Connie ging vaak naar Marilyn en ze genoot ervan met de baby's te spelen, die nu drie maanden oud waren en op hun omgeving reageerden. Ze glimlachten, lachten en kirden. Maar hoe leuk ze het ook vond om de meisjes in haar armen te houden of Marilyn met de verzorging te helpen, vroeg of laat moest ze weer terug naar haar lege huis. Ze zei dat het slopend was, en dat ze geen idee had hoe ze het minder erg kon maken. Er was geen plattegrond of handleiding om je hier doorheen te slaan. Mike en zij konden het alleen maar ondergaan, dag na dag en uur na uur.

Connie belde Sean vaak op en de gesprekjes hielpen wel iets, maar Sean hoorde wel hoe verdrietig ze klonk. Ze mailden elkaar ook, maar Connie kon zich niet bedwingen en vond elke dag wel een excuus om hem te bellen, tot hij haar vroeg iets minder vaak op te bellen. Het schikte hem nooit, mailen was beter. Connie miste zijn stem echter en bleef toch bellen. Mike stelde zich stoïcijnser op, maar Connie bekende aan Marilyn dat Kevins dood nog ondraaglijk voor haar was. Ze informeerde vaak hoe het met Billy ging. Tot nog toe goed, zei Marilyn. De training was gruwelijk zwaar, maar hij leerde veel en hij adoreerde de trainer.

'Hij leert tenminste meer over football. Ik weet niet wat hij verder uitvoert. Niets, waarschijnlijk,' zei Marilyn spijtig. 'En hij is vaak bij Gabby,' voegde ze eraan toe, wat geen verrassing was.

Gabby had haar eerste modellenklus al binnengehaald, via haar nieuwe agent, en belde opgewonden naar huis om erover te vertellen.

Het maakte Connie en Marilyn verdrietig dat de kinderen allemaal waren uitgevlogen. Ze hadden het aan zien komen, maar nu was het echt.

Marilyn bekende op een dag schaapachtig dat ze was vergeten dat de kinderen groot zouden worden. Zij had Brian tenminste nog thuis. Hij was net naar de tweede klas gegaan en begon naar meisjes te kijken. Het was of de geschiedenis zich herhaalde met al zijn verliefdheden. Marilyn merkte op dat sinds ze met Jack was getrouwd, Brian iemand had om mee te spelen, en een man om mee te praten. Ze bevestigde Connies idee dat hij een goede vent was. Hij ging ook heel goed met de tweeling om en hielp haar waar hij kon. Zonder hem had ze het niet gered. Nu Billy weg was, hoorde ze nooit meer iets van Larry. Hij probeerde niet eens Brian te zien, die gelukkig een band had gekregen met Jack.

De kinderen leken allemaal hun draai te vinden op de universiteit. In oktober drong het tot Judy door dat Michelles anorexia weer uit de hand liep. Ze kreeg een telefoontje van Michelles mentor op Atwood, die zich zorgen om haar maakte, en ze moest weer in therapie en naar de polikliniek, zoals eerder. Het was een verraderlijke ziekte. Judy schrok toen Michelle werd gewogen. Ze had niet doorgehad hoe erg het was, want Michelle droeg altijd wijde kleding. Ze was langer dan haar zus, een meter vijfenzeventig, en ze woog nog maar eenenveertig kilo. De polikliniek deed een evaluatie en adviseerde Judy en Adam Michelle te laten opnemen tot ze wat was aangekomen. Er werd gevreesd dat ze haar hart te zwaar belastte, en het zou goed zijn als ze dagelijks groepstherapie volgde met andere meisjes met eetstoornissen. Toe ze thuiskwamen na het gesprek moest Judy huilen. Ze belde Connie en Marilyn op om het hun te vertellen. Die waren niet verbaasd, en Adam en zij lieten Michelle met pijn in hun hart opnemen, al stribbelde ze tegen. Ze dreigde weg te lopen, maar deed het niet. Het ziekenhuis wilde haar in elk geval zes weken houden, tot Thanksgiving, en dan zouden ze weer kijken hoe het met haar ging. Intussen kon Michelle niet naar school. Judy voelde zich een grote mislukkeling toen ze besefte hoe ziek haar dochter was, ondanks de hulp die ze eerder had gekregen.

Tijdens de eerste groepstherapiesessie met de ouders erbij had Michelle gezegd dat haar ouders zich alleen druk maakten om haar grote zus. Judy en Adam hadden allebei gehuild en gezegd dat het niet waar was, dat ze net zo goed van Michelle hielden. Er waren meer van dat soort verhalen in de groep. Connie en Marilyn zeiden het niet tegen Judy, maar ze waren het erover eens dat Michelle alleen aandacht van haar moeder kon krijgen door zich uit te hongeren, en nu was zij eindelijk het middelpunt van Judy's wereld, en niet Gabby, die het zo goed deed in Los Angeles. Het deed Judy pijn, maar ze besefte dat Michelle opknapte in het ziekenhuis. Ze zag er al snel een stuk beter uit.

Judy ging zo vaak mogelijk bij Michelle op bezoek. Er zaten meisjes bij Michelle in de groep die ze aardig vond en met wie ze iets gemeen had, en Gabby belde haar elke dag op vanuit Los Angeles. Ze bood zelfs haar excuses aan omdat ze niet meer aandacht aan haar had besteed toen ze nog thuis woonde, maar Michelle zei dat het niet erg was. Ze kreeg nu wat ze nodig had, en ze wist hoe druk Gabby het had gehad voordat ze wegging, en ze had er begrip voor.

Het enige waar Michelle van opkeek, was dat Billy's broertje Brian haar in het ziekenhuis kwam opzoeken. Hij was drie jaar jonger dan zij, maar hij zei dat hij haar miste op school, en hij mocht haar graag. Hij was met de bus naar het ziekenhuis gekomen, en hij rechtvaardigde zijn komst door Michelle erop te wijzen dat zijn broer en haar zus al zijn hele leven bevriend waren en een relatie hadden.

'Wat zijn wij dan van elkaar?' zei Michelle plagerig. 'Schoonfamilie?' Brian was een lieve, goedaardige jongen, en hij zag haar als een oudere, wijzere vriendin. Hij was echt aardig en het speet hem dat ze zo lang in het ziekenhuis moest blijven. Brian was intelligent, een goede leerling, lang voor zijn leeftijd, net als zijn broer Billy, en hij zag er ouder uit dan hij was. Hij was het afgelopen jaar een stuk volwassener geworden. Hij leek en klonk veel rijper dan zijn dertien jaren, alsof hij al zo oud was als Billy. Hij vertelde hoe dol hij was op zijn stiefvader en tweelingzusjes, en hij bracht een doos cupcakejes voor Michelle mee, waar ze nog van at ook. Ze had helemaal geen zoetigheid meer gegeten sinds ze was begonnen zich uit te hongeren, nu drie jaar geleden, maar ze wilde hem niet teleurstellen. Ze vond het aandoenlijk dat hij haar kwam opzoeken, en naarmate hij vaker kwam, raakten ze echt bevriend, ondanks het leeftijdsverschil. Brian was heel verstandig voor zijn leeftijd.

'Misschien worden we nog eens schoonfamilie van elkaar,' zei Brian peinzend terwijl hij een cupcakeje met Michelle at. Hij bracht altijd cupcakejes mee, die hij van zijn zakgeld kocht, en Michelle leek ze lekker te vinden. 'Zouden Gabby en Billy nog eens gaan trouwen, denk je?' vroeg hij, en Michelle glimlachte om de naïviteit die ze in zijn ogen zag. Hij zag eruit als een man, maar hij was nog een kind.

'Vast wel. Ze hebben geen van beiden ooit ook maar naar een ander gekeken, en ze zijn gek op elkaar. Ze gedragen zich al als een getrouwd stel.' Michelle had in de groepstherapie toegegeven dat ze jaloers was op haar zus en haar relatie met Billy. Ze wilde zelf ook heel graag een vriendje, maar ze dacht niet dat ze knap genoeg was om een jongen te kunnen krijgen. Ze was zestien, maar ze had nog nooit gezoend, en ze voelde zich niet aantrekkelijk voor jongens. De andere meisjes in de groep hadden haar erop gewezen dat ze er leuker uit zou zien als ze een paar kilo aankwam. En tijdens haar gesprekken met Brian kwam ze erachter dat die zich ook altijd minder had gevoeld dan Billy. Ze hadden veel gemeen als jongere broer en zus van een 'ster' waar ze moeilijk tegen op konden boksen. Ze haalden betere cijfers, maar verder hadden ze allebei het gevoel dat ze het niet konden opnemen tegen hun grote broer en zus. En ze vonden het allebei troostend om te weten dat de ander zich net zo voelde.

Brian kwam Michelle regelmatig opzoeken in het ziekenhuis en hij was blij te horen dat ze met Thanksgiving naar huis mocht, want hij dacht dat het haar goed zou doen. Hij was haar als een oudere zus en vriendin gaan zien. Hij kwam wel twee of drie keer per week, en toen Judy naar Michelles bezoekerslijst keek, verbaasde ze zich erover dat ze zijn naam zo vaak zag.

'Wat komt hij hier doen?' vroeg ze verwonderd aan Michelle. Ze scheelden drie jaar, en ze kon zich niet voorstellen dat haar dochter en hij elkaar iets te zeggen hadden.

'Hij is echt heel aardig, mam. Het is een lieve jongen,' zei Michelle, en ze meende het. Haar andere vrienden en vriendinnen waren maar één of twee keer gekomen, en daarna hadden ze het weer te druk met hun eigen leven. Judy begreep dat Brian en Michelle het gevoel moesten hebben dat ze iets gemeen hadden: ze waren beiden overschaduwd door een oudere broer of zus. Judy kwam steeds meer aan de weet over haar jongste dochter, haar teleurstelling in het leven en haar verborgen rancune. En als de vriendschap met Billy's jongere broer Michelle blij maakte, was Judy ook blij.

Michelles vriendschap met Brian was een aanwinst voor haar.

De volgende keer dat Judy bij Marilyn was, vertelde ze haar erover. Marilyn kwam amper nog buiten, zo druk had ze het met de tweeling. De meisjes hadden een verschillend voedingsschema, wat het nog ingewikkelder maakte. Marilyn zei dat ze wist dat Brian Michelle opzocht. Hij had medelijden met haar omdat ze in het ziekenhuis opgesloten zat, zei ze, en hij keek tegen haar op. 'Ik denk dat hij Billy en Gabby echt mist. Michelle herinnert haar aan hen. Ze zijn allebei eenzaam zonder die twee,' zei Marilyn peinzend.

'Wie niet!' zei Judy weemoedig, en ze dacht aan haar dochter in Los Angeles. 'Jij hebt de tweeling tenminste nog om je bezig te houden. Ik had niet verwacht dat ik het zo moeilijk zou hebben met Gabby's vertrek.' Het hielp haar echter wel een hechtere band te krijgen met Michelle. Judy was tot het inzicht gekomen dat Adam en zij Michelle altijd tekort hadden gedaan door zich zo op Gabby te richten. Judy had Michelle haar excuses aangeboden in de groep, en ze hadden allebei gehuild, maar zich daarna opgelucht gevoeld. De therapiesessies waren goed voor hen allebei.

Met Thanksgiving kwamen alle kinderen naar huis, maar de vakantie verliep niet voor iedereen even rimpelloos. Het kwam hard bij Sean aan toen hij door de voordeur liep en besefte dat zijn broer er nog steeds niet was en er nooit meer zou zijn. De werkelijkheid begon tot hem door te dringen. Op de vrijdagavond na Thanksgiving verbijsterde Sean iedereen door betrapt te worden op rijden onder invloed, wat niets voor hem was; hij had zich altijd heel verantwoordelijk gedragen. Connie en Mike waren woedend. Connie had sterk de indruk dat Sean probeerde Kevin te zijn, om hem in leven te houden, maar ze wist niet hoe ze het met hem moest bespreken. Ze had ergens iets gelezen over iemand die het slechte gedrag van zijn broer imiteerde om hem bij zich te houden.

Connie belde Seans vroegere kinderarts om het met haar te bespreken, en die zei dat het haar niet verbaasde. De dood van zijn grote broer was een verschrikkelijke klap voor Sean geweest, dus het was te verwachten dat hij een uitlaatklep zocht. Hij zou op den duur wel kalmeren en weer zichzelf worden, dacht de arts. Connie en Mike pakten hem toch maar de autosleutels af en zeiden dat hij de bekeuring zelf zou moeten betalen. En hij moest de maandag na Thanksgiving blijven voor een hoorzitting over het intrekken van zijn rijbewijs. Mike had een advocaat in de arm genomen om te proberen de aanklacht niet-ontvankelijk te laten verklaren, maar Seans alcoholpromillage was 0,9, dus te hoog, en daar moest hij ook voor voorkomen. Sean schaamde zich diep voor wat hij had gedaan. Hij vertelde het op zaterdag aan de anderen, en Izzie verklaarde hem voor gek. Ze vond het ongelooflijk dat hij zo stom was geweest om met drank op achter het stuur te kruipen, en dat zei ze ook tegen hem. Hij zou beter moeten weten.

Ze bleef de rest van de dag chagrijnig, en ze was boos op Sean omdat hij zichzelf in gevaar had gebracht. Diezelfde avond nam haar leven een onverwachte en hoogst ongewenste wending. Jeff en zij waren met Thanksgiving naar Jennifer gegaan, die een feestje gaf, en op zaterdag vertelde Jeff aan Izzie dat Jennifer bij hem in zou trekken. Izzie was perplex. Ze had het nooit verwacht en vond het een verschrikkelijk idee.

'Ben je gek geworden? Je kent haar amper, pap. En je zou haar vader kunnen zijn.' Izzie was woest, maar haar vader leek het serieus te menen en was niet op andere gedachten te brengen.

'Niet echt,' zei hij. 'Het is eenzaam hier zonder jou, Iz,' zei hij eerlijk, 'en je moeder is al heel lang weg.'

'Ga je met haar trouwen?' vroeg Izzie panisch.

'Dat weet ik niet. We hebben het er niet over gehad. Nog niet, in elk geval. Ik denk dat met haar samenwonen wel genoeg is. Meer wil ik nu nog niet.'

'En als je haar nou niet aardig vindt? Hoe krijg je haar dan weer weg?'

'Ze is geen kraker, Izzie. Ik ga al een tijd met haar om en ik mag haar heel graag. Ze is de eerste in lange tijd die ik graag mag.'

Toen Izzie Sean erover vertelde voordat ze terugging naar de universiteit, ging hij er nauwelijks op in. Hij maakte zich te druk om zijn bekeuring en de mogelijke gevolgen als het een rechtszaak werd. Hij voelde zich een grote idioot, en zo had hij zich ook gedragen.

Gabby verbaasde zich over haar zusje toen ze dat weekend ruzie kregen en Michelle tegen haar zei dat ze het zat was om in haar schaduw te leven, en behandeld te worden alsof ze niet bestond, terwijl Gabby altijd de ster was en haar zin kreeg. Michelle had haar stem gevonden in het behandelingstraject na haar ziekenhuisopname en kon opeens veel beter voor zichzelf opkomen, wat voor het hele gezin als een schok kwam. Gabby was nog verbaasder toen ze Billy's broertje langs zag komen.

'Wat doet Brian hier? Hij is nog maar een kind,' zei ze na zijn bezoek tegen haar moeder. Ze was nog in haar wiek geschoten door sommige dingen die Michelle had gezegd, al was het een teken dat haar zusje vooruitging.

'Hij is bevriend geraakt met Michelle. Hij bezocht haar om de paar dagen in het ziekenhuis. Het is echt een lief joch.' Dat wist Gabby ook wel, maar ze vond het raar om hem bij haar zusje te zien rondhangen en hij was nog jonger dan zij, hoe volwassen hij er ook uit mocht zien.

In de drie maanden sinds Gabby naar Los Angeles was vertrokken, was er veel veranderd. Dat voelden ze alle vijf toen ze thuiskwamen. Hun ouders begonnen eraan gewend te raken dat ze er niet meer waren en hoewel ze hun kinderen hadden gemist, hadden ze een nieuw levensritme gevonden.

Billy moest de dag na Thanksgiving al terug naar Los Angeles. Hij speelde die zondag in een wedstrijd voor zijn universiteit. Iedereen beloofde de wedstrijd op tv te volgen, behalve Gabby, die op zaterdag terugvloog naar Los Angeles om erbij te zijn.

Het weekend ging veel te snel voorbij, en op zondagavond leek het overal weer pijnlijk stil. Alleen Sean bleef tot maandag in verband met zijn hoorzitting. De rechter gaf hem uiteindelijk een fikse boete en een uitbrander, maar hij hoefde geen cursus te volgen of zijn rijbewijs in te leveren, aangezien het zijn eerste overtreding was en hij het moeilijk had met de recente dood van zijn broer, zoals zijn advocaat verklaarde. Sean vloog die middag opgelucht terug naar Washington, nog onder de indruk van de hoorzitting.

Toen Connie Marilyn de dag erna hielp de baby's in bad te doen, praatten ze erover.

'Sean lijkt opeens een stuk volwassener en zelfstandiger. Afgezien van dat rijden onder invloed dan. Mike was razend. Maar verder lijkt hij een stuk rijper,' merkte Connie opgelucht op. Het had erop geleken dat Sean na de dood van zijn broer de weg kwijt was geraakt, maar hij zat nu weer op het goede spoor, ondanks zijn misstap van die vrijdag. Mike en zij hadden een vreselijke Thanksgiving gehad, de eerste zonder Kevin.

'Billy lijkt zich ook verantwoordelijker te gedragen,' zei Marilyn terwijl Daphne genietend vanuit haar badje naar haar glimlachte. Billy had haar zelfs met de baby's geholpen, voor het eerst.

'Jij boft maar met de tweeling,' zei Connie afgunstig. 'Ze houden je jong.'

'Niet echt,' zei Marilyn met een lach. 'Ik heb de afgelopen vijf maanden geen nacht kunnen doorslapen en ik zie eruit alsof ik een jaar of zeshonderd ben.' Ze dacht dat Connie een beetje over Kevin heen begon te komen, maar wilde er niet naar vragen. Ze wist dat Thanksgiving zwaar voor haar was geweest, zoals te verwachten viel. Ze had niet gekookt, zoals anders, maar was met het gezin naar familie van Mike gegaan.

'Ik verheug me er nu al op iedereen met Kerstmis weer te zien,' zei Connie verlangend. 'Ik mis de aanloop van de vrienden ook.' Ze miste Sean aanhoudend, en de gesprekjes met Izzie, en zien hoe Billy de trap naar boven met twee treden tegelijk nam, op de voet gevolgd door Gabby en Andy. Ze miste het hele stel. En ze kon nog steeds niet geloven dat Kevin nooit meer thuis zou komen. Ze wist dat ze de rest van haar leven zou blijven proberen te bevatten dat hij voorgoed weg was.

11

Met Kerstmis kwamen alle kinderen weer thuis, de een eerder dan de ander, afhankelijk van de roosters. Bij thuiskomst zagen ze de kerstverlichting in de tuin en bij iedereen stond al een kerstboom in de woonkamer.

Connie had de boom bij hen thuis dat jaar met tegenzin versierd. Mike had er niet eens naar gekeken. Hij hing meestal de lichtjes op in de tuin, maar hij kon het deze keer niet opbrengen en hielp ook niet met de boom. Connie versierde hem op een ochtend alleen, stilletjes huilend om Kevin. Ze wilde dat de boom er stond als Sean thuiskwam.

De Westons lieten elk jaar een mooie kunstboom bezorgen door hun bloemist, met prachtige versieringen. Andy wist wat hij kon verwachten, al gaf hij de voorkeur aan de scheve, minder elegante echte bomen bij zijn vrienden thuis, vooral bij Billy.

Marilyn en Jack sloofden zich uit. Ze hadden dan ook veel te vieren. Het was het eerste kerstfeest van de tweeling, en Brian hielp Jack met de verlichting. Ze hadden zelfs een rendier op het dak en een verlichte kerstman in de voortuin. Het was kitscherig, en dat wisten ze, maar ze vonden het prachtig, en al hun vrienden ook.

Judy bestelde elk jaar een met kunstsneeuw bedekte boom die ze in zilver en goud optuigde voor Michelle en Gabby, en ze hing een bijpassende witte krans aan de voordeur. Judy was bijzonder opgewekt. Ze had vlak voor de kerstdagen een ooglidcorrectie laten doen en was heel tevreden over het resultaat, en Adam zei dat hij het erg mooi vond. Een week voor Kerstmis had ze haar nieuwe Jaguar gekregen. Het ging stukken beter met Michelle, en Gabby werd misschien het model voor een goed betaalde landelijke campagne voor een cosmeticamerk. Haar modellencarrière begon te lopen, en in januari zou ze met acteerlessen beginnen.

Brian kwam nog steeds regelmatig bij Michelle op bezoek. Ze zag er beter uit en deed het goed op school. Ze leek ook minder gestrest en verheugde zich zelfs op Gabby's thuiskomst. Ze had tot haar verbazing gemerkt dat ze haar miste. De grote zus die haar hele leven alle aandacht van hun moeder had opgeëist, leek niet meer zo'n bedreiging nu Michelle leerde zich te uiten en haar eigen persoonlijkheid ontwikkelde. Brian en zij hadden het er vaak over, want hij had ook zijn hele leven in Billy's schaduw geleefd. Brian had het gevoel dat hij niet aan hem kon tippen. Billy werd in elke wedstrijd opgesteld, al was het pas zijn eerste seizoen in het team. Ze hadden hem hard nodig, want de beste quarterback van het team was geblesseerd. Het was een gelukje voor Billy. De ouders van al zijn vrienden, die hem hadden zien opgroeien, volgden hem nu op tv. In januari had hij een belangrijke wedstrijd in de Rose Bowl. Gabby wilde erbij zijn, en haar ouders, Sean en de O'Hara's gingen ook, evenals Jack en Marilyn, die Brian meenamen.

Gabby leek nu een veel volwassener leven te leiden dan Izzie. Ze had haar eigen flatje, ging naar *go-sees* voor opdrachten en richtte zich op haar carrière. Ze hoefde zich niet meer druk te maken om proefwerken, opstellen of projecten. Ze had de echte wereld betreden. En Billy stond te trappelen om dat ook te doen. Hij zag de universiteit als een bruggetje naar zijn ultieme doel: profspeler worden en meedoen aan de competities van de NFL.

Hij moest nog een laatste wedstrijd spelen voor de kerstvakantie en zou alleen naar huis komen. Izzie en Gabby vlogen samen naar San Francisco en deelden een taxi van het vliegveld naar de stad. Gabby zette Izzie eerst af en wenste haar sterkte. Izzie stapte met een somber gezicht uit de taxi. Jennifer was meteen na Thanksgiving bij haar vader ingetrokken, en het was voor het eerst dat ze thuiskwam sinds die gewichtige gebeurtenis. Ze vroeg zich af of alles anders zou lijken, of nog hetzelfde zou zijn. Ze mocht Jennifer wel, maar ze wilde niet dezelfde veranderingen doormaken als Billy, zoals een huwelijk en kinderen. Izzie vond het allemaal goed zoals het was.

Ze wuifde Gabby na, draaide haar sleutel in het slot om en liep het huis in dat ze vanaf haar geboorte had gedeeld met haar ouders en later haar vader. Op het eerste gezicht leek alles nog hetzelfde, maar toen zag ze dat de bank was verschoven. Het bureau van haar vader stond nu bij een raam en de boeken in de boekenkast zagen er anders uit. Er was een nieuwe luie stoel en er stonden vazen met bloemen op alle tafels. En er hingen andere versierselen in de kerstboom. Toen ze ernaartoe liep, zag ze dat er niet een van de dierbare kerstversieringen uit haar jeugd was opgehangen. Haar vader en Jennifer hadden nieuwe gekocht. Ze liep naar haar slaapkamer met het gevoel dat ze een vreemde was in haar eigen huis, dat ze er niets te zoeken had, al was haar eigen kamer nog net als vroeger. Ze zette haar tas neer en ging op haar bed zitten, zoekend naar sporen van een invasie, maar die waren er niet.

Terwijl ze daar zat kreeg ze een sms van Sean. Hij verliet

Washington in een sneeuwstorm, maar hij zou die avond laat thuiskomen en dan zou hij bellen. Ze sms'te terug dat ze hem een goede vlucht wenste en voegde eraan toe dat ze net thuis was en dat het raar voelde. Hij schreef niet terug, en ze vroeg zich af of hij al in het vliegtuig zat.

Toen schoot haar te binnen dat ze nog geen kerstcadeautje voor Jennifer had, dus ging ze die middag naar Fillmore Street om iets uit te zoeken. Uiteindelijk kocht ze een trui van Marc Jacobs en een boek met foto's uit Cuba dat ze gewoon mooi vond. Toen ze thuiskwam ging ze regelrecht naar haar kamer. Het voelde vreemd om in de woonkamer te zitten, alsof er iemand anders woonde en ze alleen op bezoek was.

In de namiddag hoorde ze Jennifer thuiskomen. Ze ging op haar bed liggen en bewoog zich niet, want ze wilde Jennifer nog niet zien. Even later ging haar deur open en keek Jennifer de kamer in. Ze schrok toen ze Izzie zag, die geen geluid had gemaakt.

'O, je bent er al... Ik wilde alleen even kijken of het wel netjes was hier, en het licht aandoen. Alles goed?'

'Ja hoor,' zei Izzie, die gegeneerd rechtop ging zitten. Ze had zich verstopt, en Jennifer leek het zo te zien door te hebben. 'Gewoon moe van de reis.'

'Heb je honger?' Jeff had haar een lijstje gegeven van alles wat Izzie lekker vond, en Jennifer had het allemaal ingeslagen. Ze kon zich wel voorstellen hoe Izzie zich voelde. Sinds Izzies moeder was weggegaan, nu vijf jaar geleden, had er geen vrouw meer in het huis gewoond. Het was een grote verandering voor haar, in haar eigen territorium, en ze was eraan gewend haar vader voor zich alleen te hebben. Jennifer probeerde het haar zo gemakkelijk mogelijk te maken. 'Ik heb wat stokbrood en kaas gekocht, en die paté die je volgens je vader zo lekker vindt.' Jennifer keek Izzie zo ernstig en hoopvol aan dat Izzie het liefst hard weg wilde rennen.

'Nee, dank je, ik hoef niets. Ik ga vanavond met vrienden weg.' Het was niet waar, maar ze wist niet wat ze anders moest zeggen. Ze wist alleen dat ze niet thuis wilde blijven. Gabby had verteld dat ze die avond met het hele gezin naar *De notenkraker* gingen, dus daar kon ze niet heen, en de jongens waren geen van allen al terug. Ze vond het stom van zichzelf dat ze zo onaardig tegen Jennifer deed, maar ze vond haar een indringer in hun huis. Izzie wist dat haar vader met haar wilde samenwonen en deed haar best om het objectief te bekijken, maar ze voelde zich verraden.

Ze liep met Jennifer mee naar de woonkamer, waar Jennifer tijdschriften op de salontafel legde die ze voor Izzie had gekocht. Izzie zag er meteen twee die ze leuk vond, maar ze raakte ze niet aan. Ze liep naar de kerstboom en keek Jennifer toen verwijtend aan.

'Waar zijn de oude kerstversieringen gebleven?'

'Je vader heeft ze in de kelder gezet. We hebben nieuwe gekocht. De oude hadden hun beste tijd gehad.' Dat was zo, maar Izzie was er dol op. Ze voelde zich net een kind, zo miste ze de aftandse kerstversieringen die ze nog kende uit haar jeugd. De nieuwe waren wel mooi, maar het was niet hetzelfde. 'We kunnen ze wel naar boven halen als je wilt,' zei Jennifer zenuwachtig. Ze droeg een spijkerbroek, laarzen en een trui die haar figuur goed liet uitkomen, en ze had lang, glanzend zwart haar. Ze was onmiskenbaar knap, en ze zag er jonger uit dan ze was. Ze leek eerder een leeftijdsgenoot van Izzie dan een vrouw van negenendertig. Ze deed elke dag yoga en was prima in vorm. Ze ging op de luie stoel zitten en keek naar Izzie, die wel moest opmerken dat Jennifer zich volkomen thuis leek te voelen. De nieuwe stoel was van haar.

'Nee, laat maar,' zei Izzie, en ze ging ongemakkelijk tegenover Jennifer op de bank zitten.

Jennifer besloot het onderwerp ter sprake te brengen, want

als ze het niet deed, zouden ze zich geen van beiden prettig kunnen voelen de komende week. 'Ik weet hoe moeilijk dit voor je is,' begon ze tactvol. 'Ik heb zelf ook zoiets meegemaakt. Mijn moeder is overleden toen ik vijftien was, en ik bleef alleen achter met mijn vader. Hij werd verliefd op de beste vriendin van mijn moeder en trouwde een jaar later met haar. Die vrouw had twee kinderen die ik nooit leuk had gevonden, jonger dan ik, en ze kregen samen ook nog eens twee kinderen. Ik vond het verschrikkelijk, en ik haatte die vrouw, al had ik haar altijd graag gemogen toen mijn moeder nog leefde. En ik ben een tijdje heel kwaad geweest op mijn vader. Ik ging het huis uit om te studeren, zo ver mogelijk weg, en ik wilde nooit meer naar huis. Uiteindelijk besefte ik dat mijn vader en zij van elkaar hielden en dat ze goed voor hem was, en we zijn nu goede vriendinnen. Ze is mijn moeder niet, en dat heeft ze ook nooit willen zijn, maar we kunnen goed met elkaar opschieten en een van haar dochters is nu mijn hartsvriendin. En ik ben ook dol op mijn halfbroertjes. Ze kunnen soms heel vervelend zijn, en dat waren ze zeker toen ze nog klein waren, maar ze zijn grappig en ik hou van ze. Mijn vader is vorig jaar overleden, maar ik ga nog steeds zo vaak mogelijk naar huis om iedereen te zien.'

'Gaan mijn vader en jij ook trouwen en kinderen krijgen?' vroeg Izzie nerveus.

'Dat weet ik niet. Misschien niet. Meer dan samenwonen willen we voorlopig niet.' Jennifer wilde zelf in elk geval nog niet meer. Jeff zinspeelde al een tijdje op 'de lange termijn', maar daar voelde Jennifer zich nog niet klaar voor, al zei ze dat niet tegen Izzie. Ze wilde haar niet te zwaar belasten. 'Ik denk dat ik bang ben geworden om me te hechten doordat mijn moeder is gestorven toen ik nog zo jong was. Ik heb nooit de behoefte gehad om te trouwen en een gezin te stichten. Ik denk dat ik bang was dat als ik me te sterk aan iemand hechtte, die ander dood zou gaan.' Jennifer was heel eerlijk, en Izzie zag aan haar ogen dat ze niets te verbergen had. Ze was oprecht.

'Wat triest. Je bent nog niet te oud om kinderen te krijgen.' Jennifer zag er nog jonger uit dan ze was. 'Ik heb nooit gedacht dat mijn vader nog kinderen wilde, maar misschien wil hij ze toch wel.'

'We hebben het er nog niet over gehad. We wonen gewoon samen, dat is voorlopig genoeg. En wat hij ook doet, met mij of met een ander, jij zult altijd zijn dochter blijven en een bijzondere plaats innemen in zijn leven.'

'Hij vindt jou ook heel bijzonder,' zei Izzie zacht.

'Ik hem ook.' Jennifer glimlachte naar Izzie. 'Dat maakt dan drie bijzondere mensen onder één dak. Denk je dat we er iets van kunnen maken, dat jij je hier ook thuis kunt voelen? Jij woonde hier tenslotte eerder dan ik.'

'Ja, misschien wel.' Izzie had nog haar twijfels, al moest ze toegeven dat Jennifer erg haar best deed. Ze had alleen het gevoel dat ze hier niet meer hoorde. Maar haar vader en Jennifer gingen al een tijd met elkaar om, en ze besefte dat dat vroeg of laat tot samenwonen moest leiden. Ze had alleen gehoopt dat het er nooit van zou komen, maar haar vader was tenminste nog niet met Jennifer getrouwd, en zo te horen wilde Jennifer dat ook nog niet. Misschien vond zij Izzies vader ook te oud. Izzie vond hem niet te oud voor een relatie, want hij was zesenvijftig en nog altijd een knappe vent, maar wel om te trouwen en een nieuw gezin te stichten met een vrouw die zeventien jaar jonger was dan hij. Hij was een fantastische vader voor haar, maar ze kon zich niet voorstellen dat hij weer met een baby zat.

'Nou, wat denk je?' vroeg Jennifer behoedzaam. 'Kan ik iets doen om dit makkelijker voor je te maken?' Izzie glimlachte en had het liefst gezegd: *Ja, weggaan!* Maar ze zei het niet. Ze had waardering voor wat Jennifer deed en hoe hard ze haar best deed om Izzie tegemoet te komen. Het kon voor Jennifer ook niet makkelijk zijn, en haar verhaal over haar moeder en stiefmoeder had Izzie geraakt.

'Ik zal er wel aan wennen op den duur,' zei ze hartelijk. 'Het is gewoon anders. Maar ik vind die nieuwe stoel mooi, en het is fijn dat er overal bloemen staan.' Jennifers invloed was overal te zien.

'Zie je je moeder nog met Kerstmis?' Jennifer wist dat Izzie haar niet vaak zag. Katherine was naar New York verhuisd en reisde meer dan ooit. Haar moederlijke instincten hadden zich nooit ontwikkeld, en ze behandelde Izzie als het kind van een ander.

'Nee, ze zit in Londen. Over een paar weken komt ze voor zaken naar Los Angeles, en dan gaat ze met me uit eten.' Jennifer knikte en hield zich in. Ze wilde geen kritiek uiten op Izzies moeder, maar ze vond het zielig voor haar dat ze nooit een belangrijke vrouw in haar leven had gehad, alleen maar haar vader. Het maakte Jennifer tot een des te grotere bedreiging.

'Nou, ik ga eens wat kaas en paté pakken,' zei ze, en ze liep naar de keuken. Een paar minuten later drentelde Izzie naar binnen.

Jennifer had een mooi kaasplateau gemaakt, versierd met druiven. De paté lag op een bord, en er lag stokbrood in een mand met een rood met wit geblokt servet eromheen, en voor Izzie het goed en wel besefte had ze de helft van de paté opgegeten en twee van haar lievelingskaasjes geproefd en zat ze aan de keukentafel aan Jennifer te vertellen over haar kamergenootje en de problemen die ze met haar had. Ze wist niet of ze om een andere kamergenoot zou vragen, want ze kon na haar eerste jaar ook op zichzelf gaan wonen. Ze had overwogen met Gabby samen te wonen, maar Billy was heel vaak bij haar en ze wilde niet met hem samenwonen. Het waren belangrijke beslissingen voor Izzie. Jennifer raadde haar aan zodra ze terug was een andere kamergenoot te vragen. Waarom zou ze zich nog tot juni ellendig moeten voelen met iemand die ze niet aardig vond om zich heen?

Toen Jeff een halfuur later thuiskwam, was hij blij Jennifer en Izzie kletsend in de keuken aan te treffen. Izzie sprong op zodra ze hem zag en sloeg haar armen om hem heen. Hij omhelsde haar stevig en glimlachte over haar schouder naar Jennifer, die hem een knikje gaf. Ze vond dat het goed ging, beter dan ze had verwacht, en ze was bereid geduldig te wachten tot Izzie aan haar was gewend.

Ze aten samen in de keuken. Jennifer had twee gebraden kippen gekocht en Jeff maakte een gemengde salade en zijn speciale pasta die Izzie zo lekker vond. En ze sloten de maaltijd af met ijs, en toen gingen ze naar de woonkamer om de boom te bewonderen. Met alle lampen uit en alleen de lichtjes in de boom aan hing er opeens een kerstsfeer, en Izzies vader zette een cd met kerstliedjes op. Ze bleven lang zitten, Jennifer op de luie stoel en Jeff en Izzie naast elkaar op de bank. Jennifer was wel zo wijs niet te dichtbij te komen en Jeff en Izzie hun tijd samen te gunnen. Het was duidelijk dat ze dol op elkaar waren en dat Izzie haar vader adoreerde.

Izzie liet Jennifer en haar vader uiteindelijk in de woonkamer achter en ging naar haar eigen kamer. Ze had haar nachtpon nog maar net aangetrokken toen ze een sms van Sean kreeg: *Ik ben thuis.* Ze las de woorden, glimlachte en antwoordde prompt: *Ik ook.* Ze wist dat ze echt thuis was. Ze deed het licht uit en kroop in haar vertrouwde bed. Er was eigenlijk weinig veranderd, en hooguit ten goede.

12

Alle ouders waren blij dat hun kinderen in de vakantie thuiskwamen. Hun huizen kwamen weer tot leven.

De O'Hara's genoten met volle teugen van Seans aanwezigheid. Ze waren heel blij hem weer te zien en zijn vrienden het huis in en uit te zien lopen. Mike en Billy praatten over football. Mike had al Billy's wedstrijden gezien en was van plan met Sean en Connie naar Los Angeles te gaan om Billy in de Rose Bowl te zien spelen.

Ze praatten over de verschillende wedstrijden en wat een geluk het was dat Billy al aan het begin van zijn footballcarrière werd opgesteld. Hij had het tot nog toe goed gedaan als nieuwe quarterback van het team. Mike twijfelde er niet aan dat Billy een grootse loopbaan als footballer stond te wachten. Iedereen die hem kende was trots op hem. Bij het gezin Thomas thuis praatten Michelle en Gabby geanimeerd over alles wat ze samen wilden gaan doen en huize Norton bruiste van opwinding nu Billy thuis was. Brian vond het heerlijk om hem weer te zien en de tweeling hield iedereen bezig. De Grote Vijf waren bovenal blij dat ze weer een week samen waren. Ze hadden elkaar ontzettend gemist.

Marilyn en Jack nodigden iedereen uit voor hun kerstfeest, de kinderen en de volwassenen. De O'Hara's kwamen maar bleven niet lang, want ze waren niet in een feeststemming. Judy en Adam kwamen met Gabby en Michelle, en Billy bleef de hele avond dicht bij Gabby. Andy kwam alleen met zijn moeder, want zijn vader had zich afgezonderd om aan een nieuw boek te werken. En Jeff kwam met Jennifer en Izzie. Marilyn zei naderhand tegen Connie dat ze Jennifer zo'n knap meisje vond en dat ze blij was te zien dat ze aardig deed tegen Izzie, al had Izzie bekend dat ze het nog steeds niet zo leuk vond dat haar vader samenwoonde. Ze was bang dat hij met Jennifer wilde trouwen en een gezin stichten, maar ze moest wel toegeven dat Jennifer aardig was.

De O'Hara's stelden de vrienden hun huis in Tahoe tussen Kerstmis en oudjaar ter beschikking om te skiën in Squaw Valley. Billy moest terug naar Los Angeles om te trainen voor de Rose Bowl en kon maar één dag komen, maar de anderen zouden de hele week in Tahoe blijven. Sean had nog een paar bekenden uitgenodigd, voornamelijk meisjes. Mike en Connie vertrouwden de kinderen en er was nog nooit iets ergs gebeurd wanneer ze er waren.

De jongelui vertrokken in opperbeste stemming naar Tahoe met twee busjes vol mensen, ski's en koffers. Het was een groot huis met genoeg ruimte voor iedereen en een slaapzaal voor de extra mensen. Het was een levendige groep, en iedereen hielp de eerste avond met eten koken. De enige voorwaarde die de O'Hara's hadden gesteld, was dat er niet mocht worden gedronken, en iedereen wilde zich aan dat verbod houden, al had Billy de flacon in zijn zak even aan zijn vrienden laten zien. Sean had gezegd dat hij hem weg moest stoppen, en dat had hij gedaan. Sean had geen druppel meer gedronken sinds hij was aangehouden wegens rijden onder invloed.

's Avonds praatten ze rond de open haard over hun studie

en hun kamergenoten, en Izzie en Andy voerden op een avond een lang gesprek over Harvard. Andy vond het er geweldig en raadde Izzie aan ook te komen, maar ze zei dat ze goed zat en liever in Californië bleef. Ze vond het prettig dat ze Gabby en Billy dicht bij zich had in Los Angeles – het was alsof ze familie in de stad had. En Andy vertelde hoe zwaar de studie medicijnen was, maar het was nooit in hem opgekomen om iets anders te gaan doen, net zoals Billy altijd had geweten dat hij ging footballen. Het was wat hun ouders van hen verwachtten. Izzies moeder wilde nog steeds dat Izzie rechten ging studeren, maar dat was geen optie voor Izzie. Ze vond de colleges psychologie boeiend en overwoog psycholoog te worden. Ze zou het volgende semester ook colleges abnormale psychologie gaan volgen, wat ze interessant, maar ook een beetje eng vond klinken. Haar studieadviseur had gezegd dat het net iets voor haar was. Ze had nog steeds geen hoofdvak gekozen. Wat ze eigenlijk wilde, was een zomer in een ontwikkelingsland werken of na haar studie stage lopen in een ontwikkelingsland. Ze wilde mensen helpen, net als haar vader. Ze wist alleen nog niet hoe, of wie.

Op de tweede avond bleven Andy en zij praten nadat de anderen naar bed waren gegaan. Ze vonden een fles wijn in een keukenkastje en besloten ondanks het verbod een glas te drinken. Sean was al naar bed – hij had een meisje meegebracht naar Tahoe op wie hij een oogje had. Hij kende haar van de studie. Ze was skikampioen, en iedereen was het erover eens dat ze een fantastisch lichaam had. Ze sliep met een paar andere meisjes in de slaapzaal, maar Sean hoopte haar tegen het eind van de week versierd te hebben, en het leek hem te gaan lukken. Izzie had die avond na het eten gezien dat hij haar zoende, in de gang, maar hij had nog niet gescoord.

'Zo, ben je nog maagd?' vroeg Izzie ondeugend aan Andy terwijl ze hun wijn dronken, wat des te spannender werd doordat het niet mocht. 'Zitten er lekkere meiden op Harvard?' Ze plaagde hem, maar er zat meer achter. Hij was een van haar beste vrienden, maar Izzie had hem altijd aantrekkelijk gevonden. Ze wilde alleen hun vriendschap niet bederven, en dat wilde ze nog steeds niet.

'Grappig dat je het vraagt,' zei hij met een ernstig gezicht, en toen schoot hij in de lach. 'Ja, verdomme, ik ben nog maagd. Ze geven me te veel huiswerk. Als ik goede cijfers wil blijven halen, hou ik geen tijd over voor seks of romantiek.'

'Jammer. Ik doe het ook niet zo goed op dat vlak. Er is niet veel op de campus te doen als iedereen de stad in kan. Ik heb zelfs geen date meer gehad sinds de zomer, al heeft mijn kamergenote zich ontpopt als de slet van de campus. Zij pakt alles wat beweegt.' Izzie had nog geen echte romance beleefd, en haar maagdelijkheid begon te voelen als iets blijvends. 'Weet je, misschien moeten we het probleem samen oplossen. Ik wil geen maagd meer zijn. Jij ook niet. Misschien zou het ons een wereldwijze uitstraling geven,' opperde ze na hun tweede glas wijn. Ze waren op de helft van de fles, en de alcohol kwam harder aan dan ze dachten in de ijle berglucht. Izzie loenste een beetje toen ze probeerde Andy strak aan te kijken, en hij nam haar verwonderd op. Hij vond dat ze er sexy en knap uitzag met haar haar los. Hij had haar altijd fantastisch gevonden, maar tot dan toe had hij haar meer als een zus gezien.

'Meen je dat echt?' Hij dacht dat ze een grapje maakte, maar hij zag dat ze het meende. Het idee wond hem meer op dan hij had verwacht.

'Ja hoor, waarom niet? Trouwens, stel dat we elkaar echt leuk vinden? Dat we meer worden dan vrienden, bedoel ik. Misschien blijken we wel geweldig in bed te zijn, misschien hebben we er echt talent voor. Het zou kunnen. Bovendien heeft iedereen die we kennen al seks, behalve wij.' Het was niet helemaal waar, zoals ze allebei wisten. Sean was ook nog maagd, of dat was hij althans geweest toen ze eind augustus naar de universiteit gingen, en hij had niets gezegd over een verandering in die status. Billy en Gabby daarentegen hadden al sinds hun vijftiende een seksuele relatie en Izzie wist dat haar studiegenoten bijna allemaal al een paar jaar geen maagd meer waren. 'Jij en ik zijn de laatste twee mensen op aarde die de geneugten van het vlees nog niet hebben gesmaakt,' zei ze met een wellustige blik op hem, en ze nam een slokje van haar derde glas wijn. Andy had zijn tweede net op. Izzie vond hem sexy en knap, en ze voelde zich tot hem aangetrokken.

'Wat bedoel je precies?' Andy had de enige eenpersoonskamer in het huis, de dienstmeidenkamer. Izzie wees vaag in de richting van de kamer. Ze sliep zelf in de slaapzaal, die niet in aanmerking kwam. Voordat een van beiden zich kon bedenken, trok Andy haar overeind. Ze pakten de wijn en de glazen en liepen zachtjes naar zijn kamer. Andy had opeens het gevoel dat zijn hele lichaam bonsde en Izzie, die een beetje onvast ter been was, liep giechelend achter hem aan. Ze wist niet precies wat ze van de eerste keer kon verwachten en hoopte maar dat het niet al te pijnlijk zou zijn. Ze had horrorverhalen van vriendinnen gehoord, maar ook goede dingen.

Andy deed de deur van het kamertje achter hen dicht. 'Ik heb geen condooms,' zei hij toen wanhopig. Het was donker in de kamer, maar hij zag Izzies gezicht in het maanlicht en vond haar heel mooi. Hij was niet van plan deze kans te laten schieten. Als hij een van de anderen wakker maakte om een condoom te vragen, zou ze zich kunnen bedenken. Hij had Izzie altijd mooi gevonden met haar grote bruine ogen, volmaakte trekken en lange, golvende bruine haar, en nu bood ze zich aan. Ze trok aan de rits van zijn spijkerbroek en er openden zich verre verschieten voor hem.

'Ik vertrouw je,' zei ze simpelweg, en ze begon zich uit te kleden. Andy stapte uit zijn spijkerbroek. Hij had lange, gespierde benen en zijn lichaam zou nooit beter worden dan het op dat moment was. Izzie trok haar trui over haar hoofd en maakte het haakje van haar beha los. Haar kleine, volmaakt ronde borsten glansden romig wit in het maanlicht. Hij omvatte ze met zijn handen, en toen kropen ze samen in zijn bed en kleedden zich verder uit. Hij liet zijn handen over haar hele lichaam glijden en kreeg een enorme erectie. Izzie vroeg zich af hoe die binnen in haar zou voelen. Ze deed haar ogen dicht en probeerde niet bang te zijn, en Andy voelde tussen haar benen. Hij was al vrij ver gegaan met meisjes, maar nog nooit zó ver, en voordat hij zich kon bedwingen of er met haar over kon praten, was hij in haar. Hij had nog nooit zoiets ongelooflijks gevoeld. Hij hoorde wel dat ze kreunde van de pijn, maar hij kon zich niet meer inhouden. Hij kwam heel snel klaar en hield Izzie nog even vast. Hij vroeg zich af of ze er spijt van had. Hij niet. Het was spectaculair geweest, en hij wilde alleen nog maar tegen haar zeggen dat hij van haar hield. Hij keek naar haar gezicht en zag dat ze geschrokken keek, en hij zag een druppeltje bloed. Ze had op haar lip gebeten om het niet uit te schreeuwen.

'Heb ik je pijn gedaan?' vroeg hij bezorgd.

'Nee hoor. Iedereen zegt dat het de tweede keer beter gaat.' Ze trok hem tegen zich aan en ze hielden elkaar lang vast in het maanlicht. Hij wilde nog wel een keer, maar hij was bang om haar pijn te doen.

'Heb je spijt?' fluisterde hij uiteindelijk.

'Natuurlijk niet,' zei ze kranig, maar ze vroeg zich af waarom het zo'n goed idee had geleken toen ze aan de fles wijn begonnen. Ze had altijd van Andy gehouden, maar niet op die manier. Dat wist ze nu zeker. Misschien was het een goede test geweest, maar ze wist dat ze die avond aan iets ingewikkelds waren begonnen, en bovendien zou hij nog heel lang moeten studeren. 'Heb jij spijt?' vroeg ze in het donker.

'Waarom zou ik?' Hij keek glimlachend op haar neer. 'Ik denk dat ik altijd verliefd op je ben geweest.' Maar dat was Izzie niet op hem, nog steeds niet. Ze hield van hem als van een vriend, of een broer, en het voelde incestueus om met hem naar bed te gaan. Ze was niet alleen haar maagdelijkheid kwijt, ze had ook een vergissing begaan, besefte ze nu.

'Ik ga maar eens terug,' zei ze uiteindelijk. Ze wilde niet dat de anderen haar de volgende ochtend uit zijn kamer zagen komen, en dat wilde Andy zelf ook niet. Hij wilde haar beschermen, en wat ze hadden gedaan, was voorlopig alleen hun zaak. Hij kwam uit bed om haar naar de slaapzaal te brengen en stond naakt in het maanlicht, als een jonge Griekse god. Zelfs Izzie was niet ongevoelig voor zijn schoonheid, en ze had graag meer voor hem gevoeld, maar dat deed ze nu eenmaal niet.

Het enige waaraan ze nog kon denken was hoe bang ze was dat ze zwanger was. Ze hadden geen voorbehoedmiddel gebruikt. Ze was niet bang een ziekte van hem te krijgen, maar haar angst voor een kind was overweldigend. 'Ga maar niet mee,' fluisterde ze. Hij kuste haar, en ze kleedde zich aan, pakte de wijnfles en de glazen en liep de kamer uit. In de keuken schonk ze de laatste droesem uit de fles en verstopte hem diep in de afvalbak. Ze waste de wijnglazen en zette ze terug voordat ze op haar tenen naar de badkamer bij de slaapzaal liep, zich weer uitkleedde, het bloed van haar benen waste en haar nachtpon aantrok. Ze dacht aan Andy en vroeg zich af hoe het verder zou gaan. Hun ouders zouden er kapot van zijn als ze zwanger was, vooral de zijne, maar de hare zouden ook niet blij zijn. Ze kon niet eens denken aan de relatie die ze al of niet zouden krijgen, en waarschijnlijk beter niet konden krijgen. Het enige waar ze aan dacht was het kind dat hun leven zou verwoesten. Andy was net negentien geworden en had nog tien of elf jaar studie voor de boeg, en zij was pas achttien.

Ze kroop in bed en trok het dekbed op tot aan haar kin. De anderen waren niet wakker geworden toen ze binnenkwam. Ze probeerde zich te herinneren hoe het was geweest om met Andy te vrijen, maar eigenlijk wilde ze het niet. Ze wilde alleen wegzweven naar een andere plek, misschien een strand, waar ze helemaal alleen was. De slaapzaal tolde om haar heen. Ze deed haar ogen dicht, een beetje misselijk, en even later viel ze als een blok in slaap.

Toen Izzie de volgende ochtend in de keuken kwam, was het meisje dat Sean had meegebracht met Gabby ontbijt aan het maken. Niemand vond haar echt aardig, want ze praatte achter elkaar door en was een beetje een leeghoofd. Ze had ook een harde stem. Izzie zag eruit alsof ze de hele nacht achter een paard aan was gesleept. Ze kneep haar ogen tot spleetjes tegen het felle ochtendlicht, want ze had verschrikkelijke hoofdpijn. De wijn en de ijle lucht waren hard aangekomen. Zodra ze wakker was geworden, had ze zich herinnerd wat er die nacht was gebeurd. Andy ook. Die kwam de keuken binnen alsof hij de heerser over het heelal was, en glimlachte naar Izzie.

'Hoi,' zei ze afwezig, en ze ging met een kop koffie aan de keukentafel zitten.

'Gaat het wel?' vroeg hij beleefd, maar het viel geen mens op. Ze waren altijd aardig tegen elkaar, en dit was niet anders, alleen voor haar wel. Ze wilde tegen hem zeggen dat ze zeker wist dat ze zwanger was. Ze had vaker verhalen gehoord over meisjes bij wie het meteen de eerste keer raak was. Over negen maanden zou zijn moeder haar baby halen. Bij die gedachte duizelde het haar, en haar kater deed de zaak geen goed.

'Ik heb hoofdpijn,' zei ze zonder nadere uitleg, en Andy knikte. Hij had ook hoofdpijn van de wijn, maar het kon hem niets schelen. Hij was zo opgewonden over wat ze hadden gedaan, en zijn gevoelens voor haar, dat hij het gevoel had dat hij vloog. Izzie voelde zich meer alsof ze op handen en voeten over de vloer kroop, en dat had ze graag echt gedaan. Vliegen zat er voor haar niet in die dag.

Andy schepte een enorm ontbijt voor zichzelf op en ging bij de anderen aan de keukentafel zitten. Gabby smeerde zonnebrandcrème op haar gezicht ter voorbereiding op een dag skiën. Ze mocht niet zomaar vreemd bruin worden, want dat kon haar opdrachten kosten, en ze verzorgde haar huid altijd goed en ging regelmatig naar de schoonheidsspecialiste, net als haar moeder.

De zon scheen en de sneeuw bood een spectaculaire aanblik. Iedereen was in een goed humeur en klaar voor de hellingen, behalve Izzie. Ze ging zich aankleden en even later kwam Gabby de slaapzaal binnen en zag haar met een gezicht als een oorwurm op de rand van haar bed zitten.

'Gaat het wel?' vroeg Gabby. Izzie wilde ja zeggen, maar toen schudde ze haar hoofd en barstte in huilen uit. Gabby ging naast haar zitten en sloeg haar armen om haar heen. Ze waren alleen in de zaal, want alle andere meisjes zaten nog te ontbijten.

'Ik heb vannacht zoiets stoms gedaan,' zei Izzie gesmoord met haar hoofd tegen de schouder van haar vriendin.

'Hoe stom?' vroeg Gabby ongerust. Er waren geen nieuwe jongens om stomme dingen mee te doen, dus was ze meteen bang dat Izzie het over drugs had.

'Oérstom,' zei Izzie verdrietig. 'Ik heb onveilige seks gehad.' Gabby maakte zich van haar los en keek haar verbaasd aan.

'Heb je seks gehad? Met wie dan?' Er waren geen kandidaten, op hun beste vrienden na, en Gabby kon zich niet voorstellen dat Izzie het met een van de jongens zou doen, al leek het toch zo te zijn. 'Sean?' Het was de enige mogelijkheid die ze kon bedenken, al leek zelfs die onwaarschijnlijk, maar Izzie had altijd een hechtere band met hem gehad dan met Billy en Andy. Gabby wist dat Sean Izzie alles vertelde, en dat ze hem had opgevangen na Kevins dood, en dat ze dol was op zijn moeder. Maar Izzie schudde haar hoofd.

'Andy.'

'Echt waar? Wauw... Dat had ik nooit verwacht, al is hij best knap. Ik vind hem gewoon nog zo'n kind, maar ik zal me wel vergissen.' Gabby glimlachte naar Izzie. Billy was de enige die er al jaren uitzag als een echte man, en hun lange relatie had hen beiden volwassen gemaakt. Gabby leek in veel opzichten ouder dan Izzie, die nog maar een meisje was, een student. Gabby was een vrouw, en ze leefde in de echte wereld, helemaal sinds ze niet meer op school zat. 'En, ben je gek op hem?' vroeg Gabby moederlijk.

'Niet meer dan eerst,' bekende Izzie eerlijk. 'Het was stom van me. Nu is alles tussen ons verpest. En stel dat ik zwanger ben?'

'Hebben jullie niets gebruikt? Slik je de pil niet?' Izzie schudde ongelukkig haar hoofd. Gabby wroette in de toilettas die ze bij zich had en diepte er een potje pillen uit op. 'Hier. Dit is de morning-afterpil. Om een eventuele zwangerschap af te breken. Ik vergeet wel eens een pil, of ik heb buikgriep of zo. Als je antibiotica slikt werkt de pil ook niet. Dit wel. Als je deze neemt kan je niets gebeuren.' Gabby was een bron van informatie, en Izzie nam de pil van haar aan en slikte hem dankbaar door. Ze wilde geen minuut verspillen.

'Dank je wel. Ik stond al op het punt om ergens van een klif te springen.'

'Graag gedaan. Wat ga je nu doen? Met Andy?'

'Ik weet het niet. Ik denk dat ik hem moet vertellen dat het een vergissing was, voor ons allebei. Ik wil onze vriendschap houden zoals die was. We zijn allemaal samen opgegroeid. Voor Billy en jou is het anders, want jullie zijn al jaren een stel, maar voor de rest van ons zou het een stommiteit zijn. Trouwens, hij moet toch nog een eeuwigheid studeren.' Gabby knikte. Ze was het met Izzie eens. Ze waren als broers en zussen voor elkaar, behalve Billy en zij.

'Wat ga je zeggen?'

'Ik weet het niet. Ik improviseer wel wat. Ik denk dat ik vandaag maar binnen blijf.' Ze wilde Gabby niet vertellen dat ze ook nog eens een kater had. Wat ze had opgebiecht was al erg genoeg, vond ze zelf. 'Het was allemaal mijn eigen idee. Ik heb het voorgesteld om ons allebei van onze maagdelijkheid te verlossen, maar zo simpel is het niet. Het wordt al snel ingewikkeld.' Alleen al de angst dat ze zwanger was had Izzie snel weer met beide benen op de grond gezet, maar de angst dat hun vriendschap nu bedorven was, was bijna net zo erg.

'Hij denkt er vast net zo over als jij,' zei Gabby geruststellend.

Dat bleek echter niet zo te zijn. Andy was opgetogen over wat er die nacht was gebeurd. Hij maakte zichzelf al wijs dat hij van Izzie hield, en onder het skiën droomde hij ervan weer met haar naar bed te gaan, zodat hij bijna tegen een boom klapte. Sean riep hem net op tijd en gaf hem op zijn donder omdat hij niet oplette. Andy was in de zevende hemel, en toen Izzie hem vertelde dat ze het een grote vergissing vond wat ze hadden gedaan, keek hij haar teleurgesteld aan.

'Vond je het zo erg?' Hij stond er als een geslagen hond bij, alsof hij jammerlijk had gefaald tijdens zijn eerste seksuele escapade.

'Natuurlijk niet. Het deed wel een beetje pijn, maar ze zeggen dat dat alleen de eerste keer is. Ik wil alleen onze vriendschap niet verpesten. Je bent als een broer voor me, en je moet de komende honderd jaar nog studeren.' Andy wist dat er meer achter zat. Ze voelde zich niet tot hem aangetrokken, maar wilde zijn gevoelens sparen. Izzie vervolgde: 'En als we een relatie beginnen, en het wordt niets, of we kwetsen elkaar, kunnen we een hekel aan elkaar krijgen, en dat wil ik niet. Daarvoor ben je me te dierbaar. Ik wil je niet kwijt.' Het was in zekere zin wel vleiend dat hij zo belangrijk voor haar was, maar het deed hem toch pijn, en hij voelde het als kritiek op zijn seksuele prestaties. 'Je bent heel knap,' verzekerde Izzie hem. 'Je hebt een fantastisch lijf. Je bent geweldig in bed, of dat word je nog wel. Ik wil onze vriendschap gewoon niet ruilen voor inhoudsloze seks.' Toen ze dat zei trok hij weer een beledigd gezicht.

'Vond je het inhoudsloos? Het betekende veel voor me.'

'Voor mij ook, maar we hadden allebei gedronken en ik vind het nog steeds stom van ons. Ik wil onze vriendschap behoeden. Vrienden voor altijd! Dat wil ik niet ruilen voor seks. Het zou een slechte ruil zijn.' Ze was verstandiger dan hij, en in sommige opzichten ook volwassener, gezien de richting die ze hadden ingeslagen. En ze had gelijk, hij zou nog heel lang moeten studeren. Een langeafstandsrelatie zouden ze waarschijnlijk geen tien jaar volhouden, dat wist hij ook wel. Hij wilde alleen geen afstand doen van datgene wat ze pas hadden ontdekt, of niet zo snel al.

'Waarom kan het niet allebei?' vroeg hij koppig. 'Vriendschap en seks? Dat is toch liefde?'

'Ik hou van je, dat weet ik al. Ik hoef niet met je naar bed om daarachter te komen. En stel dat jij mij bedriegt, of ik jou? Wat dan? Dan zullen we elkaar uiteindelijk niet meer kunnen luchten of zien. Dat wil ik niet, Andy. Het was fijn vannacht, heel bijzonder zelfs, maar het was een vergissing van ons allebei.' Izzie hield voet bij stuk. Andy meed haar bij het avondeten en ging die avond vroeg naar bed. Sean zag dat hij gekwetst was en vroeg Izzie er later naar.

'Heb je ruzie gehad met Andy?' Het was zeldzaam voor de vriendenclub. Ze waren het niet altijd met elkaar eens, maar ze maakten geen ruzie en zeiden geen kwetsende dingen tegen elkaar. Ze hadden al veertien jaar een band met elkaar, en die was hun heilig.

'Nee, we waren het gewoon niet eens over iets. Het stelt niets voor.' Maar Andy had van streek geleken die avond, en dat wisten ze allebei.

'Trouwens, mijn ouders krijgen nog een fles wijn van je,' zei Sean langs zijn neus weg, en Izzie schrok zich wild. 'Je kent de regels.' Hij keek haar streng aan. Hij had de fles gezien toen hij het vuilnis wegbracht.

'Het spijt me echt. Ik wilde een nieuwe kopen. Ik heb hem gisteren gepakt.'

'Had je daar onenigheid over met Andy?'

'Ja, hij zag me drinken. Hij heeft me flink de les gelezen, en ik heb beloofd het nooit meer te doen.' Het was de perfecte smoes om de spanning tussen Andy en haar te verklaren, en Sean geloofde haar.

'Andy gedraagt zich altijd correct. Nou ja, als je het maar bij deze ene keer laat. Mijn ouders merken het vast niet, maar ik zal toch iemand een nieuwe fles laten kopen voordat we naar huis gaan.'

'Dank je.' Izzie dacht erom hem geld toe te stoppen.

De rest van die week ontweken Izzie en Andy elkaar, maar op de laatste dag sprak hij haar aan.

'Izzie, het spijt me. Ik was gewoon teleurgesteld door wat je zei. Ik heb er de hele week over nagedacht, en je hebt gelijk.' Hij sloeg zijn armen om haar heen en gaf haar een zoen. 'Ik ben dol op je. Dat wil ik ook niet bederven.' Toen vervolgde hij fluisterend, zodat niemand anders het kon horen:

'Maar je hebt wel een fantastisch lijf, dus mocht je je ooit bedenken...'

'Dat zit er niet in,' verzekerde ze hem met een lach. Toen werd ze weer ernstig. 'Toch hadden we het niet moeten doen.' Hij was het wel met haar eens, al leek een verhouding met haar hem in veel opzichten aantrekkelijk. Ze was intelligent en mooi en hij hield van haar, maar hun lange vriendschap maakte het ingewikkeld en gaf er voor hen beiden een incestueus tintje aan. Hij wist dat ze er goed aan had gedaan de relatie in de kiem te smoren, maar hij had zich heerlijk gevoeld bij haar.

'Toch ben ik blij dat we het hebben gedaan,' zei Andy, die zijn aanvankelijke teleurstelling en woede had overwonnen en zich weer op zijn gemak voelde bij Izzie. 'We zijn tenminste geen maagd meer, en ik ben blij dat mijn eerste keer met jou was. Een vriendin.' Ze was het niet helemaal met hem oneens, al leek het haar niet meer zo belangrijk of ze maagd was of niet. Nu ze het niet meer was deed het er ook niet meer toe, al was het misschien wel goed dat Andy haar eerste was. Ze hielden tenminste van elkaar, al was het dan platonisch. Ze had gewoon geen seksuele gevoelens voor hem, wist ze nu. Het kwam allemaal door de wijn.

Die avond waren ze weer dikke maatjes en verder niets. Izzie wilde het achter zich laten, maar Andy voelde een tederheid voor haar die er voordien niet was geweest en wist dat hij zich zijn eerste keer met haar altijd zou herinneren. Izzie was Gabby heel dankbaar voor de morning-afterpil, anders hadden de gevolgen rampzalig kunnen zijn.

Op oudejaarsdag reden ze allemaal vrolijk gestemd terug naar de stad. Sean had het meisje dat hij had meegebracht niet kunnen versieren, maar na een paar dagen was ze hem zo gaan irriteren dat hij er niet meer mee zat. De volgende dag zouden ze naar Los Angeles gaan om Billy in de Rose Bowl te zien spelen. Billy's vader had een hele touringcar gehuurd en ging met een groep vrienden, en de anderen gingen met het vliegtuig. Marilyn en Jack gaven een feestje in hun hotel om het nieuwe jaar in te luiden, maar ze wisten dat Billy er de avond voor de wedstrijd niet bij kon zijn. Andy, die op nieuwjaarsdag terug moest naar Boston, kon evenmin komen.

Ergens was Izzie blij dat Andy niet meeging. Ze wilde wat tijd en afstand scheppen tussen henzelf en hun stomme actie in Tahoe, voor het geval ze op het idee zouden komen het nog eens over te doen. Ze vertrouwde zichzelf niet helemaal, want Andy was een erg aantrekkelijke jongen, en ze wilde niet weer de fout in gaan.

De hele groep uit San Francisco was op tijd om samen oud en nieuw te vieren. Er zaten een paar mensen in hotels in Pasadena, en Sean en zijn ouders logeerden in het Beverly Hills Hotel. Gabby en Izzie gingen met Sean eten in de Polo Lounge. Billy was die avond bij zijn team. Hij zei dat hij een miljoen strategieën moest bestuderen voor de wedstrijd, en Gabby wist hoe gestrest hij was. Hij moest die avond om tien uur in bed liggen in zijn studentenhuis. Na het eten in de Polo Lounge gingen Izzie, Gabby en Sean naar het hotel van Marilyn en Jack, waar het bescheiden feest al goed op gang begon te komen. Iedereen keek met spanning uit naar Billy's belangrijke wedstrijd en hoopte maar dat hij goed zou spelen. Het was een moment waarop hij zijn hele leven had gewacht, en ze waren allemaal trots op hem. De volgende ochtend huurden de O'Hara's een bus en haalden de anderen op om de Rose Parade in Pasadena te zien. Brian kon niet stilzitten en Gabby was zenuwachtig om Billy. De optocht was een goede afleiding voor iedereen, en na afloop gingen ze de schitterende praalwagens in Sierra Madre en aan Washington Boulevard bekijken.

Ze zaten allemaal ruim op tijd in het stadion. Izzie had van

Marilyn gehoord dat Larry ook zou komen, waarschijnlijk met een groep vrienden en een zwerm jonge meiden. Marilyn had Jack toevertrouwd dat ze hoopte dat Larry niet stomdronken zou zijn en haar jongens in verlegenheid zou brengen. Het was een mooie, zonnige dag en het was warm buiten. Izzie en Gabby praatten met Michelle. Brian sprong telkens op om souvenirs te kopen en Mike ging eten en drinken voor het hele gezelschap halen. Het leek een eeuwigheid te duren voordat de bekende rood-met-goudgele uniformen van de Trojans op het veld verschenen, waarna het publiek uit zijn dak ging. Cheerleaders dansten en op de tribunes toeterden mensen. De vermaarde praalwagens van de Rose Bowl Parade van die ochtend stonden langs de zijkant. Het team van Alabama, dat een imposante aanblik bood, kwam ook het veld op en de wedstrijd begon. De Trojans namen snel de leiding, maar in het tweede kwart scoorde Alabama twee punten. In het vierde kwart was het gelijkspel.

Inmiddels hadden ze Larry gezien, die een aantal rijen achter hen zat en zijn zoon als een gek aanmoedigde. Hij zat tussen een paar jonge meiden in korte witte rokjes en haltertopjes die eruitzagen als cheerleaders, en hij had een hele rij vrienden bij zich die het team allemaal aanmoedigden. Larry had zijn hele leven naar dit moment uitgekeken, en Billy maakte al zijn dromen waar.

De wedstrijd werd gefilmd vanuit een zeppelin boven het stadion, en in het laatste kwart scoorde Billy de beslissende touchdown dankzij een briljante strategie die de trainer had uitgestippeld. Hij won de wedstrijd voor zijn universiteit, en zelf kreeg hij de onderscheiding voor de beste speler van de wedstrijd, wat een enorme eer was. Niemand zou ooit het moment vergeten waarop hij de trofee in ontvangst nam. Marilyn keek huilend naar haar zoon, en Jack sloeg zijn arm om haar heen. Sean en de meisjes sprongen gillend op en neer en

Brian was naar het gangpad gerend en schreeuwde de naam van zijn grote broer. Het was een moment van onversneden vreugde voor iedereen die Billy had zien opgroeien. Voor Billy zelf, degenen die van hem hielden en zijn team was het een glorieuze dag. Larry wuifde zelfs naar Marilyn. Het was zo'n perfect moment dat je maar een paar keer in je leven overkomt, áls het je al gegund is.

Het stadion, waarin bijna negentigduizend mensen zaten, liep leeg en Billy's familie en supporters gingen naar de kleedkamer om hem op te wachten. Ze wilden hem feliciteren met zijn ongelooflijk goede spel. Die avond zou de overwinning worden gevierd, en Billy had Sean, Izzie en Gabby uitgenodigd om ook te komen. De rest van de groep zou in Los Angeles uit eten gaan. Toen Billy na bijna een uur uit de kleedkamer tevoorschijn kwam, straalde hij. Zijn moeder omhelsde hem als eerste, en toen vloog iedereen hem om zijn nek. Hij tilde Gabby op, kuste haar stevig op haar mond en zei dat hij van haar hield. Het was de gelukkigste dag van zijn leven. Iedereen was trots op hem en blij hem te kennen. Larry had geprobeerd de kleedkamer binnen te dringen, en toen dat niet lukte was hij met zijn entourage vertrokken, maar hij had wel zijn gelukwensen naar zijn zoon geroepen.

De teamleden waren op drugs getest voordat ze de kleedkamer verlieten. Het was een standaardprocedure voor de kampioenschappen, en ze waren allemaal wel zo verstandig te zorgen dat ze clean waren.

Billy moest met zijn team terug naar de universiteit. Ze reden in luxe touringcars, en er hing een uitbundige feeststemming op de terugweg naar Los Angeles. Het was Billy's eerste kampioenschap geweest en hopelijk het eerste van vele.

Sean, Izzie en Gabby zagen hem pas weer om elf uur die avond op een overwinningsfeest in Club Empire in Hollywood, en ze waren allemaal net zo opgewonden als hij. Billy hield Gabby de hele avond dicht bij zich. Om twee uur 's nachts, voordat ze van het laatste feest vertrokken, ging hij met Sean naar de wc. Ze stonden naast elkaar bij de urinoirs, net als vroeger op school. Billy haalde een klein potje met witte pillen erin uit zijn zak en liet het discreet aan Sean zien. Er was verder niemand, en Sean begreep niet meteen wat Billy wilde. Billy zei niets, maar keek hem afwachtend aan en hield hem het potje voor. Doordat hij het zo stiekem aanbood, begreep Sean dat het om drugs moest gaan.

'Wat is dat?' vroeg hij geschrokken. Billy ritste zijn gulp dicht en keek hem lachend aan. Sean maakte zijn gulp ook dicht en keerde Billy zijn gezicht toe. 'Wat heb je daar?'

'Ecstasy, man. Maak je niet druk. We zijn na de wedstrijd getest. Niets aan de hand.'

'Echt wel,' zei Sean, die zijn vriend in zijn kraag pakte en hem tegen de dichtstbijzijnde muur kwakte. Billy was bijna vijftig kilo zwaarder, maar Sean was hem met gemak de baas en hield hem tegen de muur gedrukt. Billy was perplex. 'Hoe kun je dat nou doen?' zei Sean. 'Snap je het dan niet? Mijn broer is dood door die troep. Hij handelde in drugs. Telkens wanneer je die rotzooi koopt, steun je een hele industrie van klootzakken die mensen vermoorden, en je gaat er zelf ook aan dood. Heb je het leuk gehad vandaag?' Ze wisten allebei dat Billy had genoten, en dat hij zijn hele leven voor dit moment had getraind en ernaar had uitgekeken en dat hij nog veel verder kon komen. Hij had er het talent voor. 'Als je het leuk vond, verkloot het dan niet voor jezelf en iedereen om je heen. Ik hou van je, man. Gooi die rommel weg.' Hij griste het potje uit Billy's hand en gooide het in de afvalbak. 'Verkloot je leven niet, zoals mijn broer. Als ik je ooit nog eens zoiets zie doen, vermoord ik je!' Sean beefde van woede.

Billy, die begreep wat er speelde, keek hem kalm aan.

'Iedereen doet het,' zei hij bedaard. 'Je moet alleen weten wanneer het kan, nadat je bent getest.'

'Je verknalt het nog,' zei Sean gekweld. 'Alsjeblieft, doe het niet,' smeekte hij. Billy sloeg een arm om Sean heen, die nog steeds beefde, en loodste hem de wc's uit. De meisjes stonden op hen te wachten. Izzie zag dat er iets was gebeurd, maar Gabby leek niets op te merken. Ze had alleen oog voor Billy, die nog met haar mee zou gaan naar haar flatje voordat hij terug moest naar de campus.

Ze brachten Izzie eerst naar haar studentenhuis en toen Sean naar zijn hotel. De twee jongens die samen waren opgegroeid, omhelsden elkaar stevig. Sean stopte al zijn liefde en al zijn angst in die omhelzing voordat hij uit de auto stapte. Hij had alles gezegd wat hij te zeggen had toen hij de ecstasy weggooide. Billy wist hoeveel hij om hem gaf, en hij hield ook van Sean, maar hij leefde nu in een andere wereld, een snelle wereld vol snelle jongens, en het grote geld riep. Hij kon bijna niet wachten tot hij zijn eerste jaar erop had zitten en in de NFL mocht spelen. Door de wedstrijd had hij de smaak alleen maar nog meer te pakken gekregen.

De volgende dag stond Billy in de sportkaternen van alle kranten. Er waren wat fantastische foto's van het moment waarop hij de winnende touchdown scoorde, en de *Los Angeles Times* noemde hem het beste groentje van de wereld. Marilyn begon een plakboek voor hem.

Sean belde Izzie die ochtend voordat hij op het vliegtuig terug naar Washington stapte. Hij moest nog een essay schrijven voordat de colleges weer begonnen en moest informatie opzoeken.

Izzie had zo'n vermoeden dat er de vorige avond iets tussen Sean en Billy was voorgevallen, en ze was benieuwd wat het was. Ze had gezien dat Sean van streek was.

'Wat is er gisteren gebeurd tussen Billy en jou?' vroeg ze.

'Niets,' zei Sean nonchalant. 'We hebben gewoon een gesprek van man tot man gehad.' Hij wilde haar niet vertellen dat hij Billy een boodschap had overgebracht van zijn overleden broer, maar hij hoopte dat het wel zo was. Kevin was nu zeven maanden dood, en Seans leven was er voorgoed door veranderd. Er was geen ruimte meer voor toegeeflijkheid, halve maatregelen, geschipper of uitzonderingen. Wat Billy de avond tevoren had willen doen op de wc, kostte mensenlevens. Mensen stierven voor en door drugs. En wat Sean betrof, waren degenen die drugs verkochten misdadigers die tegengehouden moesten worden. Hij was bezorgd om Billy. Er waren heel veel verleidingen in zijn nieuwe wereld, op elk gebied. Maar dat zei hij niet tegen Izzie. Hij zei alleen dat ze goed op zichzelf moest passen. Ze was een verstandige meid die met beide benen op de grond stond, en hij wist dat het wel goed zou komen met haar. Billy leefde op het randje van de afgrond. Sinds de flacon met drank zijn opwachting had gemaakt toen Billy's ouders uit elkaar gingen, wist Sean dat Billy in gevaar was, zoals hij dat ook van Kevin had geweten.

'Kom je in de voorjaarsvakantie naar huis?' vroeg Izzie.

'Misschien. Een paar mensen uit mijn groep gaan naar Peru om de regering te bestuderen. Misschien ga ik wel mee. Ik weet het nog niet. Mijn moeder wil wel graag dat ik naar huis kom.'

'Ja. Ik ook,' zei Izzie zacht. Ze miste hem altijd. Ze miste het hele stel. Gabby zag ze tenminste nog vaak, maar Andy en Sean waren heel ver weg. Soms voelde het alsof ze op een andere planeet zaten, niet in Boston en Washington.

'Ik laat het je nog weten,' beloofde Sean. Ze hadden nog niet opgehangen of Izzie miste hem al. Ze glimlachte in zichzelf bij de gedachte aan hem, en aan Billy's overwinning van de vorige dag. Het was een prachtige dag in januari en er was geen vuiltje aan de lucht toen ze naar haar lunchafspraak met de anderen ging. Iedereen was nog door het dolle heen vanwege Billy's grote zege. Dit was nog maar het begin voor hem, en voor hen allemaal. Toen ze Billy het restaurant in zag lopen, was ze zo blij voor hem dat de tranen haar in de ogen sprongen. Hij zag eruit als de gelukkigste man op aarde.

13

Een week nadat Billy de wedstrijd in de Rose Bowl had gewonnen met zijn team, hoorde Gabby dat zij was uitgekozen voor de landelijke reclamecampagne van het cosmeticamerk. Haar bureau stuurde haar naar meer go-sees, onder andere voor reclame van Victoria's Secret. Ze werd steeds beter in haar werk.

Billy was die nacht bij haar gebleven en was 's ochtends vroeg weggegaan om in de sportschool te trainen. Ze zouden die avond samen eten.

Ze trok een kort, strak zwart jurkje aan en pumps met enkelbandjes. Haar huid straalde en haar lange, steile blonde haar was perfect geföhnd. Ze had het net iets lichter laten kleuren, precies goed voor Los Angeles. Ze had weinig make-up op – het modellenbureau zag haar graag als een fris, jong meisje verschijnen, net als Billy. Nadat hij de wedstrijd had gewonnen, had hij haar een vriendschapsring gegeven ter vervanging van de ring die hij haar op school had gegeven. Hij had er 'Ik hou van je' in laten graveren. Het was een smalle, met diamantjes bezette ring met een diamanten hartje erop, en ze droeg hem aan haar linkerhand. Het was nog geen verlovingsring, maar ze wist dat ze die ooit zou krijgen. Dat had Billy haar met zoveel woorden gezegd. Hij was net negentien geworden en zij was achttien, dus ze hadden alle tijd. Hij had gezegd dat hij met haar wilde trouwen tegen de tijd dat hij professioneel footballer werd. Ze vroegen zich allebei af of hij de volle vier jaar op de universiteit zou blijven, en na de wedstrijd betwijfelde Gabby het. Als de NFL Billy een zak met geld bood zodra hij eenentwintig werd, zou hij de verleiding vast niet kunnen weerstaan. Ze vond het niet erg. Zolang zij maar bij Billy kon zijn, mocht hij doen wat hij wilde. Ze stond altijd vierkant achter hem.

Haar drie go-sees van die dag gingen goed, en ze was er vrij zeker van dat ze alle drie de opdrachten zou krijgen. Na de laatste ging ze met een ander model nog iets drinken bij het Ivy. Ze had een paar keer met haar samengewerkt, de laatste keer bij een fotoshoot voor *Vogue*, en ze vonden elkaar aardig. Ze bespraken hoe hard de business was, en hoeveel geluk ze hadden gehad. Het andere meisje was een halfjaar eerder uit Salt Lake City overgekomen en deed het goed, net als Gabby. Veel meisjes redden het niet, maar Gabby en haar nieuwe vriendin hadden het uiterlijk dat iedereen op dat moment wilde. Het meisje uit Utah had net een aanbod gekregen om een reclamespotje op te nemen in Japan, en ze zei dat ze het ging doen.

Toen Gabby uit het Ivy kwam, belde ze Izzie, maar ze kreeg de voicemail en nam aan dat ze nog college had. Ze sprak in dat ze zomaar even belde en dat ze van haar hield, en toen belde Billy haar om te zeggen dat hij van haar hield en om te vragen hoe haar dag was. Ze vertelde hem over de go-sees en hij beloofde een uur later bij haar te zijn – hij had de sleutels.

Gabby had haar mobiele telefoon nog in haar hand toen ze aan North Robertson Boulevard van de stoep stapte om een taxi aan te houden. Ze zag er een en stak haar hand op; een beeldschoon meisje in een zwart jurkje, met lang blond haar dat wapperde op de bries. Op hetzelfde moment scheurde er een auto zo snel de hoek om dat ze hem niet eens zag, laat staan dat ze achteruit kon stappen. Gabby wist niet wat haar overkwam. Toen de auto haar raakte, werd ze de lucht in geslingerd en klapte toen tegen de voorruit. De auto reed zo snel dat ze er weer af viel, met haar hoofd op straat, en als een lappenpop bleef liggen terwijl andere bestuurders claxonneerden en voorbijgangers schreeuwden. De bestuurder van de auto die haar had geraakt, reed de stoep op en raakte bijna nog iemand. Hij sprong uit de auto en zette het op een rennen, maar iemand pakte hem en werkte hem tegen de grond. De politie was vrijwel onmiddellijk ter plaatse, en even later kwamen er twee ambulances. De brandweer kwam. De bestuurder die Gabby had aangereden, werd door de politie meegenomen. Een van de politiemannen vond haar telefoon en stopte hem in een zakje voor bewijsmateriaal. De foto's uit haar portfolio lagen verspreid over de straat. Het verkeer werd tegengehouden en het ambulancepersoneel legde Gabby op een brancard en bedekte haar. Toen reed de ambulance geluidloos weg, nagekeken door de omstanders. De sirene loeide niet. Mensen huiverden om het akelige tafereel. Gabby Thomas, achttien jaar oud, was niet meer.

14

De politie kwam het nieuws in San Francisco aan Gabby's ouders vertellen. Zodra Judy die avond de deur opendeed, wist ze dat er iets verschrikkelijks was gebeurd.

Billy had Izzie gebeld om te vragen of zij wist waar Gabby was. Izzie zei dat Gabby een bericht op haar voicemail had ingesproken terwijl ze college had. Ze had prima geklonken, vertelde Izzie, en ze had gezegd dat ze van Izzie hield en haar later nog eens zou bellen. Het was een gewoon berichtje en Izzie zei dat ze zeker wist dat er niets aan de hand was.

'Ik heb haar om halfzes gesproken en toen zei ze dat ze op weg was naar huis,' zei Billy ongerust. Het was niets voor Gabby om het niet even te zeggen als ze later kwam. Billy en zij belden elkaar continu, en anders sms'ten ze wel, al was het maar om even 'ik hou van je' te zeggen of te laten weten waar ze waren.

'Misschien heeft haar modellenbureau haar naar nog een go-see gestuurd en had ze geen tijd om je te bellen. Of ze is ergens waar ze geen bereik heeft.' Er waren altijd plekjes waar mobiele telefoons het niet deden. Het was inmiddels acht uur geworden.

'Ik denk dat er iets is gebeurd,' zei Billy met verstikte stem. Izzie glimlachte. Die twee waren net een Siamese tweeling.

'Als er iets was had ze je wel gebeld. Neem dat nou maar van mij aan. Of ze had mij wel gebeld. Dat heeft ze niet gedaan. Wacht nog even en maak je niet zo druk. Misschien is ze haar telefoon kwijt, of is hij uit haar tas gevallen, of de batterij is leeg.' Er konden allerlei redenen zijn waarom Gabby niets had laten horen, en ze waren allemaal even onschuldig, maar de echte reden was dat niet.

Op datzelfde moment liepen de politiemensen de woonkamer van Judy en Adam in. Judy's hart bonsde in haar keel. Ze ging zitten en de mannen vertelden haar zo omzichtig mogelijk dat Gabby door een dronken bestuurder was aangereden en dat ze het niet had overleefd. De bestuurder was een eerstejaarsstudent, bij zijn aanhouding had hij een alcoholpromillage van 1,9 gehad en hij was in voorlopige hechtenis genomen. Gabby was op slag dood geweest. Judy begon hysterisch te huilen toen ze het hoorde en Adam, die ook huilde, sloeg zijn armen om haar heen.

Michelle kwam uit haar kamer zodra ze haar moeder een kreet hoorde slaken, en zodra ze haar zag, wist ze het. 'Gabby!' riep Michelle uit. Judy knikte en Michelle sloeg haar armen om haar ouders heen alsof ze hen zo kon beschermen. Ze voelde een steek van schuldgevoel in haar hart voor elke keer dat ze jaloers was geweest op haar zus, en dat was vaak. Ze had het aan Brian bekend, aan haar moeder, haar praatgroep en zelfs aan Gabby zelf. Ze had het opgebiecht, maar misschien hadden haar lelijke gedachten haar zus gedood. Michelle was zestien, en net als Sean een paar maanden tevoren was ze plotseling enig kind.

De politie vertelde wie hun contactpersoon bij de politie van Los Angeles was. Het zou het eenvoudigst zijn als ze er zelf heen gingen om te regelen dat Gabby's lichaam naar San

Francisco werd teruggebracht. Ze moesten formulieren invullen, en de politiemensen zeiden tegen Judy en Adam dat ze het heel erg voor hen vonden, en ze leken het te menen. Een van hen zei dat hij een dochter had van dezelfde leeftijd en zich kon voorstellen hoe ze zich voelden, maar dat kon hij niet, wist Judy onmiddellijk. Het kon niet – zijn dochter leefde nog. En haar mooie, fantastische, dierbare Gabby was dood.

Ze wisten niet goed wat ze moesten doen. Judy belde Connie op om het haar te vertellen, want ze wist dat die het zou begrijpen, en toen dachten ze allebei aan Billy. Iemand moest het hem vertellen. Connie kon zich er niets bij voorstellen, maar ze zei dat ze Izzie zou bellen, dan kon die hem het nieuws persoonlijk brengen. Ze belde haar terwijl Judy en Adam een vlucht naar Los Angeles boekten voor de volgende dag. Het was te laat voor de laatste vlucht en ze waren niet in staat om te reizen. Michelle zei dat ze mee wilde.

Connie, die geen idee had wat ze tegen Izzie moest zeggen, vond het jammer dat ze Sean niet bij zich had. Izzie nam op zonder te kijken wie haar belde, want ze dacht dat het Billy weer was. Ze was verbaasd toen ze Connies stem hoorde.

'Ha, Connie,' zei Izzie, die blij klonk. Ze had net een salade gehaald om op haar kamer te eten. Ze wilde niet aankomen, zoals de meeste eerstejaars, en lette goed op wat ze at. 'Nog nieuws?'

'Ja, slecht nieuws,' zei Connie. Heel slecht nieuws. Ze had het aan Mike verteld, die met een innig bedroefd gezicht naast haar zat. Na Izzie zouden ze Sean bellen. Het leek ondenkbaar verschrikkelijk dat twee van zulke jonge mensen binnen zeven maanden waren gestorven, eerst Kevin en nu Gabby. En Gabby had niets gevaarlijkers gedaan dan een taxi aanhouden. De jongen die haar had aangereden had gedronken. Zijn leven was nu ook kapot. Hij had een prachtige jonge vrouw doodgereden. Connie kon zich indenken hoe zijn ouders zich zouden voelen als ze dat hoorden. Er waren meer dan twee levens verwoest die namiddag, niet alleen dat van Gabby, maar ook de levens van iedereen die van die twee hield, en in Gabby's geval waren dat veel mensen.

'Wat is er?' vroeg Izzie. Connies toon kwam haar bekend voor, maar ze wist niet meteen waarom. Haar toon had iets doods, alsof de wereld was vergaan. Wat voor hen ook zo was.

'Ik vind het naar dat ik het je telefonisch moet vertellen, maar het kan niet anders. Izzie... het spijt me... Het gaat om Gabby.'

'Wat is er met Gabby?' Izzie voelde dat haar hart begon te bonzen, en toen wist ze waar ze die toon van Connie van kende. *Kevins dood.* 'Wat is er?' Izzie had het gevoel dat ze schreeuwde, maar ze fluisterde.

'Ze is aangereden door een dronken automobilist. Hij... ze... Hij heeft haar gedood,' snikte Connie.

'O, mijn god, o, mijn god...' Izzie kon het niet bevatten, en ze kon alleen maar aan Billy denken. 'Billy... Weet hij het al?'

'Nog niet.'

'Hij overleeft het niet... Wie moet het hem vertellen? Hij heeft me net nog gebeld, en hij was ongerust. Gabby had hem sinds halfzes niet meer gebeld en ze was nog steeds niet thuis.'

'Ik denk dat het toen is gebeurd. Die auto kwam de hoek om en heeft haar geraakt. Ik weet niet precies waar ze was. Er zat een eerstejaarsstudent achter het stuur. Judy zei dat hij dronken was en dat hij wilde vluchten, maar door een omstander is gepakt.'

'Hoe moet het met Billy?' vroeg Izzie paniekerig.

'Iemand moet het hem vertellen, en niet over de telefoon. Denk je dat jij daartoe in staat bent?' Izzie was de enige daar die het kon doen, wisten ze allebei. En het zou het moeilijkste worden wat ze ooit had gedaan.

'Weet Sean het al?' Ze kon wel wat steun van hem gebruiken. Of van Andy. Al zouden zij er ook kapot van zijn.

'Nog niet. Jij bent de eerste aan wie ik het vertel.'

'Billy is bij Gabby thuis,' zei ze bijna in zichzelf. 'Ik ga erheen.'

'Het spijt me... maar ik vind dat hij het niet door de telefoon moet horen. Jij eigenlijk ook niet.' Toch wisten ze allebei dat het voor Izzie anders was. Na het telefoontje voelde ze zich verpletterd. Ze had haar beste vriendin verloren, die als een zus voor haar was geweest. Maar Billy was zijn eerste liefde kwijt, het meisje met wie hij wilde trouwen en zou trouwen, dat had hij altijd zeker geweten. Gabby had Izzie haar prachtige ring laten zien zodra ze hem had gekregen. Billy hield van haar alsof ze zijn vrouw al was – ze was zijn eerste en grote liefde.

Izzie, die zich gedesoriënteerd en verward voelde, ging met een taxi naar Gabby's flat. Ze nam niet eens de tijd om haar haar te kammen of zich op te frissen. Ze kon alleen maar aan Gabby denken. Toen ze aanbelde verwachtte ze dat Gabby zou opendoen en zou zeggen dat het maar een grapje was, maar Billy deed open, met een bierblikje in zijn hand, en zodra hij Izzie zag werd hij nerveus.

'Wat is er gebeurd?'

Ze had geen woorden om het hem te vertellen, dus vloog ze in zijn armen en hield hem vast. Hij omhelsde haar en begon te huilen, en het gemorste bier vormde een plasje aan hun voeten.

'O nee...' zei hij. 'O, nee toch... O nee...' Meer kon hij niet uitbrengen. Ze huilden allebei en wiegden heen en weer. Zodra Billy Izzies gezicht zag, wist hij het. Uiteindelijk vroeg hij haar wat er was gebeurd. Ze stonden nog steeds in de deuropening, en Izzie sloot de deur behoedzaam achter hen en loodste Billy naar de bank. Ze moesten allebei zitten. Ze had het gevoel dat ze flauwviel.

'Ze is aangereden door een dronken student van jouw universiteit.' Er trok een golf van woede over Billy's gezicht, en toen barstte hij opnieuw in snikken uit. Ze omhelsden elkaar weer. Een tijdje later werd Izzie door Sean gebeld.

'O, mijn god...' Hij was ook in tranen, maar hij dacht vooral aan Billy. 'Hoe is het met hem?'

'Niet goed. Ik ben nu bij hem, bij Gabby thuis.' Toen Izzie Gabby's naam uitsprak, schoot er een brok in haar keel en kon ze even niets meer zeggen.

'Ik neem vanavond het vliegtuig naar huis,' zei Sean.

'Goed.' Ze wist niet wat ze tegen Sean kon zeggen. Het voelde alsof ze allemaal samen in een afgrond waren gevallen. Ze was blij dat Sean naar huis kwam. 'Heb je Andy al gebeld?'

'Ik wilde jou eerst spreken. Ik ga hem nu bellen. Red jij je wel?'

'Nee.' *Natuurlijk niet.* Ze deed haar ogen dicht en klampte zich vast aan Billy, zowel voor hem als voor zichzelf.

'Hou vol. We komen het wel te boven. We hebben elkaar nog.' Maar Gabby hadden ze niet meer, en ze zouden haar ook nooit meer hebben. 'Ik zie je morgen.'

'Ik wil naar huis,' zei Billy zodra ze had opgehangen. Hij huilde als een kind.

'Gabby's ouders komen morgen hierheen. Misschien kunnen we daar beter op wachten.' Billy dacht even na en knikte toen.

'Blijf je bij me?' vroeg hij aan Izzie.

'Natuurlijk. Ik beloof het.' Ze had hoe dan ook niet weg kunnen gaan. Ze had hem net zo hard nodig als hij haar. Billy's moeder belde. Ze maakte zich heel ongerust om hem, maar hij wilde haar niet spreken, dus nam Izzie het gesprek over en vertelde dat ze bij Billy was. Marilyn was net zo van streek als Connie. Het was voor iedereen een groot verlies.

Billy sliep die nacht in Gabby's bed, het bed dat hij met

haar had gedeeld, en hij rook haar geur aan de kussens. Hij maakte de kasten open en snoof het vertrouwde parfum van haar kleren op. Hij pakte wat kleren, jankend als een dier, en viel in slaap met haar nachtpon om zich heen gewikkeld. Izzie sliep op de bank.

Toen Izzie en Billy Gabby's ouders de volgende dag op het politiebureau troffen, hadden ze nog dezelfde kleren aan als de vorige dag. Judy was ontroostbaar, Adam huilde en Michelle leek in shock te zijn. Dat waren ze allemaal. De politie vertelde dat de dronken bestuurder nog in de cel zat.

'Ik hoop dat hij er wegrot,' zei Adam.

Ze vulden formulieren in voor het overbrengen van Gabby naar San Francisco. Ze hadden al geregeld dat een uitvaartcentrum daar haar naar huis zou brengen. Daarna gingen ze samen naar het vliegveld. Izzie en Billy hadden niets bij zich. Ze wilden alleen maar naar huis, en ze namen met zijn vijven een middagvlucht. Judy en Adam hadden gezorgd dat ze werden opgehaald, en ze zetten de jongelui eerst bij Billy thuis af, waar ze door Marilyn en Jack werden opgewacht. Brian was op school. Marilyn had Atwood ook op de hoogte gesteld. Ze dacht dat de school het zou willen weten, want Gabby had net zeven maanden tevoren haar diploma gehaald.

Billy stortte zich als een kind in de armen van zijn moeder en snikte het uit. Jack klopte hem zacht op zijn rug en toen brachten ze hem naar de woonkamer. Hij zag eruit als een kleuter die zichzelf boven het hoofd was gegroeid, niet als de beroemde quarterback die hij was geworden.

'Wat moet ik zonder haar beginnen?' zei hij tegen zijn moeder. Hij hield al sinds zijn vijfde van Gabby, zijn hele leven. Izzie kon zich ook geen leven zonder haar voorstellen. Het was voor iedereen een ondraaglijk verlies. Ze praatten een tijdje, en uiteindelijk bracht Marilyn Billy naar zijn kamer en stopte hem in, en toen keek ze naar Izzie en omhelsde haar.

'Dank je wel dat je er voor hem bent.'

'Ik hou van hem,' zei Izzie simpelweg. Jack bood aan haar naar huis te brengen. Izzie zag er verschrikkelijk uit en hij kon wel zien hoe ze zich voelde. Ze beloofde later terug te komen. Jack bracht haar naar huis, waar Jennifer op haar wachtte. Ze was er al uren, want ze wist dat Izzie naar huis zou komen, en ze nam haar zonder iets te zeggen in haar armen. Izzie huilde en huilde. Ze voelde zich alsof ze stierf aan een gebroken hart.

'Ik vind het zo erg voor je... zo erg...' zei Jennifer telkens. Toen vertelde ze Izzie dat haar vader met een cliënt naar de rechtbank moest, anders was hij er zeker geweest. Izzie was blij dat er tenminste iemand thuis was. Ze had zich nog nooit zo eenzaam gevoeld als nu, zonder haar beste vriendin.

Jennifer liet het bad voor haar vollopen en ging bij haar zitten. Izzie vertelde over Gabby, hoeveel ze van haar hield, wat ze allemaal hadden gedaan toen ze nog klein waren, de streken die ze hadden uitgehaald op school. Toen stopte Jennifer haar in bed, maar ze kon niet slapen. Ze stond weer op en ging naar de keuken, en Jennifer en zij aten wat. Toen bracht Jennifer haar terug naar Billy. Izzie was nog niet bij Seans ouders geweest, wat ze wel van plan was, maar ze wilde eerst zien hoe het met Billy was. Toen ze bij Billy aankwam, was Sean er al. Hij trok haar in zijn armen en hield haar stevig vast.

'Het komt wel goed, Iz... Het komt wel goed...' zei hij zacht. Ze maakte zich van hem los, keek hem aan en schudde haar hoofd.

'Nee, het komt nooit meer goed.' Dat wist hij ook wel, maar ze moesten er het beste van maken. Billy sliep al, en Sean en zij gingen nog even naar Gabby's ouders en toen naar Seans huis. Op zijn kamer gingen ze naast elkaar op zijn bed liggen. Sean vertelde dat Andy een dag zou overkomen voor de uitvaart, maar niet langer kon blijven vanwege zijn tentamens. Hij kwam in elk geval.

'Ik maak me zorgen om Billy,' zei Izzie zacht.

'Ik maak me zorgen om ons allemaal. Ik geloof dat onze generatie gedoemd is. Je leest overal over mensen van onze leeftijd die worden doodgeschoten, verongelukken, zelfmoord plegen of doordraaien en zelf vijftig mensen doodschieten. Wat mankeert ons toch? Waarom gebeuren al die rotdingen?'

'Ik weet het niet,' zei Izzie triest. Ze had er nooit eerder bij stilgestaan, maar Sean had gelijk. Hun generatie werd van alle kanten bedreigd, en de inzet was hoog.

15

De uitvaartdienst was schitterend, met overal grote witte bloemen. Het leek bijna een bruiloft en het was een tikje overdadig, maar dat leek op de een of andere manier precies goed voor Gabby. Het koor van Atwood zong het Ave Maria en 'Amazing Grace'. Izzie zat tussen Sean en Andy in en haar vader en Jennifer zaten in de rij achter hen. Billy zat bij Gabby's ouders en Michelle en huilde als een kind. Ze moesten hem bijna overeind houden toen de kist de kerk uit werd gedragen. Toen Billy met Michelle de kerk uit liep, kwam Jack naast hem lopen. Iedereen wist dat dit een keerpunt was in Billy's leven, en niet in gunstige zin.

Na afloop gingen ze allemaal naar Gabby's ouders, met honderden andere mensen. Iedereen die van Gabby had gehouden was er, en Billy was een uur nadat hij was aangekomen al zichtbaar dronken. Iedereen maakte zich ongerust, maar Marilyn wilde het later met hem bespreken. Marilyn en Jack brachten hem thuis en stopten hem in bed. Het was hem allemaal te veel geworden. Hij had het er de hele dag over gehad dat hij van de universiteit af wilde en dat football hem niet meer interesseerde. Jack had zijn trainer gebeld en de situatie uiteengezet. Billy kreeg verlof wegens familieomstandigheden en hoefde pas terug te komen wanneer hij eraan toe was. Het zag ernaar uit dat dat nog lang kon gaan duren, maar het was nog te vroeg om er iets over te zeggen.

Izzie en Sean gingen met Andy in de tuin van Gabby's ouders zitten. Het was fris, maar ze wilden de drukte ontvluchten. Andy zou die avond terug naar Boston vliegen.

'Ik kan het gewoon niet geloven,' zei hij aangeslagen. 'Eerst jouw broer,' zei hij tegen Sean, 'en nu Gabby.' Ze wisten allemaal dat Gabby in tegenstelling tot Kevin geen riskant gedrag had vertoond – ze had alleen maar een taxi willen aanhouden.

'Hoe moet het nu verder?' zei Izzie somber.

'We gaan verder met onze studie, met ons leven, we gaan ons best doen om een leven te leiden waar ze trots op zouden zijn,' zei Sean. Het klonk idealistisch, maar hij geloofde erin.

'Hoe moet het met ons?' vroeg Izzie fluisterend. 'Waar kunnen we nog in geloven?'

'In onszelf en in elkaar. De dingen waar we altijd in hebben geloofd.' Izzie knikte, maar ze was er niet meer zo zeker van. Het was een zware slag voor hen allemaal. Het was moeilijk om de draad na zoiets weer op te pakken.

'Wanneer ga je terug?' vroeg Izzie met een bezorgde blik aan Sean.

'Over een paar dagen. Ik wil nog even bij Billy blijven. Ik denk dat hij voorlopig niet teruggaat naar Los Angeles.'

'Tijdens de vlucht hierheen zei hij dat hij zijn studie en het football eraan wilde geven, dat het hem allemaal niets meer zegt zonder haar,' vertelde Izzie.

'Gun hem wat tijd,' zei Sean zacht. 'Ik denk niet dat hij er ooit helemaal overheen zal komen, maar hij zal er wel mee leren leven. Zoals mijn ouders de dood van Kevin hebben aanvaard. Hij kan het niet op zijn negentiende al opgeven.' Ze wisten dat hij dat nu wilde. 'We moeten gewoon zorgen dat hij niet doordraait.' En daar was hij toe in staat, wisten ze. Zijn reactie op de uitvaart was dat hij zich meteen erna had bezat, net als na de bruiloft van zijn moeder. Het was een makkelijke uitweg, en eentje die hij al jong van zijn vader had afgekeken. Sean wilde tegen Billy zeggen dat het geen optie was. Hij zou er waarschijnlijk opnieuw aan herinnerd moeten worden door iedereen die van hem hield. Het zou een tijdje een aantrekkelijke manier blijven om het verdriet te verdoven, maar vroeg of laat zou hij het leven weer nuchter onder ogen moeten zien, als hij een leven wilde hebben.

Izzie en Sean bleven de rest van de week en brachten veel tijd door met Billy, Michelle en Gabby's ouders. Brian zocht Michelle op wanneer hij maar kon. Izzie en Sean probeerden iedereen en ten slotte ook elkaar te troosten. Izzie besefte telkens met een schok dat ze Gabby nooit meer zou zien. Ze kon zich geen leven zonder haar voorstellen. Het was een beangstigende gedachte, en uiteindelijk viel ze in Seans armen en huilde.

'Ging je maar niet weg,' zei ze zacht.

'Ik moet, maar ik kom snel terug. Je zou me een keer in het weekend in Washington kunnen opzoeken. Je zou het er vast leuk vinden. Het is er niet slecht.' Maar ze hadden het allemaal druk met hun studie en andere verplichtingen. Izzie wist dat ze de komende maanden goed op Billy zou moeten passen als hij terugging naar Los Angeles, maar ze was ertoe bereid. En Sean zei dat hij hem zou opzoeken.

Billy bleef nog een maand thuis. Toen hij terugkwam had Izzie het druk met haar studie, maar ze belde hem een paar keer per dag op en at vaak met hem in de kantine bij haar op de campus of die bij hem. Ze ging met hem wandelen, dwong hem zijn huiswerk te maken en hielp hem erbij, en stopte hem in bed wanneer hij te veel had gedronken. Ze konden alleen maar hopen dat hij zijn weg weer zou vinden en in juni, aan het eind van het studiejaar, voelde hij zich iets beter en ging naar huis. Izzie had hem erdoorheen gesleept, en hij was zich er sterk van bewust dat hij het zonder haar niet had gered. Hij zei tegen Sean dat ze een engel was, en Sean vertelde het door aan Izzie.

'Niet echt, maar het is wel aardig van hem.'

'Ik weet natuurlijk wel beter, maar ik wil zijn illusies niet verstoren. Je bent beslist geen Moeder Teresa. Ik herinner me die fles wijn nog die je van mijn ouders had gejat in Tahoe.'

'Ik heb die fles terugbetaald!' zei ze genegeerd. Sean wist tenminste niet dat ze die nacht met Andy naar bed was geweest. Ze hadden het er nooit meer over, en Izzie had een paar maanden eerder van Andy gehoord dat hij een meisje had leren kennen dat hij heel leuk vond, een medestudente medicijnen.

Ze hadden geen van allen grootste plannen voor de zomer. Sean ging weer bij zijn vader werken en Izzie was van plan een zomercursus te volgen aan de universiteit. Ze zouden ook allemaal de rechtszaak bijwonen van de dronken student die Gabby had doodgereden. Daarvoor gingen ze naar Los Angeles, en Judy had MADD, Mothers Against Drunk Driving, ingeschakeld om te zorgen dat de 'moordenaar', zoals ze hem noemde, een zo lang mogelijke gevangenisstraf zou krijgen. Hij had al schuld bekend en zijn advocaat had het op een akkoordje gegooid met de aanklager. Hij zou niet meer dan een jaar gevangenisstraf en vijf jaar voorwaardelijk krijgen. Gabby's ouders vonden het een schande en hadden de rechter een stroom brieven gestuurd. Er zouden vertegenwoordigers van MADD bij de uitspraak aanwezig zijn.

Izzie, Sean, Billy en Andy vlogen samen naar Los Angeles, en alle ouders van de vriendengroep kwamen ook. Deze keer kwam zelfs Robert Weston, de vader van Andy. Ze logeerden in het Sunset Marquis in West Hollywood en op de dag van de uitspraak waren ze allemaal stipt op tijd bij de rechtbank. Ze zaten stilletjes in de rechtszaal op de rechter te wachten en gingen staan toen hij binnenkwam. Even later kwam de beklaagde binnen met zijn advocaat en zijn ouders, en Izzie kon haar ogen niet van hem afhouden. Hij was achttien, maar zag eruit als een jochie van veertien. Hij zag er niet uit als een moordenaar, maar als een kind. Zijn moeder, die achter hem zat, snikte ingehouden en zijn vader hield haar hand vast. Terwijl ze ernaar keek, besefte Izzie weer eens hoeveel levens er waren verwoest door wat hij had gedaan, te beginnen met zijn eigen leven en dan dat van Gabby, al haar vrienden en hun ouders. Het was een tragisch schouwspel.

De aanklager las de aanklachten voor, gevolgd door de voorwaarden en duur van de overeengekomen straf. James Stuart Edmondson had zich schuldig verklaard aan doodslag en strafbare onvoorzichtigheid en tegen de reclassering en de aanklager gezegd dat het hem heel erg speet. De aanklager stelde voor dat hij in plaats van naar de gevangenis een jaar naar een afkickkliniek gestuurd kon worden, maar de rechter zei dat daar geen sprake van kon zijn. Beklaagde had de dood van een jonge vrouw van achttien op zijn geweten. De rechter trok een streng gezicht en vroeg de aanklager en de advocaat naar voren te komen. Ze beraadslaagden even en toen knikte de rechter. Vervolgens vroeg hij of de ouders van het slachtoffer nog iets wilden zeggen.

Gabby's vader, die een donker pak droeg en somber keek, liep met zijn advocaat naar voren. Judy huilde openlijk, evenals Michelle, en Billy leek zo radeloos van verdriet te zijn dat Sean en Izzie bang waren dat hij zou flauwvallen of iemand zou aanvliegen.

Adam Thomas hield een bevlogen toespraak over zijn dochter, hoe mooi, geliefd en succesvol ze was geweest en wat voor toekomst ze voor zich had gehad. Hij liet een foto van haar zien die Izzies hart bijna brak. En hij vertelde ook over haar relatie met Billy en het feit dat ze hadden willen trouwen en kinderen krijgen. Hij noemde alles op wat nooit meer zou gebeuren doordat James Edmondson, die zelf net een kind leek, dronken was geworden en zijn dochter had gedood. Zijn advocaat beweerde dat hij sinds het ongeluk geen druppel meer had gedronken en dat zijn laakbare studentengedrag op een tragedie was uitgelopen toen hij dronken achter het stuur was gekropen.

Tegen de tijd dat Adam Thomas was uitgepraat, had iedereen tranen in zijn ogen. Billy zat openlijk te snikken op de voorste rij. De rechter leek te weten wie hij was. Hij was de nieuwe quarterback van de Trojans, een ster, en je kon hem niet over het hoofd zien in zijn donkerblauwe pak, witte overhemd en stropdas.

Toen vroeg een vertegenwoordigster van MADD het woord, maar dat weigerde de rechter. Hij wilde niet dat zijn rechtszaal werd misbruikt voor een mediacircus. Hij was zich ook wel bewust van de ernst van de kwestie zonder dat MADD een toespraak hield. Hij vroeg de beklaagde naar voren te komen en Jimmy Edmondson zei met beverige stem tegen de rechter dat hij heel veel spijt had, en hij leek het te menen. Het was voor beide partijen een tragedie. De jongen zag eruit alsof hij het nog geen vijf minuten zou volhouden in de gevangenis, laat staan een jaar, en zijn moeder leek net zo erg van streek te zijn als Judy.

De rechter legde nog eens heel ernstig uit dat er een jonge vrouw was omgekomen, dat haar leven voortijdig was afgebroken, en dat de heer Edmondson het volle pond zou moeten betalen voor zijn daad. Hij kon niet ontsnappen aan de gevolgen van wat hij had gedaan, zei de rechter op gedragen toon. Toen ging hij tot ieders verbazing voorbij aan het akkoord met de aanklager en veroordeelde de eerstejaarsstudent tot vijf jaar gevangenisstraf en twee jaar proeftijd. In die twee jaar mocht hij geen druppel alcohol drinken. Daarna zou hij zijn rijbewijs terugkrijgen – tot die tijd mocht hij niet rijden. De rechter vroeg Jimmy of hij het vonnis en de voorwaarden begreep, en de jongen knikte. De tranen biggelden hem over de wangen. Hij had op een veel lagere straf gehoopt. Zijn advocaat legde hem uit dat hij ongeveer drie tot drieënhalf jaar van de vijf zou moeten uitzitten. Het was lang, en het was niet moeilijk te zien hoe slecht hij was toegerust op de wereld die hij ging betreden, een gevangenis vol verkrachters, moordenaars en andere misdadigers. Maar hij werd ook tot de moordenaars gerekend, zij het in mindere mate. Gabby was zijn slachtoffer en ze was dood.

De rechter hamerde de zitting af en iedereen ging weer staan. Er kwamen een gerechtsdienaar en een hulpsheriff om de beklaagde in de boeien te slaan en weg te leiden. Zijn moeder snikte hysterisch en haar man sloeg zijn arm om haar schouders en nam haar mee de zaal uit. Ze keek niet eens naar Gabby's ouders, ze kon het niet. Haar eigen verlies was zo groot dat ze niet aan dat van hen kon denken, alleen maar aan wat er met haar zoon ging gebeuren, en wat er net was gebeurd.

Niemand zei iets op weg naar buiten. Zelfs Billy was stil. De uitspraak zou Gabby niet terugbrengen, maar de jongen die haar dood op zijn geweten had was gestraft. Het had een bittere bijsmaak voor Izzie. Toen ze in de junizon voor de rechtbank stonden, keek ze naar haar vrienden, die net zo ontzet waren als zij. Kevins dood was verschrikkelijk geweest. En nu was er weer iets verschrikkelijks gebeurd. James Edmondson ging naar de gevangenis. Zo werkte het rechtssysteem. Ze stapten in de auto's waarmee ze waren gekomen en die middag vlogen ze terug naar San Francisco. Voor hen zat de justitiële nachtmerrie erop. De nachtmerrie van de jongen die schuldig was aan Gabby's dood was nog maar net begonnen.

16

De rest van de zomer verliep rustig voor iedereen. Het was een tijd van herstel en bezinning. Sean, Andy en Izzie praatten veel over Gabby, en hoe vreemd en leeg hun leven was zonder haar. Billy was zwaar depressief, en zijn moeder dwong hem er met een therapeut over te praten, wat heel verstandig van haar was. Ze maakte zich veel zorgen om hem. Ze waren allemaal bezorgd om hem. Hij dronk te veel en Sean las hem continu de les over zijn drankmisbruik. Tegen de tijd dat Billy terug moest naar de universiteit om te trainen, leek hij weer een beetje de oude te zijn. Hij zou er misschien nooit helemaal overheen komen, maar het football was altijd net zo'n deel van zijn leven geweest als Gabby, en iedereen hoopte dat dat uiteindelijk zijn redding zou worden.

De anderen moesten ook een manier vinden om door te gaan met hun leven. Judy was nog kapot van Gabby's dood, maar de tragedie leek haar wel nader tot Michelle te brengen. Ze ging met haar naar New York om samen tijd door te brengen en wat afwisseling te hebben. Toen ze terugkwamen leek Judy iets opgeknapt.

Andy bracht zo veel mogelijk tijd met Billy door, hoewel

hij weer een saai vakantiebaantje had, en Sean en hij aten vaak samen en praatten uren over wat er was gebeurd en wat het voor hen betekende.

De moeders van de vriendengroep zagen elkaar ook vaak. Marilyn maakte zich zorgen om Billy, maar ze had het ook continu druk met de tweeling. De meisjes renden alle kanten op en dreven haar op een leuke manier tot waanzin. Wat er verder ook gebeurde, de tweeling was het lichtpuntje in haar leven, en een bron van onmetelijke vreugde. Hun onbevangenheid leek een baken van hoop in het duister. Jennifer en Izzie sloten vriendschap en kregen een hechtere band. Izzie miste Gabby nog ontzettend.

Izzie ging met de O'Hara's mee naar Tahoe, waar ze probeerde niet te denken aan de nacht met Andy in het dienstmeidenkamertje. Sean en zij praatten eindeloos over alles wat hen bezighield. Sean had het er weer vaak over dat hij na zijn studie bij de FBI wilde gaan werken. Het klonk nu meer als een doel dan als een droom.

Ze zwommen in het meer, tennisten, maakten trektochten en visten. Seans vader ging met hen waterskiën. Ze deden gewone dingen en probeerden alle narigheid uit hun hoofd te zetten.

Toen Izzie in september terugging naar Los Angeles, kon ze het leven weer aan, en Sean verheugde zich op zijn terugkeer naar Washington. Billy was begin augustus al weggegaan om te trainen, en Andy was klaar voor zijn tweede jaar als student medicijnen. Ze gingen allemaal de goede kant op. Ze vergaten Gabby niet – ze was een herinnering die ze altijd bij zich zouden dragen, een herinnering aan veertien jaar vriendschap en de jeugd die ze hadden gedeeld. Ze zou altijd een belangrijk deel van hen blijven.

Het tweede jaar was moeilijk voor Izzie zonder Gabby. Ze had het heerlijk gevonden haar beste vriendin zo dicht bij zich te hebben, maar die was er niet meer. Izzie had een kamergenote gekregen die ze aardiger vond dan de eerste, maar niemand kon Gabby vervangen. Ze was als een zus voor Izzie geweest, haar hartsvriendin. Billy kreeg het ook zwaar in zijn tweede jaar. Soms kon het verlies van Gabby nog zo pijnlijk zijn dat het hem de adem benam. Hij vond het ook moeilijk om zijn studie bij te houden. Izzie hielp hem zoveel ze kon, maar het enige wat hem nog interesseerde, was in de NFL spelen. Hij was het studeren beu.

Hij bracht al zijn vrije tijd door in de sportschool en aan zijn trainingen. Hij had Seans advies, en dat van zijn studieadviseur, opgevolgd en was gestopt met drinken. Hij was dan ook in topvorm toen hij zijn eerste wedstrijd van dat jaar speelde. Hij won achter elkaar door en speelde een opmerkelijk seizoen. Zijn moeder en Jack kwamen vaak naar zijn wedstrijden kijken en Larry kwam ook zo vaak mogelijk. Tegen het eind van het footballseizoen en na weer een bekerwedstrijd waarin hij had geschitterd wist Billy wat hij wilde. Hij was er nu zeker van. Hij moest alleen nog één studiejaar zien door te komen.

Op 2 januari ging hij naar zijn studieadviseur en vertelde hem over zijn plannen, en zijn studieadviseur was het ermee eens. Hij zei wel tegen Billy dat hij pas op zijn eenentwintigste in de NFL mocht spelen, wat Billy al wist. Die toekomst was wat hem nu op de been hield. Hij had een tweede bekerwedstrijd gewonnen en hij was er klaar voor, maar toch moest hij wachten. Zijn studie interesseerde hem niet meer. De wereld had hem te veel te bieden. Met Gabby was hij misschien gebleven, maar zonder haar wilde hij doorgaan met zijn leven en zo snel mogelijk proffootballer worden.

Hij had niet naar andere meisjes omgekeken sinds Gabby's dood. Ze was nu iets langer dan een jaar weg en hij miste haar nog elk uur van de dag. Zonder haar leven was als leven met aanhoudende pijn.

Soms vond Izzie het jammer dat haar eigen toekomstplannen niet zo makkelijk en duidelijk waren als die van Billy. Ze voelde een diepe behoefte om anderen te helpen, maar wist nog steeds niet goed hoe ze die vorm moest geven. In haar derde jaar wisselde ze van hoofdvak naar Engels. Ze besprak het met Sean, die zich steeds meer vastbeet in zijn plan bij de FBI te gaan werken. De dood van zijn broer had zijn doelen scherper omlijnd. Izzie was opgeschud door Gabby's dood en had het gevoel dat ze nog steeds de weg kwijt was.

Ze probeerde het haar moeder uit te leggen tijdens een van haar zeldzame bezoekjes aan Los Angeles. Izzie en Katherine gedroegen zich niet als moeder en dochter en hadden dat ook nooit gedaan. Ze waren nu meer oude vriendinnen. Ze hadden geen hechte band, maar gingen goed met elkaar om. Izzie verwachtte al jaren niets meer van haar moeder.

'Ik begrijp nog steeds niet waarom je geen rechten wilt studeren,' zei Katherine tijdens de lunch tegen Izzie. Ze was nog altijd een knappe vrouw, al was ze inmiddels vierenvijftig. Ze zag er jonger uit en Izzie vermoedde dat ze bij de plastisch chirurg was geweest, maar ze zag er heel goed uit. Ze was naar Londen verhuisd en woonde nu samen met de man met wie ze al zes jaar een relatie had. Hij heette Charles Sparks, was ouder dan Katherine en puissant rijk en succesvol. Izzie had hem wel eens ontmoet, maar kende hem verder niet. Haar moeder leek gelukkig, en misschien was dat genoeg. Izzie hoefde niet ook van hem te houden. Hij was net zo'n vreemde voor haar als haar moeder. Soms had Izzie het gevoel dat ze een vreemde voor zichzelf was. Ze wist nog steeds niet wat ze wilde worden als ze groot was. Soms was het al moeilijk genoeg om gewoon te leven, maar ze wilde iets nuttigs doen, niet zomaar een baantje hebben.

'Ik wil geen advocaat worden, mam. Dat lijkt me de beste

reden. En ik heb jouw zakelijke instinct niet.' Dat sloot een studie bedrijfskunde uit. Izzie had eraan gedacht, maar het was niets voor haar. Ze kon goed organiseren, maar wist niet hoe ze die vaardigheid kon gebruiken.

'Word niet zo'n dromer als je vader,' zei Katherine met een afkeurende blik in haar ogen. Ze was nooit onder de indruk geweest van Jeffs werk voor de burgerrechtenbeweging. 'Hij komt altijd op voor de armen, en daar verdien je geen geld mee.' Jennifer had dezelfde idealen als Jeff, als maatschappelijk werkster, en ook zijn enorme toewijding. Haar moeder mocht er dan op neerkijken, Izzie had er respect voor. Ze woonden inmiddels meer dan een jaar samen en het leek goed te gaan. Het huwelijk van haar ouders was nooit goed geweest – ze verschilden gewoon te veel van elkaar, en de verschillen waren alleen maar groter geworden.

'Misschien ga ik een paar jaar lesgeven. Of ik ga naar India om met arme mensen te werken.' Izzie keek haar moeder verontschuldigend aan. Het voelde alsof ze roulette speelde met haar leven. Andy wist wat hij wilde gaan doen. Sean was gefascineerd door de FBI en Billy had zijn footballcarrière, maar Izzie wist nog steeds niet wat ze wilde. Toen ze nog klein was, had ze alleen maar een goede echtgenote en moeder willen worden, misschien omdat haar eigen moeder dat niet was. Intussen had ze ontdekt dat dat geen carrière was, maar een kwestie van geluk. Connie en Marilyn waren fantastische moeders, maar ze hadden allebei gewerkt voordat ze een gezin kregen. Het moederschap was meer een roeping dan een vak. En Izzie was pas twintig, nog veel te jong om al een gezin te stichten. Ze had ook nog niemand ontmoet met wie ze dat zou willen. Ze ging wel eens met iemand uit, maar na één afspraakje had ze het wel gezien. Zij had de ware liefde nog niet gevonden, zoals Billy en Gabby, en ze was er niet naar op zoek. Voorlopig wilde ze alleen maar een opleiding volgen en plezier hebben en na haar afstuderen een baan vinden die bij haar paste.

'Je komt er wel uit,' zei haar moeder toen ze na de lunch afscheid van Izzie nam. Ze ging die avond terug naar Londen en Izzie had geen idee wanneer ze haar weer zou zien. Zo ging het al jaren. Haar vader en Jennifer waren de constanten in haar leven, en haar vrienden.

In haar derde jaar bleek dat ze er goed aan had gedaan Engels als hoofdvak te kiezen. Ze genoot ervan, en ze volgde ook colleges filosofie en deed een bijvak Franse literatuur. Ze had het naar haar zin en Connie spoorde haar aan na te denken over een baan in het onderwijs. Ze had zelf met plezier lesgegeven tot ze met Mike trouwde.

In januari van zijn derde jaar meldde Billy zich aan bij de NFL. Hij wist nu zeker dat hij niet meer wilde studeren, dus zijn professionele footballcarrière kon officieel beginnen. Zijn aanmelding werd geaccepteerd en in april werd hij aangenomen door het team van Detroit. Hij zei dat het de gelukkigste dag van zijn leven was.

Het was spannend voor hem, al speelde hij niet in het sterkste team van de competitie. Het was het beste wat hem was overkomen sinds Gabby's dood en het was een mijlpaal in zijn leven. Hij had een agent en een zakelijk manager genomen en kort daarna begon hij ook weer naar vrouwen te kijken. Gabby was inmiddels twee jaar dood. Hij ging vooral uit met modellen en jonge actrices, opzichtige meisjes van zijn eigen leeftijd of jonger. Ze konden niet aan Gabby tippen, maar ze leidden hem af en in de pers verschenen foto's van hem bij verschillende gelegenheden met steeds een andere knappe meid aan zijn arm. Het zat zijn moeder niet lekker, maar voor hem was het goed, beter dan eeuwig om Gabby te blijven treuren.

Aan het eind van Izzies derde jaar besloten haar vader en

Jennifer te gaan trouwen. Ze wilden geen kinderen meer krijgen samen, maar wel een kind adopteren, dus er waren grote veranderingen op til. Izzie vond het niet erg. Ze was op Jennifer gesteld en vond dat ze goed voor haar vader was, al vroeg ze zich af of een kind adopteren wel een verstandig idee was voor iemand van haar vaders leeftijd. Het sloot wel aan bij hun gezamenlijke ideaal het lot van minder gefortuneerden dan zijzelf te verbeteren, en ze verheugden zich erop.

Toen Izzie eenentwintig werd, gaf haar moeder haar een Eurail Pass, en die zomer ging ze met haar rugzak op reis. Ze trof Sean en Andy in Kopenhagen en trok met hen mee door Noorwegen en Zweden en vervolgens naar Berlijn. Daarna ging ze in haar eentje naar Parijs en toen naar Londen, waar ze een paar dagen bij haar moeder en Charles logeerde. Ze had het leuk, en daarna ging ze naar huis. Ze was de hele zomer weg geweest en ze had zin om aan haar laatste studiejaar te beginnen.

Ze lunchte met Andy voordat hij terugging naar Boston. Hij had nu een serieuze relatie en popelde om na zijn afstuderen aan zijn coschappen te beginnen. Die hoopte hij ook aan Harvard te lopen. Hij ging elke dag meer op een echte dokter lijken, en zo gedroeg hij zich ook. Hij leek heel volwassen en rijp, en hij zei dat hij orthopedisch chirurg wilde worden. Hij vroeg Izzie wat ze na haar afstuderen wilde gaan doen. Ze hadden het er in Europa al over gehad, maar dat was een vaag gesprek geweest.

'Ik denk dat ik een tijdje les ga geven. Of misschien sluit ik me aan bij het Peace Corps. Ik moet het dit jaar beslissen,' zei ze met een quasizielige glimlach. Haar moeder had haar uitgenodigd een jaar naar Londen te komen, wat spannend klonk, maar Izzie wilde nog steeds iets nuttigs doen, al wist ze nog niet wat. 'Ik voel me ongeveer zo volwassen als op de eerste schooldag, toen ik jullie allemaal plastic eten gaf. Jij vroeg om een broodje kalkoen met mayo,' friste ze zijn geheugen op, en ze lachten er samen om. Hij had er zo netjes en ernstig uitgezien in zijn overhemd en kakibroek. En hij had toen al geweten dat hij dokter wilde worden. Ze waren geen van allen veel veranderd. Billy bleef bezeten van football en als Gabby was blijven leven, was ze actrice geworden – Izzie voelde altijd een steek door haar hart wanneer ze eraan dacht. Sean wilde nog steeds 'boeven vangen'. Hij sprak nu vloeiend Spaans en zou afstuderen in buitenlandse betrekkingen, wat hem goed van pas zou komen bij de FBI.

'Misschien moet je overwegen een restaurant met plastic eten te openen,' zei Andy plagerig. Toen hij dat zei, kreeg Izzie een ingeving. Het was een lichte afwijking van het pad dat ze voor zich had gezien, maar opeens voelde het heel goed.

'Het zou beter zijn dan mijn echte kookkunst,' zei ze peinzend. 'Ik vond vooral mijn plastic donuts heel schattig.'

'Dat was je zelf ook,' zei Andy met een vertederde uitdrukking op zijn gezicht, en hij woelde door haar haar. Ze hadden het nooit over de nacht dat ze hun maagdelijkheid aan elkaar waren kwijtgeraakt, maar ze dachten er allebei nog wel eens aan en wisten dat ze het nooit zouden vergeten. Ze was blij dat hij iemand had gevonden van wie hij echt hield. Ze heette Nancy en hij had haar in het lab leren kennen. Hij zei dat hij gek op haar was, en ze hadden hetzelfde leven, dezelfde ambities en dezelfde interesses. Wie kon het zeggen? Misschien bleven ze wel bij elkaar. Sinds Gabby's dood vond Izzie het moeilijk om nog ergens op te vertrouwen, laat staan op de toekomst. Ze twijfelde zelfs aan zichzelf. Hoe kon je na zoiets nog vertrouwen hebben?

Izzie wist ook niet wat ze wilde als het om mannen ging. Aan het begin van het jaar had ze drie maanden een relatie gehad, maar toen had ze er genoeg van. Ze voelde zich stuurloos, zo zonder liefde of duidelijke carrièreplannen.

Sean en zij praatten ook over de toekomst toen ze de avond voordat hij terugging naar Washington samen uit eten gingen. Het leven na de studie was nu ieders grote zorg.

'Je komt er wel uit,' zei hij vol overtuiging.

'Dat zegt mijn moeder ook,' verzuchtte Izzie. Ze begon een duidelijker toekomstbeeld te krijgen, maar ze wilde hem er pas over vertellen als ze zeker was van haar zaak. 'En jij? Buitenlandse Zaken? Justitie? Of nog steeds de FBI?' Veel studenten van George Washington kregen een overheidsfunctie en ze kon zich voorstellen dat Sean iets in het buitenland ging doen, aangezien hij vloeiend Spaans sprak.

'Zoiets,' zei hij vaag. Izzie keek hem aan. Ze wist wel beter. Hij verborg iets voor haar.

'Wat wil je daarmee zeggen? Wat verzwijg je voor me?' Hij lachte. Ze kende hem te goed, maar hij kende haar ook, soms beter dan ze zichzelf kende. Zij kon ook niets voor hem verborgen houden.

'Ik weet het niet. Ik ben iets aan het uitzoeken. Het is geen nieuw idee voor me.'

'Politieman? Brandweerman? Sheriff?' herinnerde ze hem aan zijn vroegere ambities. Hij lachte erom.

'Ja, zoiets.' Hij had het nog niet aan zijn ouders verteld en wilde het ook nog niet aan Izzie kwijt, maar ze was zo vasthoudend als een terriër.

'Wat dan?'

'Oké, oké. Als je het maar niet doorvertelt tot ik het echt zeker weet. De CIA misschien, de DEA of het ministerie van Justitie. Ik heb me aangemeld voor de FBI-academie. Ik hoop dat ze me aannemen zonder werkervaring.' Het was altijd zijn droom geweest, en nu meer dan ooit. Hij wilde niets liever dan de misdaad bestrijden.

'Wat is dat voor letterbrij?' vroeg Izzie ongerust. Ze begreep wel ongeveer wat hij bedoelde en vond het gevaarlijk klinken, vooral de Drug Enforcement Administration, de DEA.

'Ik wil nog steeds boeven vangen, het soort mensen dat mijn broer heeft vermoord. De enige manier om dat te doen is het probleem bij de wortel aan te pakken, de drugskartels in Zuid-Amerika. Daar komt al die ellende vandaan. Ze verkopen daar drugs om wapens te kopen voor terroristen overal ter wereld.' Zijn ogen lichtten op terwijl hij het zei, net als vroeger, toen hij met zijn speelgoedpistooltje zwaaide. Hij had haar regelmatig gearresteerd wanneer ze bij hem thuis speelde. Hij stopte haar altijd op zijn kamer in de gevangenis en ging dan naar beneden om iets te eten te halen.

'Dat is gevaarlijk, Sean,' zei ze ernstig. 'Mensen die zich daarmee bemoeien wagen hun leven. Ik wil niet nog een vriend verliezen.'

'Dat gebeurt niet,' zei hij zelfverzekerd, 'en ik ben er ook nog niet uit. Het is maar een idee. Ik wil zien wat de FBI inhoudt. Dat lijkt me de boeiendste organisatie.'

'Het is dus echt waar,' zei Izzie met een zucht. 'Jullie wisten allemaal in groep twee al wat jullie wilden worden, en ik zit er nog steeds over te piekeren. Sneu hè?'

'Welnee. Je verzint wel iets. Het is juist slim van je dat je je geest openstelt.'

'Mijn geest is niet open,' zei Izzie spijtig, 'hij is gewoon leeg.'

'Nee hoor,' zei Sean vriendelijk, en hij zoende haar op haar wang. 'Jij bent altijd de slimste meid geweest die ik ken, en dat blijft zo.' Ze glimlachten, en toen hij haar thuis afzette, omhelsden ze elkaar. Met hem praten vulde de leegte die Gabby in haar leven had achtergelaten een beetje, al wist ze dat het gat er altijd zou zijn. Net als voor Billy en de anderen, op welke manier dan ook.

Izzies vader en Jennifer trouwden op de dag na Kerstmis. Het was een kleine plechtigheid op het stadhuis, en bijna al hun vrienden en collega's waren aanwezig. Daarna gaven ze een grote, gezellige lunch in een restaurant in de buurt. Izzies vrienden en hun ouders waren er ook. Judy zag er nog steeds broos uit en Michelle was weer heel mager. Op gewicht blijven was een aanhoudende strijd voor haar. Ze studeerde nu aan Stanford en deed het goed. Brian zat in de vijfde klas van Atwood. Billy, Andy en Sean waren thuisgekomen in de kerstvakantie. Billy droeg een leren pak en cowboylaarzen van alligatorleer. Hij zag eruit als wat hij was, een proffootballer die veel verdiende, en Izzie plaagde hem ermee.

'Zo ben ik gewoon,' zei hij lachend. Volgens de roddelpers had hij een sexy nieuwe vriendin, een danseres uit Las Vegas. Ze was geen Gabby, maar ze waren allemaal pas tweeëntwintig en hoefden de ware nog niet gevonden te hebben. Andy had net gehoord dat hij zijn coschappen aan Harvard mocht lopen. Sean had Izzie nooit verteld hoe zijn bezoek aan de FBI-academie was verlopen en begon over iets anders als ze hem ernaar vroeg. Izzie zelf zocht actief naar een baan. Ze had al iets in gedachten. Het was geen carrière voor het leven, maar het leek haar leuk om een paar jaar te doen, tot ze wist wat ze echt wilde. Ze vond het jammer dat ze zulke dingen niet meer met Gabby kon bespreken. Die was altijd heel verstandig en volwassen geweest als het om levensvragen ging.

In mei adopteerden haar vader en Jennifer een meisje van twee uit China, het snoezigste kindje dat Izzie ooit had gezien. Ze heette Ping. Jennifer en Jeff waren in de wolken. Jeff stond zijn werkkamer af om plaats voor haar te maken en Izzie hielp hem een weekend om de kamer te schilderen.

In juni brak voor de hele groep de grote dag aan. Andy studeerde summa cum laude af aan Harvard en Sean aan George Washington met een cum laude voor Spaans. En Izzie haalde haar master Engels aan de universiteit van Los Angeles. De week voor haar buluitreiking kreeg ze te horen dat ze een baan als assistent-kleuterleidster kreeg aan Atwood, waar ze allemaal op school hadden gezeten. Het was precies het werk dat ze voorlopig wilde doen en haar vader zei dat hij blij voor haar was. Ze wist dat haar moeder er anders over zou denken, maar ze was ervan overtuigd dat ze er goed aan deed. Eindelijk. Ze was van plan die zomer weer naar Europa te gaan, naar Venetië, Florence, Padua, Verona en nog een paar steden die ze een jaar eerder niet had aangedaan.

Izzies buluitreiking was plechtig en ontroerend. Sean, die een maand eerder was afgestudeerd, was erbij, maar Andy, die aan het verhuizen was, was nog in Cambridge. Billy kwam ook en veroorzaakte veel opschudding toen hij werd herkend. Hij deelde handtekeningen uit. En Izzies vader en Jennifer kwamen met Ping. Izzies moeder kwam ook. Het was weer zo'n moment waarop Izzie Gabby verschrikkelijk miste, maar ze voelde dat haar vriendin in de geest aanwezig was. Het was moeilijk te geloven dat ze er al bijna drieënhalf jaar niet meer was. De tijd was voorbijgevlogen, en met Billy ging het ook weer goed.

Haar vader en Jennifer boden haar een afstudeerlunch aan in Hotel Bel-Air. Het was een heerlijke, zonnige dag en ze genoten allemaal van elkaars gezelschap en lachten om de herinneringen uit hun jeugd en de streken die ze hadden uitgehaald. Sean en Billy vertelden over de eerste schooldag, toen Izzie een lunch van plastic eten had opgediend aan de picknicktafel.

'En sindsdien zijn we vrienden,' besloot Sean, en hij keek Izzie vol genegenheid aan.

Ze vertelde iedereen over haar baan als assistent-kleuterleidster aan Atwood. Haar vader leek trots op haar te zijn, maar haar moeder wierp haar een afkeurende blik toe.

'Ik denk dat het je wel zal bevallen,' zei Sean zacht. 'Je bent goed met kleine kinderen.' Hij had haar vaak bezig gezien met Billy's tweelingzusjes, die nu vier waren en op hetzelfde kinderdagverblijf zaten waar Billy en Brian op hadden gezeten en daarna waarschijnlijk ook naar Atwood zouden gaan.

'Ik ben niet van plan het altijd te blijven doen,' zei Izzie. 'Een paar jaar maar. En jij?' vroeg ze hem zonder omwegen. De anderen praatten weer met elkaar en hoorden hen niet. 'Je hebt me nog steeds niet verteld hoe het bij de FBI is gegaan.' Sean aarzelde, maar toen vertelde hij het haar.

'Ik heb me opgegeven. Ze hebben hun eis van werkervaring laten vallen. Het lijkt wel een wonder. Dat heb ik opgevat als een teken dat het zo moest zijn.'

'Heb je je opgegeven?' Ze keek hem verbaasd aan. 'Dat had je me nog helemaal niet verteld.' En zij vond het niet zo wonderbaarlijk.

'Dit heb ik altijd gewild.' Izzie wist dat het waar was.

'Ik hoop maar dat ze je geen gevaarlijke opdrachten geven,' zei ze ongerust, maar ze wisten allebei dat ze dat wel zouden doen en dat hij dat juist wilde. 'Wanneer begin je?' Ze hoopte dat hij nog even thuis zou blijven.

'Ik ga in augustus naar de academie in Quantico, in Virginia, en daar blijf ik tot januari.'

Izzies moeder stond op om weg te gaan, want ze moest het vliegtuig naar New York halen. De anderen zouden allemaal pas 's avonds vertrekken. Izzie had haar spullen al terug naar San Francisco gestuurd en haar studentenkamer opgezegd, en ze bleef met haar vader en Jennifer in het hotel. Sean zou met hen mee terugvliegen. Billy was door een transfer in Miami terechtgekomen, maar hij beloofde zijn ouders in juli op te zoeken. En als hij in San Francisco was, ging hij ook altijd naar Gabby's ouders. Michelle had net haar tweede jaar aan Stanford erop zitten en Brian ging aan zijn eindexamenjaar beginnen. Izzie had al beloofd hem te helpen met zijn aanmeldingen voor universiteiten. Hij vond het leuk dat ze op Atwood kwam werken, waar hij haar elke dag kon zien.

In het vliegtuig naar huis praatten Sean en Izzie zacht met elkaar over Billy en het leven dat hij leidde. Ze waren allebei opgelucht dat hij tot rust gekomen leek te zijn, ondanks de verleidingen die hij elke dag om zich heen had. Izzie vroeg zich af of Gabby en hij al getrouwd zouden zijn als Gabby nog had geleefd. Ze vermoedde van wel. Zonder Gabby had hij geen anker, en hij was vermaard om de knappe vrouwen met wie hij uitging, hele zwermen leken het te zijn. Toen hij nog met Gabby was had hij nooit naar andere vrouwen omgekeken, maar nu waren ze een statussymbool voor hem, net als zijn dure pakken, zijn cowboylaarzen van alligatorleer en de gouden Rolex met diamanten rond de wijzerplaat om zijn pols. Toch was hij nog dezelfde jongen met wie ze waren opgegroeid, het jochie dat zijn football in zijn kastje had gelegd op Atwood en verliefd was geworden op Gabby zodra ze hem zijn blokken afpakte. Izzie keek naar Sean, die naast haar zat, en wist dat sommige dingen nooit zouden veranderen, wat er ook gebeurde.

17

Toen Izzie op de eerste woensdag na Labor Day naar de vertrouwde deur liep, kon ze zichzelf voor het eerst met haar eigen sleutel binnenlaten. Ze had die deur dertien jaar van haar leven gezien en was er duizenden keren doorheen gekomen, maar nooit op deze manier. Ze liep naar het lokaal van groep twee en deed de lichten aan. De naamkaartjes lagen op het bureau klaar om op de eerste schooldag te worden uitgereikt aan de leerlingen. Over een uur zouden ze er allemaal zijn. Er was ook een naamkaartje voor Izzie zelf.

Ze keek naar de hoek met de blokken en zag dat er weinig was veranderd. De blokken waren nieuw, maar het lokaal was nog net zo ingedeeld als destijds. Er stond een nieuwe speelkeuken met een knalroze oven en koelkast op dezelfde plek als de oude, en er leek meer plastic eten te zijn dan destijds. Izzie liep erheen, want ze wilde de plastic donuts met strooisel zien, maar ze waren vervangen door een plastic verjaardagstaart, in punten gesneden, met plastic kaarsjes erop.

Er was een verkleedhoek met prinsessenjurken, politie- en brandweermanuniformen en een cowboyhoed en een holster, maar geen revolver. Die regel was niet veranderd. Het lokaal zag er niet anders uit dan toen Izzie nog een kleuter was. Als ze haar ogen dichtdeed, kon ze zich voorstellen dat ze er alle vijf waren. Ze zou het liefst de klok terugzetten en alles nog eens overdoen. Hier was het allemaal begonnen toen Gabby Billy en Sean hun blokken afpakte, Izzie de lunch had opgediend en Andy te laat was gekomen in zijn perfect geperste kaki broek en witte overhemd. Hij had er toen al uitgezien als een dokter. Ze kon hun stemmen horen in de stilte. Nog even, dan zouden er andere stemmen klinken in het lokaal en zou ze nieuwe gezichten zien, van andere kinderen. En ze was nu juf, geen klein meisje met vlechten. Het voelde vreemd toen ze haar naamkaartje opspeldde. Ze verwachtte dat er 'Juf Pam' op zou staan, maar er stond 'Juf Izzie', en juf June was vervangen door juf Wendy. Het was allemaal heel snel gegaan. De kinderen van toen waren nu allemaal volwassen, en sommige waren er niet meer. Izzie hing haar jas op, trok een jasschort aan en probeerde niet aan Gabby met haar roze glitterschoentjes te denken. Juf Wendy had haar tijdens haar oriëntatiebezoek gewezen waar ze alles kon vinden. Ze zouden vandaag beginnen met kleien om iedereen op zijn gemak te stellen, niet met de muziekinstrumenten, gevolgd door voorlezen, buiten spelen, pauze en dan een eerste kennismaking met cijfers, letters en kleuren. Het lesprogramma was nog hetzelfde, al was de volgorde iets veranderd.

Net toen Izzie met haar eigen naamplaatje op en de naamplaatjes voor de kinderen in haar hand naar de voordeur liep, kwam Wendy aan. Izzie had de klassenlijst ook bij zich. Ze had de namen van de kinderen al uit haar hoofd geleerd en moest ze nu aan de gezichten koppelen.

'Ben je er klaar voor?' vroeg Wendy, die iets ouder was, met een brede glimlach. Izzie knikte. De karaf voor het sap en de plastic bekertjes stonden klaar. Er was een schaal met vanillekoekjes. Geen noten of chocola, vanwege mogelijke allergieën. Opeens kon Izzie bijna niet meer wachten. Het was spannend om hier te zijn. Het was ook haar eerste schooldag.

'Helemaal,' bevestigde Izzie, en toen liep ze naar de voordeur voor de kleuters om haar nieuwe leerlingen te begroeten. De grotere kinderen stormden door de dubbele deuren even verderop naar binnen. De kleuterafdeling had een eigen ingang, net als toen Izzie erop had gezeten, met kleine tafels en stoeltjes. Izzie herinnerde zich dat een paar moeders de eerste dag op die stoeltjes hadden gezeten. De hare niet, maar er waren er een paar gebleven, al kon ze zich niet meer voor de geest halen wie. Ze wist ook nog dat ze een rood shirtje en nieuwe rode gymschoenen had gedragen.

Ze nam haar plek in, glimlachte naar alle kinderen die naar binnen kwamen en vroeg zich af wie er vriendschappen voor het leven zouden sluiten. Terwijl ze de kinderen hun naamplaatje opspeldde, wilde ze bijna tegen ze zeggen dat het een heel belangrijke dag was, en dat de kinderen met wie ze nu vriendschap 'voor altijd' sloten, echt hun hele leven bij hen zouden blijven.

Juf Wendy wachtte de kinderen in het lokaal op en toen ze er allemaal waren, ging Izzie daar ook heen. Sommige kinderen speelden met blokken, andere in de keuken en weer andere waren al begonnen met kleien, geholpen door juf Wendy. Een stuk of vijf moeders zaten op de kleine stoeltjes achter in het lokaal, en Izzie zag dat er eentje hoogzwanger was en zich helemaal niet prettig leek te voelen. Zodra ze haar zag, herinnerde Izzie zich weer dat er op haar eerste dag ook een moeder met een heel dikke buik was geweest en toen ze erover nadacht, begreep ze dat het Marilyn moest zijn geweest, in verwachting van Brian, die nu boven was en aan zijn eindexamenjaar begon. Het was als een keten van kinderen, jaar in, jaar uit, en nu was het de beurt aan deze klas. Dit was hun moment. Hun grote dag. En de hare.

Juf Wendy gaf Izzie een seintje, en ze ging in het midden van het lokaal staan en zei: 'Hallo allemaal, ik ben juf Izzie. Ik heet eigenlijk Isabel, maar ik vind Izzie mooier, en ik heb zelf heel, heel lang geleden ook op deze school gezeten.' Terwijl ze het zei, wierp ze een blik op de blokkenhoek, waar een klein meisje net een jongetje een blok uit zijn hand rukte. Het was een ongelooflijk déjà vu van Gabby, en Izzie had het gevoel dat het een boodschap van haar was.

Ze richtte haar aandacht weer op de klas en vertelde dat ze die dag zouden gaan kleien. De kinderen leken het allemaal leuk te vinden. Ze vroeg ze een kring te vormen, en ze kwamen aarzelend dichterbij, en toen zei ze dat ze op de vloer mochten gaan zitten. Wendy en zij kwamen erbij zitten en Wendy vroeg iedereen zijn naam te zeggen, want de kinderen konden elkaars naamplaatje nog niet lezen; dat was alleen voor de juffen.

Wendy liet de kinderen een liedje zingen en ging daarna met ze naar de kleitafel, waar ze drie kwartier druk bezig bleven. Toen wasten ze allemaal hun handen en gingen weer in een kring zitten. Izzie las een van haar lievelingsverhalen voor, en de kinderen luisterden gefascineerd. Daarna mochten ze buiten spelen. Het viel Izzie op dat er nieuw speelmateriaal op het plein stond, dat er leuker en spannender uitzag dan de dingen die zij zich herinnerde. Toen de kinderen weer binnen waren kregen ze sap en een koekje.

Er werd nog een verhaaltje voorgelezen, vervolgens mochten de kinderen even vrij spelen en daarna liet Wendy ze allemaal de eerste letter van hun voornaam vasthouden. Het was een drukke ochtend, en er leken maar een paar minuten verstreken te zijn toen Izzie weer bij de voordeur stond en de kinderen naar de auto's van hun moeders loodste. Ze liep terug naar het lokaal, glimlachte naar Wendy en trok haar schort uit. Wendy zag er echt uit als een kleuterjuf. Ze had een brede glimlach, lieve ogen en een lange blonde vlecht die op haar rug hing, en ze was een beetje mollig. Ze was kleiner dan Izzie, en ze droeg een jasschort met brandweerauto's erop dat ze zelf had gemaakt.

'Zo, juf Izzie, hoe was je eerste dag?' vroeg ze hartelijk.

'Heerlijk.' Izzie glimlachte naar Wendy. Ze wist dat haar moeder haar werk onbelangrijk vond, maar het gaf haar een knus, blij gevoel om weer in die vertrouwde omgeving te zijn, alsof ze terug in de baarmoeder was gekropen. Hier voelde ze zich veilig en beschermd, in een wereld waar ze zich niet meer veilig had gevoeld sinds het overlijden van haar beste vriendin.

'We hebben het hier naar onze zin,' zei Wendy, die geholpen door Izzie het speelgoed opruimde. 'Ik denk dat we morgen muziekinstrumenten gaan doen, en cijfers. Ze deden het heel goed met het alfabet vandaag.' Izzie voelde zich alsof ze zelf weer een kleuter was. Ze vond het allemaal even leuk, en de kinderen waren snoezig. Er zat een klein Chinees meisje in de groep dat haar aan Ping deed denken. Ze vroeg zich af of ze die op een dag in de klas zou krijgen, en over een jaar zouden Billy's tweelingzusjes komen, had Marilyn gezegd. Het was ongelooflijk dat ze al bijna oud genoeg waren om naar de kleuterschool te gaan, of dat zij de juf was. Wendy zei dat de kinderen weg van haar waren, en Izzie was blij dat te horen. Een halfuur later, toen alles was opgeruimd en de spullen voor de volgende dag klaarstonden, deden ze het licht uit, verlieten het lokaal en sloten de deur achter zich. Het was pas halfdrie, en Izzie had de rest van de middag vrij.

Ze besloot bij Connie op bezoek te gaan. Ze wist hoe eenzaam ze zich voelde zonder Sean. Toen ze er was vertelde ze haar over haar ochtend op Atwood, en Connie vond haar baan een fantastisch idee. Izzie had een tweekamerflatje in de buurt van de school gevonden en kon lopend naar haar werk. Het was voor het eerst dat ze alleen woonde.

'Wat een blije plek om te werken, met al die lieve kinderen. Ik vind het geweldig.' Connie vertelde Izzie dat ze zelf ook weer ging werken. Ze ging Mike voltijds op kantoor helpen, niet maar een paar uur per week. Hij had haar hulp nodig, en aangezien hij geen kinderen had die hem hielpen, had Connie besloten de boekhouding te gaan doen, en ze vond het een fijn idee dat ze Mike dan vaker zou zien. Ze had er genoeg van om thuis te zitten niksen nu ze geen kinderen meer had om voor te zorgen. Sean was een paar weken eerder aan zijn FBI-training op de marinebasis in Quantico begonnen. Daar zou hij vijf maanden blijven en dan ging hij naar Washington.

De beide vrouwen praatten lang over Seans ambities en plannen. Hij kon eindelijk zijn droom waarmaken. Izzie bekende dat ze zich zorgen om hem maakte, maar zijn moeder zei dat hij het zelf wilde en dat ze dat respecteerde, en ze wees Izzie erop dat Sean al van jongs af aan de wet had willen handhaven. Izzie ging er niet tegen in, maar ze vond het veel te gevaarlijk werk, temeer omdat Seans ouders al een zoon hadden verloren. Connie was echter veel toleranter dan zij en zei dat ze hem nooit zou dwarsbomen in zijn carrièreplannen. Ze was een goed voorbeeld voor elke moeder, in tegenstelling tot Katherine, die altijd had gewild dat Izzie in haar voetstappen zou volgen, wat Izzie zelf ook dacht of wilde. De ochtend die Izzie net had doorgebracht met het voorlezen van en kleien met kinderen zou Katherines goedkeuring nooit hebben kunnen wegdragen, maar Izzie had ervan genoten.

Na die keer ging Izzie zo vaak mogelijk bij Connie langs om haar gezelschap te houden na haar werk en in de weekends. Ze ging ook wel eens bij Marilyn op bezoek. Die had het druk met haar drie kinderen en haar man. Judy had Michelle, die vaak in het weekend naar huis kwam. Helen, de moeder van Andy, had haar eigen carrière. Van alle moeders was Connie nu het meest alleen en met haar had Izzie de sterkste band, dus vond ze het belangrijk om haar regelmatig op te zoeken. Na haar bezoekjes stuurde ze Sean altijd een sms om hem te vertellen dat het goed ging met zijn ouders. Sean belde Izzie wel zo af en toe, maar hij had het druk met zijn opleiding.

Andy probeerde er ook om te denken Izzie te bellen, maar zijn coschappen vergden zoveel van hem dat hij het meestal vergat. Billy belde haar heel af en toe vanuit Miami of wanneer hij onderweg was. Hij zei dat hij het leuk vond in Miami, maar dat hij altijd op reis was. Ze volgde hem via de roddelpers en *People*. Hij had een druk bestaan, en ze zag nooit twee keer dezelfde vrouw naast hem op foto's. Billy leidde een snel leven.

Er gingen ook wel eens geruchten dat hij zich op een feest of in een nachtclub in dronken toestand had misdragen, of dat hij in een café had gevochten, en hij had altijd een sexy meid op sleeptouw.

Het was Kerstmis voordat Izzie haar vrienden weer zag. Ze had thuis geholpen de kerstboom te versieren, met Ping deze keer, en ze was met haar en Jennifer naar *De notenkraker* geweest. Sean en Andy kwamen voor de kerstvakantie terug naar San Francisco en Marilyn zei dat Billy ook zou komen, maar waarschijnlijk pas na Kerstmis, want hij zat in de playoffs voor de Super Bowl, en als hij werd geselecteerd, zouden Marilyn, Jack en Brian gaan kijken.

Ze brachten de kerstdagen bij hun ouders door, zoals altijd, en de dag daarna kookten Izzie, Andy en Sean samen bij Sean thuis. Connie en Mike waren uit eten gegaan. Izzie vertelde hoe het was om kleuterjuf op Atwood te zijn. Andy praatte over de beproevingen van zijn coschappen, maar het was wel duidelijk dat hij ervan genoot, en ze probeerden Sean verhalen over de FBI te ontfutselen. Hij was niet scheutig met details, maar hij glimlachte wanneer hij over zijn training vertelde. Hij was bijna klaar, en daarna zou hij een kantoorbaan in Washington krijgen. Izzie was opgelucht toen ze dat hoorde. Tot nog toe klonk het niet gevaarlijk. Sean vertelde dat meer mensen van zijn jaar hadden gestudeerd. Er waren er zelfs twee gepromoveerd. Zo te horen zat hij in een boeiende groep.

Ze hadden een leuke avond. Ze praatten over Billy's laatste escapades, waarover ze in de bladen hadden gelezen. In *People* had kort tevoren een stuk gestaan over een wild feest in Miami waar Billy ook was geweest en waar iemand was neergeschoten. Sean was niet blij geweest toen hij het las, maar hij verheugde zich er wel op Billy te zien wanneer hij thuiskwam. Billy was een superster geworden, maar de vrienden met wie hij was opgegroeid, waren hem nog altijd het dierbaarst.

Toen Izzie en Sean Connies keuken aan het opruimen waren, belde Seans vader en zei dat ze de tv aan moesten zetten, waarna hij meteen ophing. Sean had geen idee waar zijn ouders waren; hij wist alleen dat ze uit eten waren gegaan. Hij liep gevolgd door Izzie en Andy door de eetkamer naar de tv in de woonkamer, pakte de afstandsbediening en zette de tv aan. Ze wisten niet wat ze konden verwachten, maar het eerste wat ze zagen, was een foto van Billy op het scherm, gevolgd door opnames van een ambulance die wegreed bij Billy's huis in Miami.

'Wat zullen we nou...' prevelde Sean, die probeerde uit te vissen wat er was gebeurd. Toen zei de presentator dat de gevierde quarterback Billy Norton eerder die avond in zijn huis in Miami was overleden aan een overdosis drugs. De drie vrienden stonden als verlamd naar elkaar te kijken.

'O nee... O, mijn god,' zei Izzie beverig, en ze zakte op een stoel. 'Niet nog eens... Niet Billy...' Sean noch Andy zei iets. Connie en Mike kwamen binnen, allebei met een ontdane uitdrukking op hun gezicht. Ze keken elkaar allemaal aan, maar niemand wist iets te zeggen. Ze wisten niet of ze naar Marilyns huis moesten gaan of niet, en of Marilyn het al wist. Het was op alle zenders, dus als ze het nog niet had gezien, kon dat elk moment gebeuren, en anders zou iemand haar wel opbellen om het te vertellen. Er zouden zelfs verslaggevers en tv-camera's voor haar huis kunnen staan. Billy's dood zou in het hele land nieuws zijn. Izzie vond het een ondraaglijke gedachte dat ze het allemaal nog eens moest doorstaan. Ze had Gabby vier jaar geleden verloren, maar het voelde als gisteren. Toen ze naar Sean keek, zag ze dat hij ziedde van woede. Voor hem was het alsof hij het verlies van Kevin opnieuw beleefde.

'Het is zo godverdomde zinloos,' zei hij. Hij smeet de afstandsbediening door de kamer en dacht terug aan alle keren dat Billy dronken was geworden, en de keer dat hij Sean ecstasy had willen geven na de kampioenswedstrijd omdat ze toch al getest waren. Sean stormde de kamer uit, rende naar boven en sloeg de deur van zijn slaapkamer achter zich dicht. Connie en Mike keken hulpeloos naar Izzie en Andy, die zich net zo hulpeloos voelden. Er was weer een van hun vrienden weg, en in tegenstelling tot Gabby, die buiten haar schuld om was gestorven, had Billy alle risico's genomen, en verloren.

'Laat ik Marilyn maar bellen,' zei Connie zacht. Toen ze Marilyn aan de lijn kreeg, klonk die vreemd kalm. Ze schreeuwde of huilde niet en was niet hysterisch. Marilyn klonk alsof ze in shock was.

'Ik wist dat het zou gebeuren,' zei ze moedeloos. 'Hij kon de druk niet aan, en alles wat er verder bij kwam kijken.' Hij was een jongen van drieëntwintig die miljoenen verdiende en werd omringd door onweerstaanbare verleidingen. Ze hadden zich allemaal zorgen gemaakt om Billy, zeker toen hij Gabby niet meer had om hem met beide benen op de grond te houden. En nu dit, die zinloze verspilling van een getalenteerd sportman en een jongen van wie ze allemaal hadden gehouden.

Connie vroeg of Marilyn wilde dat ze naar haar toe kwam, en Marilyn zei ja. Andy bood aan Izzie naar huis te brengen. Hij had haar ook thuis opgehaald en naar het huis van Sean gebracht. Connie riep naar Sean dat ze weggingen, maar hij reageerde niet. Hij bleef in zijn kamer, met de deur dicht, alleen met zijn verdriet.

Andy en Izzie gingen stilletjes weg en Connie en Mike reden het kleine stukje naar het huis van Marilyn en Jack. Er stonden al camerawagens bij het huis waar mensen uit stroomden, en bij de voordeur probeerden verslaggevers binnen te komen. Brian had het nieuws bij een vriend thuis op tv gezien en Marilyn had tegen hem gezegd dat hij beter daar kon blijven. Hij had snikkend met haar gepraat, en zelf huilde ze ook.

Mike zei bars tegen de verslaggevers dat ze van de stoep af moesten gaan, en toen Jack de deur op een kier hield, glipten Connie en hij het huis in en draaide Jack de sleutel weer om. De gordijnen in het hele huis waren dicht. Marilyn en Jack werden belegerd door de pers. Gelukkig sliep de tweeling al. Jack en Marilyn zagen er afgetobd uit.

'Ik vind het zo erg voor je,' zei Connie toen ze haar vriendin omhelsde. Ze hadden het te vaak meegemaakt. Ook de mannen omhelsden elkaar huilend. Billy was niet Jacks eigen vlees en bloed, maar dat maakte niet uit. Hij had zeven jaar van hem gehouden als van een zoon, en hij had gezien hoe Billy's carrière hem als een vloedgolf overspoelde en meesleurde. Hij had de verlokkingen van het snelle leven niet kunnen weerstaan.

Ze praatten lang, en om twee uur 's nachts gingen Connie en Mike naar huis. Daar zat Sean in de woonkamer naar herhalingen van het nieuws te kijken, en er werden fragmenten vertoond uit Billy's beroemdste wedstrijden. Hij had voor het eerst zullen meedoen aan de Super Bowl, maar dat zou er nooit meer van komen.

'Hoe is het daar?' vroeg Sean. Zijn woede had plaatsgemaakt voor diepe bezorgdheid. Toen hij naar beneden was gekomen, was er niemand meer thuis geweest, en hij had de hele avond naar het nieuws gekeken.

'Ze zijn er ongeveer net zo aan toe als wij na de dood van Kevin,' zei Mike, die er vermoeid uitzag. 'Alleen hebben zij al die nieuwsploegen erbij. Ze zullen uiteindelijk toch naar buiten moeten om de uitvaart te regelen.'

'Ze zouden politiebegeleiding moeten hebben,' zei Sean praktisch. 'Zal ik dat regelen?' bood hij aan.

'Weet jij wie je daarvoor moet hebben?' vroeg zijn vader verbaasd. Hij was even vergeten dat Sean op de FBI-academie zat.

'Daar ben ik snel genoeg achter.'

'Doe dat dan maar. De Nortons weten zich geen raad en ze zijn te overstuur om na te denken. Ze konden Brian vanavond niet eens naar huis laten komen.' Sean knikte en pakte de telefoon. Hij belde inlichtingen en noteerde nummers. Hij belde de politie en noemde het nummer van zijn FBI-penning. Hij werd een paar keer doorverbonden, maar twintig minuten later had hij geregeld dat er de volgende ochtend politiemensen naar Marilyn en Jack zouden komen die de hele dag zouden blijven. Meer kon hij niet doen om hen te helpen. Hij had zijn eigen verdriet nog niet eens gevoeld, alleen maar verontwaardiging om wat Billy had gedaan en woede ten opzichte van degenen die hem hadden geholpen het te doen. Hij had Billy zelf al jaren niet meer onder invloed van drugs gezien, maar uit de berichten in de roddelpers was op te maken dat hij gebruikte. En hier was het op uitgedraaid. Zijn jeugdvriend was weg, en degenen die dat op hun geweten hadden, gingen vrijuit. Het enige wat Sean wilde was die lui vermoorden, een voor een en zo pijnlijk mogelijk. Binnen niet al te lange tijd zou hij de middelen hebben om het echt te doen.

18

Billy's uitvaart werd een ongelooflijk mediaspektakel. Zijn ouders moesten de burgemeester en de politie vragen dranghekken bij de kerk te zetten en de menigte door agenten in bedwang te laten houden. Die nachtmerrie hadden ze niet verwacht. En toen Billy's kist vanaf het vliegveld naar het uitvaartcentrum werd gebracht, moesten de horden mensen door de oproerpolitie op afstand worden gehouden en werd de kist door een gewapende bewaker beschermd. Marilyn, Jack en Larry konden niet eens naar het uitvaartcentrum gaan om afscheid van hem te nemen. Uiteindelijk werden ze in het holst van de nacht geëscorteerd door een burgerauto van de politie. De pers lag nog op de loer, maar de fans hadden al in de gaten dat ze toch niet naar binnen mochten en waren afgedropen. Andere rouwende nabestaanden in het uitvaartcentrum waren begrijpelijkerwijs boos om de ordeverstoring.

In sommige opzichten verzachtten die moeilijkheden het verdriet, want elk aspect van wat er was gebeurd, was traumatisch. Marilyn liet Brian tot de uitvaart bij de O'Hara's logeren, waar Sean hem gezelschap hield. Hij herinnerde zich maar al te goed hoe het voelde om een aanbeden grote broer te verliezen, en Brian had Billy geadoreerd. Ze konden nog geen van allen bevatten dat Billy was overleden, en onder zulke schokkende omstandigheden.

De burgemeester zorgde voor een politiekordon bij de St. Mary's Cathedral en gewapende bewakers bij de kist, zodat de familie in elk geval kon proberen Billy een vredige uitvaart te geven. Er waren meer dan duizend mensen in de kerk, en achter de dranghekken aan de overkant van de straat stonden er nog eens twee keer zoveel.

Na de uitvaart ontvingen Jack en Marilyn hun vrienden in Jacks restaurant, waar uitsmijters en politiemensen de deur bewaakten en alleen mensen binnenlieten die op de gastenlijst stonden.

'Jezus, wat een nachtmerrie,' zei Andy toen Izzie en hij het restaurant in werden geloodst. Ze baanden zich een weg door de massa op zoek naar Jack en Marilyn. Larry was met zijn vrienden ergens anders naartoe gegaan. Sean waakte over Brian, en Michelle stond naast hem. Het hele gebeuren ging gepaard met ontzettend veel stress. De dag na de uitvaart vluchtte Marilyn met Brian en de tweeling naar de O'Hara's.

'Wat moeten we doen?' vroeg Marilyn wanhopig aan Connie. 'Zo kunnen we niet leven.'

'Het wordt straks wel weer rustig,' zei Sean zacht. Hij worstelde met zijn eigen gevoelens ten opzichte van het gebeurde, maar probeerde Marilyn te troosten. Toch klonk in elk woord door hoe woedend hij was op de dealers die eerst zijn broer hadden aangezet tot drugsgebruik, en toen Billy. 'Blijf hier maar een paar weken.' Die avond voegde Jack zich bij hen. Marilyn en hij sliepen in de logeerkamer, Sean deelde zijn kamer met Brian en de tweeling lag in een slaapzak op de bank in de tv-kamer.

Een week later, toen het net iets rustiger werd, bereidde Sean zich voor op zijn terugkeer naar de FBI-academie. Andy was een dag eerder teruggegaan naar Cambridge. Die avond at Izzie bij de O'Hara's. Sean en zij trokken zich terug in de oude hobbykamer in de kelder in de hoop even ongestoord met elkaar te kunnen praten. Izzie vond het vreselijk om te zien hoe Sean eraan toe was. Ze waren allemaal kapot van Billy's dood, maar Seans woede, die met de dag erger leek te worden, was beangstigend.

'Je kunt je er niet zo levend door laten opvreten,' zei ze vriendelijk.

'Waarom niet? Jij kent het soort mensen niet met wie hij omging. Ik wel. Ze verdienen allemaal de doodstraf. Billy deed geen vlieg kwaad, het was een schat van een jongen.' Terwijl hij het zei, vulden zijn ogen zich met tranen. Izzie trok hem liefdevol in haar armen. Haar tederheid maakte het alleen maar erger voor hem.

'Je kunt ze niet allemaal vermoorden,' zei ze redelijk, 'en Billy zou niet willen dat je zo onder zijn dood leed.'

'Hij had geen verweer tegen die lui.' Toch wist Sean dat Billy beter zijn best had kunnen doen om de verleiding te weerstaan, en hij was ook boos op Billy. Zijn hele familie moest de ondraaglijke pijn van het verlies ondergaan, en ze zouden geen van allen ooit nog hetzelfde zijn. Zelfs hij niet. 'Zulke mensen verdienen het niet te leven,' zei hij. Hij doelde op de dealers, en Izzie begreep hem wel.

'Wat ga je nu doen?' vroeg ze angstig.

'Terug naar de academie.' Sean was bijna klaar.

'En dan?' Izzie kende Sean goed. Voor hem was dit nog maar het begin. Het was niet afgelopen met Billy's dood.

'Dat laat ik je weten zodra ik eruit ben.'

'Wanneer zit je training erop?'

'Eind januari.' Izzie wist dat Sean dan nog niet gekalmeerd zou zijn, als hij al ooit zou kalmeren. Hij voerde nu een heilige strijd. Om wraak.

Toen ze weer naar boven gingen, beloofde Sean Izzie te bellen wanneer hij kon. Van de oorspronkelijke Grote Vijf waren er nog maar drie over: Izzie, Sean en Andy. En Kevin was ook overleden, al was hij geen lid van de vriendengroep, maar Seans broer. Hun groep werd steeds kleiner. Alles rond Billy's dood was schokkend geweest. Izzie had meer gehuild om Gabby, maar het gemis van Billy was schrijnender. Het was de derde keer dat ze allemaal de ondraaglijke pijn van het verlies moesten doorstaan. Brian was kapot van de dood van zijn grote broer.

Die nacht sliep Izzie bij Sean, die een lits-jumeaux op zijn kamer had. Brian en zijn familie waren al naar huis. De volgende ochtend vertrok Sean toen iedereen nog in diepe rust was. Hij had de avond daarvoor al afscheid genomen. Izzie hoorde hem niet weggaan. Ze wist het niet, maar hij had haar een tedere zoen op haar wang gegeven voordat hij ging.

Toen hij weer in Quantico was, stuurde hij haar een sms-je, en daarna hoorde ze een aantal weken niets meer van hem. Jack, Marilyn, Brian en de tweeling hadden thuis nog steeds last van verslaggevers die om de paar dagen aan de deur kwamen. Sectie had uitgewezen dat Billy was gestorven aan een overdosis ecstasy en cocaïne, en er werd een grootscheeps onderzoek ingesteld naar clandestien drugsgebruik binnen zijn team om na te gaan of meer spelers de dopingtests hadden omzeild, net als Billy.

Izzie ging terug naar Atwood, waar ze deed wat ze moest doen, maar met het gevoel dat ze dood was vanbinnen. Wendy wist dat ze met Billy op school had gezeten en zei dat ze erg met haar meeleefde.

De twee maanden daarna hoorde Izzie amper iets van Sean. Hij had zijn training afgesloten en een kantoorbaan in Washington gekregen, dus ze maakte zich geen zorgen om hem. In maart kwam hij onaangekondigd naar huis. Hij belde Izzie op, die net uit school kwam, en vroeg of ze met hem uit eten wilde. Hij ging met haar naar een rustig restaurant buiten het centrum dat bekendstond om zijn hamburgers. Toen hij voor hen allebei had besteld, keek hij haar aan en pakte haar hand.

'Hoe gaat het met je?' vroeg hij bezorgd. Hij vond dat Izzie er moe en dun uitzag, en net zo verdrietig als hij zich voelde. Het was makkelijker om woedend te zijn dan om de pijn van het verlies weer te voelen.

'Niet echt goed,' zei ze naar waarheid. 'Met jou toch ook niet?' Billy was drie maanden dood en Gabby vier jaar. Billy's overlijden had oude wonden opengereten. En Kevin was maar zeven maanden vóór Gabby gestorven. Zij hadden de afgelopen vijf jaar meer vrienden en naasten van hun eigen leeftijd verloren dan Izzies vader in zijn hele leven. 'Hoe bevalt het in Washington?' vroeg ze. Sean gaf niet meteen antwoord. Ze zag aan hem dat hij haar iets wilde vertellen, maar er de tijd voor nam. Ze had het gevoel dat het haar niet zou bevallen, en ze kreeg gelijk.

Na de hamburgers vertelde hij het haar uiteindelijk. Izzie had alleen maar met haar eten gespeeld. Telkens wanneer ze Sean in de ogen keek, zag ze wat hij te zeggen had, en ze kreeg geen hap door haar keel.

'Ik ga weg,' zei Sean zacht.

'Naar een gevaarlijke plek?' Ze wilde dat hij haar de waarheid vertelde, voor zover hij iets mocht vertellen.

'Misschien. Ik mag er niet over praten, maar ik wilde dat je het wist.'

'Heb je je zelf aangemeld?' Sean knikte en op dat moment haatte ze hem. Ze zou het niet verdragen als ze hem ook nog eens verloor. 'Hoe lang blijf je weg?' Ze herinnerde zich maar al te goed dat hij had gezegd dat hij ooit naar Zuid-Amerika zou gaan om de drugskartels te bestrijden.

'Een jaar. Misschien langer, misschien korter. Het hangt ervan af waar ik ben en wat er gebeurt. Ik kan niet weg als ik daardoor andere geheim agenten of de operatie in gevaar breng.'

'Stel dat je nooit meer terugkomt?' zei ze met tranen in haar ogen.

'Dan heb ik geboft dat ik je heb gekend, en dat je mijn vriendin was.' Izzie knikte. Ze dacht er net zo over, maar vond het verschrikkelijk dat hij het zei, en waarom hij het zei. Ze wisten allebei dat hij tijdens een undercoveroperatie gedood zou kunnen worden. Hij was bereid het risico te nemen. Hij wist dat hij het moest doen, en hij wilde het. Izzie had wel zo'n vermoeden waar hij naartoe zou gaan. Waarschijnlijk naar Colombia of zoiets. Misschien naar Mexico.

'Wat je daar ook gaat doen, Kevin en Billy krijgen we er niet mee terug,' zei ze, maar ze wist dat het zinloos was. Sean was gedreven, en ontzettend koppig.

'Nee, maar het redt anderen. Iemand moet op die lui jagen,' zei hij. Hij leek ouder dan hij was. De dood van zijn broer, en nu de dood van Billy, had een zware tol van hem geëist.

'Waarom zou jij die iemand moeten zijn?' vroeg ze. Ze keek hem indringend aan en hij gaf een kneepje in haar hand. Hij wist hoe erg hij haar zou missen.

'Omdat het mijn werk is,' zei hij vastberaden.

'Ging je maar niet,' zei Izzie zacht. Hij schudde zijn hoofd en bleef haar hand vasthouden. Ze wisten allebei dat hij vond dat hij geen keus had. Hij was wie hij was, en wie hij altijd al was geweest. 'Laat je wat van je horen?'

'Nee. Ik ga undercover. Het zou alles in gevaar brengen. Je hoort het wel als ik terugkom. Ik kom terug naar huis.'

'En je moeder?' Izzie maakte zich ook zorgen om Connie. Ze had al heel veel meegemaakt, en ze zou het niet overleven als ze de enige zoon die ze nog had ook moest verliezen.

'Ik heb het haar vanmiddag verteld. Ze begrijpt het, en mijn vader ook.'

'Ik weet niet of ik het wel begrijp,' zei Izzie openhartig. 'Het is niet eerlijk om ze dat ook nog eens aan te doen.'

'Toen ik naar de academie ging, wisten ze al dat ik iets dergelijks zou gaan doen, en waarom.' Toen was het om Kevin gegaan. Nu ging het ook om Billy, wist Izzie.

Ze liepen stilletjes het restaurant uit en hij bracht haar thuis.

'Wanneer ga je weg?' vroeg ze toen ze in de auto zaten.

'Morgen. Pas goed op jezelf, Izzie. Als ik thuiskom wil ik je heelhuids aantreffen. We hebben genoeg ellende meegemaakt. Billy moet de laatste zijn.'

'Dat moet jij zeggen.' Ze vond het verschrikkelijk dat hij wegging. Ze wist waarom hij het deed, maar het hielp niet echt. 'Ik zal je moeder opzoeken.' Billy knikte, en toen gaf hij haar een zoen en stapte ze uit de auto. Ze keek niet om toen ze wegliep. Ze kon het niet verdragen hem nog te zien. Ze wilde zich hem niet zo herinneren – ze wilde terugdenken aan alle leuke dingen die ze samen hadden beleefd, het gelach en de zorgeloze dagen uit hun kindertijd. Toen Sean wegreed wist ze zeker dat ze hem voor het laatst had gezien. Hij zou nooit meer thuiskomen.

19

De maanden na Seans vertrek waren vreemd. Izzie wist dat ze niets van hem zou horen, maar ze wist niet eens waar hij was, en zijn moeder ook niet. Izzie ging meestal in het weekend bij Connie langs, want ze maakte lange werkdagen bij Mike op kantoor. Izzie vond dat ze er elke keer weer ouder uitzag. Marilyn was nog niet over de dood van Billy heen, en Judy was nooit meer de oude geworden na de dood van Gabby. Ze hoorden nu bij een vrouwenclub waar niemand lid van wilde worden: moeders die een kind kwijt zijn. De pijn bleef voor altijd in hun ogen geëtst.

Izzie en Andy e-mailden elkaar vaak. Hij maakte het goed, en hij vroeg altijd of ze iets van Sean had gehoord. Ze zei van niet, maar legde niet uit waarom niet. Andy had wel geraden dat Sean ergens naartoe was gestuurd door de FBI, maar hij nam aan dat Izzie net zo weinig wist als hij en vertrouwde erop dat Sean wel weer boven water zou komen. Hij had het druk met zijn coschappen en zei altijd dat het goed ging tussen Nancy en hem. Izzie was blij voor hem. Hij leek nu heel ver weg, alsof hij in een andere wereld leefde dan zij.

Op Memorial Day, de laatste maandag van mei, werd Izzie

uitgenodigd voor een barbecue van een groepje docenten van de onderbouw. Ze wilde er niet heen, maar Wendy stond erop. Izzie had toch niets anders te doen, dus ging ze maar. Ze had geen vriendje en was niet vaak uitgegaan sinds Billy's dood. Wendy wilde haar helpen verder te gaan met haar leven.

Er waren een stuk of vijftig mensen op de barbecue, voornamelijk getrouwde docenten met hun partners, en een paar van hen hadden hun kinderen meegebracht. Izzie praatte met de docente tekenen, die haar voorstelde aan haar broer. Die vertelde dat hij schrijver was en net vanuit Oregon in San Francisco was komen wonen. Hij was begin dertig en kortgeleden gescheiden. Ze praatten een tijdje, en toen vroeg hij om haar e-mailadres. Izzie wist niet waarom ze het hem gaf, maar ze deed het. Hij was geen sprankelende persoonlijkheid, of uitgesproken aantrekkelijk, maar het was leuk om met hem te praten en hij was intelligent. Hij had de schrijversvakschool aan Brown gevolgd en kwam oorspronkelijk van de oostkust.

De dag daarop vroeg hij haar per mail of ze met hem uit eten wilde. Izzie was nog in shock door de dood van Billy en had het gevoel dat ze onder water leefde, maar ze had al een jaar geen afspraakje meer gehad. Haar twee beste vrienden waren allebei weg en met Sean kon ze niet eens praten, dus zei ze ja. Het zou in elk geval prettig zijn om er een vriend bij te hebben.

Hij heette John Applegarth. Hij nam Izzie eerst mee naar een museum om een expositie over neoclassicistische architectuur te bekijken die ze wilde zien, en daarna ging hij met haar eten in een Marokkaans restaurant waar ze al jaren niet meer was geweest. Het was leuk, dus toen hij haar weer mee uit vroeg, zei ze ja. Hij had een stipendium gekregen voor het boek waaraan hij werkte, en hij vertelde haar er tijdens de maaltijd over. Het klonk niet opwindend, maar wel boeiend, zoals hijzelf. Ze was niet bepaald gek op hem, maar ze vond hem aardig. Ze gingen nog een paar keer uit eten en toen hij uiteindelijk probeerde haar het bed in te krijgen, gaf ze toe, al had ze er niet echt zin in. Het was stukken beter dan haar eerste ervaring met Andy en de twee erna, maar het zette haar niet in vuur en vlam. Ze was niet verliefd op John, maar ze wilde weten of iets in haar nog leefde. Ze voelde zich al maanden een zombie. Hij wekte haar enigszins tot leven, maar niet genoeg. Ze zou het er voorlopig mee moeten doen.

Toen kwam Izzies moeder naar San Francisco en nam haar mee uit eten, zoals altijd. Alleen vond ze deze keer dat haar dochter er niet goed uitzag. Ze wist dat Billy dood was. Dat wist iedereen, maar ze zag nu pas hoe hard het bij Izzie was aangekomen.

'Hoe is het met de andere twee? Zie je die nog? Hoe gaat het met ze?' vroeg ze. Ze vond dat Izzie een zorgwekkend geïsoleerde, depressieve indruk maakte.

'Andy is met zijn coschappen bezig en werkt zich over de kop, en Sean is een poosje onbereikbaar.' Toen Izzie dat zei, fronste haar moeder haar voorhoofd en keek haar niet-begrijpend aan.

'Wat wil dat zeggen?'

'Hij werkt bij de FBI.' Meer mocht ze niet zeggen, maar het was genoeg. Katherine kon haar wel door elkaar rammelen. Ze voelde dat haar dochter verdronk en een sterke hand nodig had die haar op het droge trok.

'Is er iemand in je leven die heel speciaal voor je is?' vroeg Katherine botweg. Izzie aarzelde even, maar schudde toen haar hoofd.

'Niet echt. Ik heb een vaste vriend, maar ik ben niet weg van hem. Hij is een beetje stil en niet echt mijn type,' vertelde ze eerlijk, 'maar hij is aardig en slim.'

Katherine weifelde even, maar keek haar dochter toen in de ogen. 'Dat is niet genoeg. Ik wil dat je naar me luistert en goed nadenkt over wat ik te zeggen heb. Je bent drieëntwintig. Beter wordt het niet. Je bent jong, je bent mooi. Je kunt alles doen wat je wilt. Je kunt elke man krijgen die je hebben wilt en overal naartoe gaan. Niets of niemand houdt je tegen. Je bent volkomen vrij. Je hebt een baan beneden je niveau. Je leidt een teruggetrokken leven, of eigenlijk heb je geen leven, voor zover ik het kan bekijken. Twee van je beste vrienden zijn schrikbarend jong gestorven, de andere twee zijn weg en die spreek je niet. Je woont in een kleine stad. En je hebt iets met een man van wie je niet houdt en die je niet opwindt, heb je net zelf toegegeven.

Het leven dat je nu aan je voorbij laat gaan, komt niet meer terug. Je krijgt geen herkansing. Zo is het je vader vergaan met zijn werk voor de burgerrechtenbeweging. Hij werkte zo hard voor de armen dat hij zichzelf vergat, en hij liet de carrière en het leven dat hij had kunnen hebben schieten. Werk is niet alles, maar hij was een briljant advocaat, en dat is hij waarschijnlijk nog steeds. Ik weet dat hij van zijn werk houdt, maar hij had het verder kunnen schoppen. Izzie, je moet een passie hebben in je leven. Daarom heb ik mijn huidige baan aangenomen en ben ik hier weggegaan, omdat het leven aan me voorbijging. Ik wil niet dat dat jou overkomt. Met jou heb ik het verprutst, maar mijn andere keuzes wat betreft mijn leven en carrière waren de juiste voor mij. Dat wil ik voor jou ook. Je kunt alles krijgen wat je hebben wilt, maar je moet het zelf pakken. Omdat je vindt dat je er recht op hebt. Je hebt recht op een leven, Izzie, dus word wakker en grijp het. Je krijgt het niet op een presenteerblaadje aangeboden.'

Izzie wist dat haar moeder haar wakker wilde schudden, en in sommige opzichten had ze gelijk. Niet met betrekking tot haar vader, die dol was op zijn vrouw en dochtertje en zijn werk, al leek het haar moeder niet opwindend, maar wat ze over Izzie had gezegd was waar, en ook wat ze over zichzelf had gezegd. Haar moeder had het leven dat ze wilde, hoeveel het haar ook had gekost om het te krijgen, en Izzie had dat niet. Ze genoot van haar werk op Atwood, maar verder was haar leven een moeras van middelmatigheid, en dat wist ze, en het begon tot haar door te dringen dat ze de moed een beetje had opgegeven na Gabby's dood. Ze durfde niets meer te hopen voor haar eigen leven. Als Gabby op slag dood kon zijn door een auto-ongeluk, kon dat haar ook overkomen. Waarom zou je nog iets proberen, of leven, of zelfs maar om iets geven als het allemaal opeens afgelopen kon zijn, als de mensen van wie je hield konden sterven, als jijzelf kon sterven? Izzie had zichzelf beschermd door niets meer te ondernemen. Ze leefde van dag tot dag en wachtte alleen maar tot ze onder een bus kwam of door de bliksem werd getroffen, zoals Gabby en zelfs Billy ook onverwacht waren weggerukt. Hun dood had haar een zware slag toegebracht. Katherine wist waar ze het over had. Ze waren heel verschillend, en Katherine was er nooit voor haar geweest, maar Izzie had wel respect voor haar. Ze had de spijker op zijn kop geslagen: de dood van Gabby, en vervolgens die van Billy, had Izzies vertrouwen in het leven, haar levenslust en de kwaliteit van haar leven ondermijnd.

'Wat ga je deze zomer doen?' vroeg Katherine.

'Niet veel. Ik wilde een paar cursussen volgen voor mijn werk, maar ik ben er niet aan toegekomen me in te schrijven,' bekende Izzie schaapachtig. Eigenlijk was ze er te neerslachtig voor geweest. Ze was bang dat Sean ook dood zou gaan. Ze zou het verlies van nog een vriend niet verdragen, maar ze wist dat het elke dag kon gebeuren. Vanaf het moment dat Sean was vertrokken, verwachtte ze het nieuws te krijgen dat hij dood was.

'Ik wil dat je iets leuks gaat doen. Maakt me niet uit wat. Ga naar Indonesië, Vietnam of Mexico. De Galapagoseilanden. Ga op dansles. Leer nieuwe mensen kennen, ga uit, zet die vent die je niet hoeft aan de dijk en zoek er een die je wel leuk vindt. Je zakt weg, Izzie. Ik wil dat je wakker wordt. Ik betaal alles, of je nu iets wilt doen of een reis wilt maken, maar ik wil dat je plezíér in je leven hebt!' Ze keek er ernstig bij. Izzie zag dat ze het meende, en dat ontroerde haar.

'Heb jij plezier in wat je doet?' Izzie had het zich altijd afgevraagd, maar durfde het nu pas te vragen.

'Ja. Ik hou van mijn werk. Ik werk hard en ik feest hard. En ik hou van Charles, hoe excentriek en gek hij ook is. We hebben lol samen. Dat heb jij ook nodig. Een vent om lol mee te maken. Je hebt de verdrietige kant van het leven al gezien. Je hebt er te veel van gezien voor je leeftijd. Nu moet je voor wat tegenwicht zorgen.'

'Ik zou niet weten wat ik moest doen, of waar ik naartoe moest,' bekende Izzie triest.

'Denk er maar eens over na. Jij hebt de tijd, ik het geld. Ga ervoor!' zei Katherine en ze glimlachte naar Izzie, die plotseling een hechtere band met haar voelde dan ooit. 'Gun jezelf een week om plannen te maken en ga dan!'

Het gesprek tijdens de lunch had Izzie veel stof tot nadenken gegeven. Ze omhelsde haar moeder innig bij het afscheid en ging toen naar huis om vakantiebrochures door te nemen en op internet te zoeken. Ze vond advertenties voor het Caribisch gebied, Marokko en safari's in Afrika, maar de landen die haar bleven aanspreken, waren Argentinië en Brazilië. Ze had gehoord dat het in Brazilië gevaarlijk was voor vrouwen om alleen te reizen, dus bleef Argentinië over. Ze bekeek nog een paar sites en noteerde de namen van een paar goede hotels. Hoe meer ze las, hoe meer zin ze kreeg om weg te gaan. Ik kan de tango leren dansen, dacht ze, en toen schoot ze in de lach. Het geluid klonk haarzelf vreemd in de oren, en toen drong het tot haar door dat ze niet meer had gelachen sinds Billy's dood of nog langer geleden. Voor het eerst in maanden, misschien wel jaren, verheugde ze zich ergens op. De volgende dag belde ze haar moeder om te vertellen wat ze had besloten. Katherine vond het een goed idee, maar waarschuwde haar dat alleen reizen in Zuid-Amerika gevaarlijk was en wilde dat ze een chauffeur nam, wat Izzie beloofde. Katherine zei dat ze er met plezier voor wilde betalen.

'Waarom kom je ons daarna niet in Zuid-Frankrijk opzoeken? We hebben een huis in St. Tropez gehuurd.' Bij het idee alleen al voelde Izzie zich een wereldreiziger, maar Katherine was haar moeder, en ze kon het zich permitteren.

De volgende dag boekte Izzie een vlucht naar Buenos Aires. Het was een lange reis, maar het was de moeite waard. En ze reserveerde een kamer in een van de beste hotels, dat verbluffend goedkoop was, en e-mailde dat ze ook graag wilde dat het hotel een auto met chauffeur voor haar regelde. Ze wilde een week blijven, maar als ze wilde, kon ze haar verblijf verlengen. Toen boekte ze een vlucht van Buenos Aires naar Nice, via Parijs, en een auto naar St. Tropez, waar ze ook een week wilde blijven. Misschien zou ze daarna nog een weekje naar Parijs kunnen. Ze zou op 4 juli vertrekken, op Onafhankelijkheidsdag, en ze zou ergens in augustus terugkomen, afhankelijk van hoe alles verliep. Toen ze dat allemaal had gedaan, belde ze haar vader om hem alles te vertellen. Hij was blij voor haar, en hij was dankbaar dat haar moeder iets voor haar deed wat hij niet kon doen. Hij wist dat Izzie de reis nodig had. Ze had afwisseling nodig. Ze zat vast. Ze had te lang te veel verdriet gehad en dat had haar, zonder dat ze het in de gaten had, beroofd van haar levensvreugde. Ze beloofde nog even bij hem langs te gaan voordat ze vertrok.

Toen belde ze John. Hij vroeg of ze die avond met hem uit eten wilde en ze zei ja. Ze wilde hem vertellen dat ze wegging en dat het haar geen goed idee leek om elkaar te blijven zien na haar terugkomst.

Hij nam haar mee naar een sushirestaurant in de Japanse wijk. Het eten was lekker, maar terwijl Izzie naar John luisterde, begon ze te beseffen dat ze niet geïnteresseerd was in zijn boek en wat hij verder te vertellen had. Hij was tien jaar ouder dan zij en verwachtte niets meer van het leven. Zij nog wel, al had ze er de afgelopen maanden, of jaren, gerekend vanaf de dood van Gabby, anders over gedacht. John vroeg of ze op 4 juli met hem mee wilde naar Oregon om te kamperen, en ze zei dat ze naar Argentinië ging om de tango te leren. Ze hoorde het zichzelf zeggen en schoot bijna in de lach. Ze had weer zin in het leven. Opeens was het een avontuur, en ze was bereid zich erin te storten.

'Argentinië?' herhaalde John verbouwereerd. 'Wanneer heb je dat besloten?' Ze had het hem nog niet verteld. Ze was niet eens op het idee gekomen.

'Een paar dagen geleden. Ik heb met mijn moeder geluncht en ze bood me een reisje aan, een soort verlaat afstudeercadeau. Na Argentinië zie ik haar in Frankrijk.' Ze voelde zich een verwend nest terwijl ze het zei, maar John hoefde ook niet bepaald elke cent om te draaien. Hij had gewoon geen zin om geld uit te geven, want dan zou hij weer aan het werk moeten en daar had hij geen zin in. Hij leefde zo sober mogelijk om geld uit te sparen. Het was wel verstandig, maar daar had Izzie op dat moment niet veel aan. Ze zei tegen hem dat ze vond dat ze niet bij elkaar pasten en dat het haar geen goed idee leek om de draad weer op te pakken als ze terug was. Het leek hem teleur te stellen, maar hij ging er niet tegen in. Tegen het eind van de maaltijd was het hem wel duidelijk dat zij niet in zijn leven paste. Een vrouw die in een opwelling naar Argentinië ging, zou geen zin hebben om te kamperen en trektochten te maken, wat hij juist graag deed.

Na het eten bracht hij haar thuis en bedankte ze hem voor

alles. Ze wisten allebei dat ze elkaar nooit meer zouden zien. John leek er niet mee te zitten. Hij wenste haar veel plezier in Argentinië en ze wuifde hem na op weg naar haar voordeur. Dat was het einde van hun relatie, en ze hadden er geen van beiden verdriet van.

Izzie bracht nog een bezoekje aan Connie voordat ze vertrok, en aan Marilyn, Jack, Brian en de tweeling. Brian had net zijn diploma gehaald en zou in september naar Berkeley gaan. Izzie vond het jammer dat ze niet bij de barbecue kon zijn die op 4 juli werd gehouden omdat hij was geslaagd. Ze belde Judy op en mailde Andy, die de hele zomer in Boston zou blijven, en op de avond voor haar vertrek ging ze uit eten met haar vader, Jennifer en Ping. Op 4 juli zat ze in het vliegtuig naar Buenos Aires, dankzij haar moeder, die zich tot haar beste vriendin had ontpopt. Katherine had haar weer in beweging gekregen, en de manier waarop was bijzonder. In zekere zin had ze Izzies leven gered, want dat was langzaam uit haar gesijpeld.

Buenos Aires was nog mooier dan ze had gedacht. Het leek op Parijs, en ze zat voor weinig geld in een schitterend hotel. De chauffeur die voor haar was geregeld, was prima. Hij bracht haar zelfs naar tangocafés en ging met haar mee naar binnen om haar te beschermen. Ze danste met volslagen onbekenden. Ze liep door schitterende tuinen. De chauffeur bracht haar naar een *estancia*, Villa Maria, op drie kwartier rijden van de stad. Daar reed ze paard, zwom en vermaakte zich kostelijk. Toen ze op een dag door de Bosques de Palermo liep, een mooi park dat de chauffeur haar had aanbevolen, vroeg ze zich af of ze bij Sean in de buurt was, maar daar kon ze alleen maar naar raden, en ze dwong zichzelf niet meer aan hem te denken. Ze ging ook naar het Parque Tres de Febrero, dat veel weg had van het Bois de Boulogne in Parijs. Ze dwaalde er door de rozentuinen en over de promenades, en ze keek uit over het meer. Ze stuurde iedereen thuis een ansichtkaart, en Andy kreeg er ook een.

Na Buenos Aires vloog ze naar Parijs, waar ze overnachtte in een klein hotel op de linkeroever van de Seine, en de volgende ochtend vloog ze naar Nice en ging vandaar naar St. Tropez. Haar moeder en Charles waren dolblij haar te zien. Ze namen haar mee naar restaurants en etentjes, en ze gingen een avond dansen in de Caves du Roy. Izzie had nog nooit zoveel plezier gehad met haar moeder. En op weg naar huis trakteerde ze zichzelf in een opwelling op een weekend in Venetië. Het was heerlijk. Met een geliefde erbij was het nog leuker geweest, maar ze vond het niet erg om alleen te zijn. Ze voelde zich vrij, enthousiast en bruisend van het leven. Ze vloog terug naar Parijs, waar ze vier dagen bleef, en toen ging ze terug naar San Francisco. Ze voelde zich heel werelds en ontwikkeld toen ze terugkwam. En ze voelde weer dat ze leefde. Haar moeder had haar een ongelooflijk mooi geschenk gegeven: ze had haar zichzelf laten terugvinden. En toen Izzie aan haar tweede jaar op Atwood begon, vertelde ze de kleuters er alles over: een land dat Argentinië heette, waar de mensen van dansen houden, en Parijs – ze liet een ansichtkaart van de Eiffeltoren zien – en Venetië, waar iedereen in boten vaart die gondels worden genoemd. Daar liet ze ook een ansichtkaart van zien.

'Wij zijn naar mijn oma in New Jersey geweest!' vertelde een klein meisje dat Heather heette.

'En was het leuk?' vroeg juf Izzie met een brede glimlach. Ze voelde zich een ander mens, en het was haar aan te zien. Het was een opluchting voor Wendy dat de zomer Izzie zoveel goed had gedaan.

'Ja,' zei Heather. 'We mochten van oma bloot in de achtertuin spelen, en ze heeft een zwembad!' Iedereen lachte.

Het was een speciale dag voor Izzie, want Daphne en Dana,

de tweeling van Marilyn en Jack, gingen die dag voor het eerst naar school. De meisjes vonden het heel fijn haar te zien. Ze hadden continuïteit in hun leven.

'Zo te horen heb je een fantastische zomervakantie gehad,' zei Wendy toen ze sap inschonken en koekjes op een schaal legden.

'Nou en of.' Izzie glimlachte naar haar. 'De beste zomer van mijn leven.' Na vier van de ergste jaren van haar leven, of in elk geval de moeilijkste. Ze hoopte dat er nu betere tijden zouden aanbreken. Ze kon alleen maar hopen dat Sean nog leefde, het goed maakte en ook gelukkig was. Voor het eerst sinds het verlies van Gabby leefde Izzie weer echt. Ze overwoog zelfs in de kerstvakantie naar Japan te gaan. Dankzij haar moeder had de wereld zich voor haar geopend, en ze wilde er deel van uitmaken.

20

Izzie kon tot Thanksgiving teren op al haar belevenissen van de afgelopen zomer. Haar moeder had niet alleen haar reis betaald, maar haar er ook toe aangezet te gaan, wat een groot geschenk was. Het was de mooiste zomer van Izzies leven geweest.

Ze speelde nog steeds met het idee om naar Japan te gaan, of naar India, maar niet met Kerstmis. Ze zou in de paasvakantie kunnen gaan, of in de zomervakantie, maar de kerstdagen wilde ze thuis doorbrengen met haar vader, Jennifer en Ping. Ze had sinds de zomer een aantal keren met Andy gesproken. Hij zei dat hij jaloers was op haar reis naar Argentinië, al vond hij Parijs, Venetië en St. Tropez ook niet slecht klinken.

'Wie is die gulle minnaar van jou?' vroeg hij plagerig.

'Mijn moeder. Wanneer kom je naar huis?' Izzie snakte ernaar om hem weer te zien.

'Ik kan niet naar huis met Kerstmis. Of ik ben aan het studeren, of ik heb colleges, of ik ben non-stop in het ziekenhuis, en Nancy ook. We hebben al drie maanden niet meer geslapen.' Toch klonk hij alsof hij ervan genoot. Hij beloofde zo snel mogelijk naar huis te komen.

Op de eerste zaterdagochtend van de kerstvakantie ging de telefoon en hoorde Izzie een vertrouwde stem. Haar hart sloeg op hol. Waar zou hij zijn? Hij leefde in elk geval nog. Ze had hem sinds maart niet meer gesproken. Het was Sean.

'O, mijn god, waar zit je? Gaat het wel goed met je?'

'Ja hoor,' zei hij met een lach. 'Kijk maar naar buiten.' Izzie keek door het raam en zag hem op de stoep staan, naar haar wuivend terwijl hij met haar telefoneerde. Ze maakte haar voordeur open en rende naar beneden. Sean had een volle baard gekregen en hij zag er mager uit, maar hij was er, hij leefde nog en hij was zo te zien gezond. Hij lachte toen hij haar zag en gaf haar een stevige knuffel.

'Waar heb je al die maanden uitgehangen?'

'Colombia,' zei hij op een toon waarop iemand anders 'de supermarkt' had gezegd.

'Ik ben van de zomer in Argentinië geweest,' zei Izzie al net zo luchtig, en Sean gaapte haar aan. Hij vond dat ze er in jaren niet zo goed uit had gezien, en ze leek ook vrolijker. Hij vroeg zich af of er een nieuwe man in haar leven was, maar toen hij boven in haar flatje was, zag hij niets wat erop duidde.

'Wat heb je daar gedaan?' vroeg hij wantrouwig.

'De tango leren dansen. En toen ben ik naar St. Tropez gegaan.'

'Heb je de loterij gewonnen? Heb ik iets gemist?'

'Het was een cadeau van mijn moeder. Ik was depressief na Billy's dood, en ik maakte me heel ongerust om jou. En ik had iets met een oersaaie kerel. Mijn moeder heeft me overgehaald de boel de boel te laten en op reis te gaan. Het was het beste wat ik ooit heb gedaan. Hoe is het met jou?' Ze was zo blij hem weer te zien dat ze maar bleef ratelen. Seans ogen lagen diep in hun kassen en waren donker, en zijn gezicht was heel smal onder de baard, maar ze vond dat hij er geweldig uitzag. Hij leefde nog.

'Waar is die oersaaie kerel nu?'

'Ik heb hem de bons gegeven voordat ik naar Argentinië ging. En misschien ga ik dit voorjaar wel naar Japan. Jij bent niet de enige die de wereld rond kan reizen, hoor,' zei ze terwijl ze in haar keuken gingen zitten en ze koffie voor hen beiden inschonk.

'Ik heb niet bepaald op tangoles gezeten,' zei Sean droog. 'Je ziet er goed uit, Iz.' Hij was blij te zien dat het zo goed met haar ging. Hij had zich ook zorgen om haar gemaakt. En hij had hun gesprekken gemist, maar zijn werk was belangrijker.

'Hoe lang blijf je?' vroeg Izzie toen ze aan de koffie zaten.

'Een week of twee. Ik ga in januari terug.' Ze trok een teleurgesteld gezicht, maar zo was zijn leven tegenwoordig: een week bij zijn familie en dan bijna een jaar onvindbaar.

'Ga je weer undercover?' Sean knikte. Hij had uitstekende resultaten geboekt in Colombia. Nu ging de FBI hem naar een plek sturen die nog gevaarlijker was, maar dat vertelde hij Izzie niet.

'Het is mijn werk,' zei hij kalm, en hij nam een slokje van de dampende koffie.

'Het is zwaar voor je ouders,' zei ze botweg.

'Ik weet het, maar ze vatten het goed op.'

'Ze hoeven niet nog een zoon te verliezen, Sean,' zei Izzie ernstig. Hij wist het al. Hij kon wel zien dat zijn ouders allebei sterk waren verouderd tijdens zijn afwezigheid. Het verlies van Kevin en de zorgen om hem hadden hun tol geëist.

'Ik weet het,' zei Sean schuldbewust. 'Wanneer mag ik met je uit eten? Krijg ik het met een boze vriend aan de stok?' Izzie zag er zo knap en blij uit dat hij niet kon geloven dat er geen man in haar leven was.

'Nee, ik ben vrijgezel,' zei ze achteloos. 'Ik kan vanavond wel.'

'Dan kom ik je om zeven uur halen,' zei hij, en hij stond

op om weg te gaan. Hij keek lang op haar neer en toen trok hij haar in zijn armen en drukte haar tegen zich aan. 'Ik heb je gemist, Iz. Ik vond het vreselijk om je niet te kunnen bellen.'

'Ja, ik ook,' zei ze zacht, maar hij wilde zelf zo leven, zonder contact met de mensen die hem dierbaar waren, om zijn heilige oorlog te voeren. Zij vond dat het het niet waard was, maar hij had deze keus gemaakt, tegen een hoge prijs voor hem en iedereen om hem heen, ook haar. Hij had dat voorjaar ook bijgedragen aan haar gevoel van hopeloosheid. Ze had zeker geweten dat ze hem nooit meer zou zien. Ze had bijna gelijk gekregen, maar dat kon hij haar niet vertellen. Hij had deelgenomen aan een operatie die heel gevoelig lag en een paar keer bijna was misgelopen, en ze hadden hem net op tijd teruggehaald.

Toen hij weg was, dacht ze een tijdje over hem na. Ze vond het vreselijk dat hij voor de FBI werkte. Als hij niet zo ver weg zat, zouden ze van alles samen kunnen doen, maar hij had nu eenmaal niet gekozen voor een leven met een thuis, zijn ouders in de buurt, een relatie en vrienden. Hij wilde met de FBI in drugsoorlogen vechten. Het klonk haar veel te gevaarlijk in de oren en ze was blij voor zijn moeder en alle anderen dat hij levend thuis was gekomen. Ze wist dat het niet makkelijk geweest kon zijn voor Sean, die er opeens ouder uit leek te zien dan hij was. Geen mens had kunnen denken dat Izzie en hij even oud waren. Hij leek wel tien jaar ouder dan zij, alsof hij al een dertiger was.

Ze zagen elkaar zo vaak mogelijk en het was als vanouds. Hij had natuurlijk ook verplichtingen aan zijn familie. Hij reed naar Berkeley en ging met Brian lunchen. Hij nam Izzie een paar keer mee uit eten. Ze gingen naar hun favoriete restaurants waar ze hamburgers en pizza aten, en hij ging ook een keer met haar naar een chic Frans restaurant. Hij gedroeg zich alsof het geld in zijn zak brandde. Hij had dan ook het hele jaar niets kunnen uitgeven, en hij werd goed betaald voor zijn undercoverwerk, met 'gevarengeld' vanwege de risico's die hij nam. Hij spendeerde het met plezier aan Izzie.

Hij vierde Kerstmis bij zijn ouders en vlak voor het nieuwe jaar begon moest hij weer weg. Hij ging naar Izzie om afscheid te nemen. Deze keer rechtvaardigde hij zijn vertrek niet, en hij verontschuldigde zich er ook niet voor. Hij had al tegen haar gezegd dat hij een jaar weg zou blijven, en ze was boos op hem. Ze zei dat het niet eerlijk was tegenover zijn ouders.

Hij omhelsde haar, en ze zwegen allebei. Er was niets meer te zeggen. Ze wisten allebei dat hij het komende jaar continu voor zijn leven zou moeten vechten. Hij zou moeten proberen de drugsbaronnen te slim af te zijn en informatie te verzamelen voor zijn land. Hij leefde permanent in een toestand van oorlog. Het drugsgeld werd gebruikt om wapens te kopen en terroristen te financieren.

'Pas goed op,' fluisterde ze. 'En probeer levend terug te komen.'

'Ik ben te slim om me te laten vermoorden,' zei hij met een glimlach.

'Nee, je bent te zelfingenomen,' zei ze, en toen ging hij weg. Hij haastte zich de trap af en de straat op. Ze keek door het raam naar hem en zag hem wuiven, in zijn auto stappen en wegrijden. Zoals altijd stuurde hij haar een sms vanaf het vliegveld. Hij schreef weer dat ze zich taai moest houden en ze wist dat ze een jaar of langer niets van hem zou horen. Ze vervloekte de manier waarop hij leefde, maar ze wist ook dat hij nooit anders had gewild. En als hij daar stierf, was dat ook wat hij had gewild, zich opofferen voor een zaak waarin hij geloofde. Maar als hij stierf, zou de prijs voor haarzelf, zijn vrienden en zijn familie veel te hoog zijn, wist Izzie. Sean was bereid hen allemaal op te geven voor zijn missie.

Ze probeerde deze keer zich niet te neerslachtig te laten maken door zijn vertrek. Hij zou altijd zo blijven leven. Ze zou hem maar zo af en toe zien, en dan zouden ze bijpraten, waarna hij weer een jaar zou verdwijnen. De rest van de wereld zou doorgaan zonder hem, en dat zou zij ook doen.

Ze vierde oud en nieuw bij een vrouw die ze via de universiteit in Los Angeles had leren kennen en die net naar San Francisco was verhuisd. Izzie ging meestal niet weg met oud en nieuw, maar ze had geen zin om thuis te gaan zitten somberen. De datum van Billy's dood naderde, Sean was weer vertrokken en Andy kon niet uit Cambridge weg. Ze kon nergens anders heen, dus ging ze naar het feest.

Hij was zo ongeveer de eerste die ze zag toen ze binnenkwam, de knapste man die ze ooit had gezien, en zodra hij haar in het oog kreeg, glimlachte hij breed naar haar. Hij heette Tony Harrow, hij was filmproducer in Los Angeles en hij vertelde dat hij voor opnamen in San Francisco was.

'En wat doe jij?' vroeg hij oprecht geïnteresseerd terwijl hij haar een glas champagne aanreikte. Ze had een korte, witte satijnen jurk en zilveren sandalen met hoge hakken aan. De meeste gasten waren buiten op het balkon aan het roken, drinken en lachen, maar Tony ging met haar op de bank binnen zitten – hij wilde haar voor zich alleen hebben, zei hij.

'Ik ben kleuterjuf,' zei ze met een stralende glimlach. Ze was ervan overtuigd dat hij haar ontzettend saai zou vinden, maar dat viel mee.

'Hoe ben je daartoe gekomen?'

'Ik wist niet wat ik anders wilde worden als ik groot was. Ik probeer er nog steeds achter te komen.'

'Ik ook,' zei hij lachend. Hij droeg een duur pak met een openhangend wit overhemd eronder en zijn goed gepoetste zwarte schoenen zagen er ook duur uit. Izzie wist dat hij een paar zeer succesvolle films had gemaakt. 'Misschien kun je me helpen een appartement te vinden. Ik zoek iets gemeubileerds, voor een jaar, met een mooi uitzicht.' Hij keek om zich heen in het mooie appartement op Russian Hill. 'Zoiets als dit. Misschien kunnen we je vriendin zo gek krijgen dat ze verhuist en dit aan mij overdoet.' Ze lachten allebei om het idee. 'Waar woon jij?'

'In een piepklein flatje vlak bij de school waar ik werk.'

'Wat praktisch.' Hij leek alles wat ze zei fascinerend te vinden, al was het nog zo onnozel. En hij was niet alleen aantrekkelijk, maar ook heel charmant. Izzie vond het vleiend dat hij met haar wilde praten. Zulke mannen kwam ze niet tegen in haar kleine kringetje. Hun gezamenlijk kennis had de filmacademie gedaan en twee jaar voor hem gewerkt.

'Heb je zin om morgen met me naar Napa Valley te gaan?' vroeg hij. Izzie was zo verbaasd dat ze met haar mond vol tanden stond, maar hij keek haar afwachtend aan en ze knikte. Klokslag twaalf uur zaten ze nog steeds samen op de bank. Tony haalde nieuwe champagne voor haar, leunde naar haar over en kuste haar licht op de lippen. Hij raakte haar amper aan, wat ze heel verleidelijk vond. Hij was een man van de wereld.

Om één uur 's nachts reed Izzie naar huis. Ze had verder niemand gesproken op het feest, en Tony had gezegd dat hij haar de volgende ochtend om tien uur zou komen halen. Vervolgens had hij haar weer zo'n subtiele, vlinderlichte kus gegeven, wat ze ongelooflijk aantrekkelijk vond. Hij was zo prettig in de omgang, intelligent en knap om te zien dat het bijna te mooi was om waar te zijn. Misschien had ze zich hem maar verbeeld. Maar die ochtend stond hij zoals beloofd om tien uur voor haar deur, gekleed in een spijkerbroek en een blazer van goede snit. Hij had zwart haar dat peper-en-zoutkleurig was bij zijn slapen. Ze had hem op vijfendertig geschat, maar op weg naar Napa vertelde hij dat hij negenendertig was. Hij was zestien jaar ouder dan zij, en hij leek veel wereldwijzer dan de mensen met wie ze anders omging, maar ze vond het leuk. Ze dacht aan Jennifer en haar vader, die zeventien jaar scheelden. Misschien had het toch wel iets, een oudere man. Ze was nog nooit uitgegaan met iemand die zo'n stuk ouder was, en het was een aangename afwisseling.

Tony ging met haar naar twee prachtige wijngaarden en reed met haar door Napa Valley over wegen die waren omzoomd met mooie oude bomen. Vervolgens deden ze de Auberge du Soleil aan, een hotel-restaurant op een heuvel met een adembenemend uitzicht over de vallei met zijn glooiende heuvels en goed onderhouden wijngaarden. Ze lunchten op een balkon en toen ze weer weggingen, was Izzie helemaal in zijn ban. Hij was boeiend om mee te praten, leuk gezelschap, zorgzaam en attent. Een deel van de weg reden ze met het dak van zijn cabrio open over schilderachtige landweggetjes.

Hij vertelde haar over de filmbusiness en de nieuwe film die hij produceerde. Hij was nooit getrouwd, zei hij, maar hij had een paar lange relaties achter de rug.

'Waarom ben je nooit getrouwd, denk je?' vroeg ze. Ze wist dat het een opdringerige vraag was, maar ze voelde zich verbazend op haar gemak bij hem na hun dag samen. Hij leek een extraverte man, en hij had vrijelijk gepraat over zichzelf en de fouten die hij op zakelijk gebied en in zijn privéleven had gemaakt. Hij deed niet verwaand of gewichtig, ondanks zijn overduidelijke succes, wat ze in hem waardeerde. Hij had het heel goed gedaan.

'Uit angst, denk ik,' zei hij eerlijk. 'Allerlei dingen. Vlak na mijn studie had ik nog te veel lol, en toen kreeg ik het druk met het opbouwen van mijn bedrijf. Ik was altijd bezig met de voorbereidingen voor de volgende film. Ik ben heel gedreven in mijn werk, en soms krijg je iets voor je kiezen, zo'n stomp in je maag die maakt dat je geen risico's meer wilt nemen. Tijdens mijn studie was ik nog ontzettend dol op mijn jeugdliefde. We wisten zeker dat we zouden gaan trouwen – ik had zelfs al een ring gekocht en stond op het punt haar te vragen toen ze omkwam bij een frontale botsing. Ze was op weg naar Los Angeles, naar mij, toen ze verongelukte. Het regende, ze slipte en ze raakte de macht over het stuur kwijt. Ik was bang dat ik het niet zou overleven, maar ik ben er nog. Ik denk niet dat ik me ooit nog zo kwetsbaar zal opstellen. Ik hou net genoeg afstand om te zorgen dat ik niet nog eens zoveel verdriet hoef te doorstaan. Misschien kun je maar één keer in je leven zoveel van iemand houden, wanneer je nog heel jong bent.' Hij glimlachte naar haar terwijl hij het zei. Wat hij haar had toevertrouwd, raakte haar dieper dan hij wist.

Ze haalde even diep adem voordat ze het vertelde, maar ze voelde zich er niet ongemakkelijk bij. 'Ik ben de afgelopen vijf jaar twee goede vrienden kwijtgeraakt, mensen met wie ik was opgegroeid. Geen grote liefdes, maar het had ongeveer hetzelfde effect op me. Ik geloof dat ik alles heb afgehouden omdat ik die pijn niet nog eens wilde voelen.'

'De liefde is ingewikkeld,' zei Tony nadenkend. 'Als je echt van iemand houdt, al is het maar een vriend, is pijn onvermijdelijk, denk ik. Mensen gaan dood, ze gaan weg, dingen veranderen. Maar soms,' zei hij met een glimlach naar haar, 'klopt het allemaal. Ik heb gewoon nog niet de moed gehad om het echt te proberen.'

'Ik denk dat ik mezelf ook heb afgeschermd. Ik heb niet zo'n goede band met mijn moeder, maar toen ik vorig jaar een keer met haar uit eten was, heeft ze me min of meer wakker geschud. Ze zei dat ik het leven aan me voorbij liet gaan en dat het nooit beter zal worden dan nu. Daarom ben ik vorige zomer naar Argentinië gegaan, en ik overweeg dit jaar naar Japan te gaan. Doordat ik even uit mijn eigen kleine wereldje stapte, werd alles anders. Ik heb weer het gevoel dat ik leef. Ik denk dat er iets in mij is gestorven toen mijn allerbeste vrienden doodgingen. Het is moeilijk om weer zoveel op het spel te durven zetten.'

'Ja,' beaamde hij terwijl hij de snelweg weer op reed en ze door Marin reden. 'Maar het is het waard, Izzie. Neem dat maar van mij aan. Dat meisje is nu achttien jaar dood, en mijn leven is nooit meer hetzelfde geweest. Veel van mijn vrienden zijn getrouwd en hebben kinderen gekregen, maar ik weet dat het er voor mij niet in zit. Ik denk niet dat ik dat risico ooit zal durven nemen, maar jij bent nog jong genoeg om het anders te doen. Ik niet, denk ik.' Ze vond het verdrietig klinken, maar Tony kende zichzelf tenminste. Het was alsof hij op haar pad was gekomen om haar te waarschuwen. Ergens diep in haar hart wist ze dat ze niet zo wilde worden als hij. Ze was Marilyn niet, of Connie, of Judy; ze had geen kind verloren. Zelfs geen liefde, zoals Tony. Zij was vrienden kwijt. Dat was iets anders. Het was geen reden om iedereen buiten te sluiten of nooit meer een risico te nemen. Hij had gelijk, en het was een wijze les voor haar.

Hoezeer Tony ook van het leven leek te genieten, Izzie had medelijden met hem. Als hij zichzelf niet kon toestaan van iemand te houden, leefde hij niet echt. Ze vroeg zich af of ze zelf wel echt leefde. Ze was nog nooit in haar leven echt verliefd geweest, maar ze was nog jong genoeg om daar verandering in te brengen. Voor Tony zou het veel moeilijker zijn om zich weer open te stellen nadat hij zichzelf achttien jaar lang hermetisch had afgesloten. Toch was hij aangenaam gezelschap. Ze had een leuke dag gehad. Toen hij haar bij haar flatje afzette, vroeg hij wanneer hij haar weer kon zien.

'Hou je van ballet?' vroeg hij met een brede, spontane glimlach.

'Ik heb maar twee keer een balletvoorstelling gezien. *De notenkraker* en *Het zwanenmeer*.' Ze had ze allebei mooi gevonden. Tony was een echte man van de wereld. Verder zou geen van haar bekenden haar ooit uitnodigen voor een balletvoorstelling. Ze wist dat Andy's ouders regelmatig gingen, maar het zou niet bij hen opkomen haar mee te vragen, en de jongens met wie ze omging aten eerst een hamburger of een pizza en gingen dan naar de film, niet naar het ballet. Ze vond het een heel volwassen idee.

'Heb je zin om volgende week met me naar een balletpremière te gaan?' stelde hij voor, en Izzie glimlachte. Tony was prettig gezelschap, en ze kon zich goed voorstellen dat ze met hem op tangoles ging, al kon hij waarschijnlijk al dansen. 'Er is een souper na afloop,' vervolgde hij.

'Ik ga heel graag mee.'

'Je zult een cocktailjurk aan moeten, en ik een smoking. Maar met jouw uiterlijk...' – hij glimlachte naar haar – '... kun je wel iets korts dragen.'

'Het lijkt me heel leuk. Dank je wel, Tony.' Ze glimlachte naar hem en hij schoot in de lach en zoende haar vlinderlicht op haar wang.

'Blijf bij mij, schat, dan maken we plezier.' Ze was ervan overtuigd dat het waar was, maar in een plotselinge flits van inzicht vermoedde ze dat ze wel plezier zouden maken, maar dat het aan diepgang zou ontbreken. Die was hij al te lang uit de weg gegaan. Hij was een verstokt vrijgezel, en een gul mens, maar het enige wat hij niet meer kon geven, was zijn hart. Het zou haar uiteindelijk niet zo vergaan als Jennifer, die gek was op haar vader en hij op haar, en die samen met hem Ping had geadopteerd. Haar vader was eerst met de verkeerde vrouw getrouwd en had toen de juiste gevonden. Ze dacht niet dat Tony het er nog eens op zou willen wagen. Het maakte haar niet echt uit, ze was niet verliefd op hem, maar ze hoopte nog eens verliefd te worden. Tony deed nog zijn best om de liefde te omzeilen en op afstand te houden. Ze vroeg zich af of hij niet op haar viel en met haar uitging omdat ze te jong was om méér van hem te verwachten, in tegenstelling tot vrouwen van zijn eigen leeftijd, die alles wilden: kinderen, huwelijk en een toewijding die hij niet meer wilde geven. Hij was in elk geval eerlijk tegen haar geweest, zodat ze niet gekwetst zou worden. Hij was gewoon een uitstapje in haar leven, net als haar vakantie in Argentinië. Hij wekte niet de schijn dat hij meer te bieden had.

Toen ze afscheid hadden genomen en hij wegreed, dacht ze aan Gabby en voelde een stekende pijn. Als haar vriendin nog had geleefd, had ze haar kunnen vragen wat ze aan moest naar het ballet, en misschien had ze iets van haar kunnen lenen. Ze besloot het aan Jennifer te vragen.

Haar stiefmoeder zei dat ze een chique, sexy korte jurk moest aantrekken. Ze was veel groter dan Izzie, dus ze kon haar niets lenen, maar ze bood aan met haar te gaan shoppen. De volgende dag liet Jennifer Ping bij Jeff achter, zodat ze er een echte meidendag van konden maken. Zulke dingen had Izzie nooit met haar moeder gedaan, maar Katherine had haar wel goede raad en reisjes naar Europa en Argentinië gegeven. Er was voor beide vrouwen plaats in Izzies leven.

Ze vonden de perfecte jurk bij Neiman Marcus. Hij was kort, van chiffon, met spaghettibandjes met zwarte lovertjes, en ze vonden schoenen die erbij pasten. Het stond Izzie fantastisch, en ze zag er heel mondain uit in haar nieuwe kleren. Ze leek op een echte vrouw, niet op een meisje of een kleuterjuf. 'Je bent een lekker ding,' zei Jennifer grinnikend, en Izzie schoot in de lach.

'Zo, wat is dat voor man?' vroeg Jennifer toen ze naar het

restaurant boven in het warenhuis gingen om een hapje te eten. 'Hij moet wel heel bijzonder zijn als je kleren voor hem gaat kopen.'

'Ik heb gewoon geen kleren voor het soort dingen dat hij doet,' zei Izzie, die zich net Assepoester na het bal voelde nu ze haar nieuwe jurk niet meer aanhad. Ze droeg een spijkerbroek, een roze sweatshirt en gympen met gaten erin – haar gewone kledij voor de zondagmiddag. 'Hij is heel gelikt en best sexy. Hij is een filmproducer uit Los Angeles die hier een jaar zit om een film te draaien.'

Jennifer leek geïmponeerd te zijn. 'Hoe oud is hij?' vroeg ze belangstellend.

'Negenendertig.' Jennifers gezicht betrok.

'Is dat niet een beetje oud voor jou, Iz?' Ze zaten inmiddels aan een tafeltje en hadden allebei een salade besteld. Izzie keek peinzend. Jennifer en Jeff scheelden zeventien jaar, maar toen Jennifer hem leerde kennen, was ze geen drieëntwintig meer geweest.

'Misschien. Ik weet het niet. Ik geloof niet dat hij zich sterk aan mensen hecht. Zijn hart is gebroken toen hij nog jong was. Hij wil gewoon plezier hebben, denk ik.'

'Als je maar zorgt dat hij je hart niet breekt,' waarschuwde Jennifer haar. 'Je kunt makkelijk verslingerd raken aan zulke mannen. Ze zijn heel charmant, maar blijven altijd net buiten je bereik. Ik heb zo iemand gehad voordat ik je vader leerde kennen. Het duurde een halfjaar, maar het heeft me drie jaar gekost om eroverheen te komen. Ik ben dan ook een langzame leerling. Jij bent vast slimmer dan ik.'

'Ik denk dat ik me ook niet snel hecht,' zei Izzie zacht. 'Mensen gaan dood, Jen,' vervolgde ze, en de manier waarop ze haar stiefmoeder aankeek, was hartverscheurend. Ze had al te veel gezien voor haar leeftijd, en ze had er een hoge prijs voor betaald.

'Niet iedereen sterft jong, Izzie,' zei Jennifer vriendelijk, en ze gaf een geruststellend klopje op haar hand.

'Nee, maar er lijken veel mensen van mijn leeftijd dood te gaan.'

'Hoe zou dat komen, denk je?' vroeg Jennifer ernstig. Ze had er zelf veel over nagedacht. Als maatschappelijk werkster zag ze te veel tragedies onder mensen van Izzies leeftijd en nog jonger. Jonge mensen kwamen soms om door een ongeluk of doordat ze zich in het verkeerde milieu begaven, maar het leek ook een teken des tijds te zijn. Ze had nog nooit een groep jonge mensen gezien die zoveel gevaar liep.

'Ik weet het niet,' antwoordde Izzie. 'Misschien zijn we stom, of overmoedig, of hebben we te veel tv gekeken toen we nog klein waren of zo. Je ziet elke dag op het nieuws mensen die vermoord worden, en geen mens staat erbij stil. Dan overkomt het iemand die je kent en ga je er zelf bijna aan onderdoor. Misschien zijn we onvoorzichtig of nemen we meer risico. Zoals Billy,' zei ze verdrietig. Hetzelfde gold voor Kevin. Gabby had alleen maar een taxi willen aanhouden, maar de jongen die schuldig was aan haar dood, was roekeloos en dwaas genoeg geweest om met drank op achter het stuur te kruipen. Ze had gehoord dat hij een jaar geleden vrij was gekomen, na drieënhalf jaar in de gevangenis. Ze kon zich niet voorstellen hoe hij het daar had gehad en wilde er niet eens aan denken. De sterfgevallen onder jongeren die Jennifer het ergst vond, waren de zelfmoorden, die ze door haar werk vaker tegenkwam dan de meeste anderen. Het was doodsoorzaak nummer twee onder jongeren, na auto-ongelukken. Veel ouders wisten niet wat er speelde in het leven van hun kind, of sloten er de ogen voor. Telkens wanneer een van Jennifers cliënten een eind aan zijn of haar leven maakte, brak haar hart. Izzies vrienden leken gelukkig geen van allen aan depressies te lijden. Jennifer lette altijd goed op tekenen van depressiviteit bij Izzie na het verlies van haar vrienden, maar ze leek zich goed te herstellen en het reisje naar Argentinië dat ze van haar moeder had gekregen had haar ontzettend veel goedgedaan. En nu had ze weer een romance, wat een hoopvol teken was, ook al liep het op niets uit. Het was tenminste leuk voor haar, en zo zag Izzie het zelf ook. Ze leek er praktisch naar te kijken, wat Jennifer geruststelde.

'Hoe gaat het trouwens met Sean en Andy? Je hebt het de laatste tijd niet zo vaak meer over ze,' zei Jennifer tegen het eind van hun lunch.

'Er is ook niets te melden,' zei Izzie schouderophalend. 'Andy werkt dag en nacht in het ziekenhuis, net als zijn vriendin. Hij kon niet eens naar huis komen om Kerstmis te vieren. En Sean is gestoord. Hij denkt dat hij alle drugsbaronnen van de wereld kan vangen. Hij heeft het grootste deel van het afgelopen jaar undercover in Zuid-Amerika gezeten. Zolang hij undercover is, kan hij niemand bellen of op een andere manier contact opnemen. Het is heel zwaar voor zijn ouders. Hij is een week thuis geweest en nu is hij weer weg. Geen mens zal iets van hem horen het komende jaar, of nog langer. Behalve als hij omkomt, denk ik.' Izzie trok een kwaad gezicht terwijl ze het zei. Ze wilde niet nog meer vrienden kwijtraken, en Sean zou zomaar vermoord kunnen worden. 'Ik denk dat je dat bedoelde. Mijn generatie neemt misschien meer risico. Kevin, Billy, Sean... Ze denken dat ze onsterfelijk zijn.'

'Dat denken alle jonge mensen. Misschien is het verschil dat jouw generatie zich daar ook naar gedraagt, en dat is riskant. Seans werk klinkt me extreem gevaarlijk in de oren,' zei Jennifer, die de blik in Izzies ogen ondraaglijk vond. Opeens had ze dezelfde indruk van Izzie die haar moeder een jaar tevoren ook had gekregen: er was geen passie, alleen maar pijn. Izzie was niet bereid haar hart voor iets of iemand te openen, of nog ergens echt iets om te geven. Ze wist hoe groot de kans was dat ze haar vingers zou branden. Ze had een vuurbestendige muur rond haar hart opgetrokken. Ze zou in elk geval een tijdje plezier hebben met haar filmproducer uit Los Angeles. Jennifer maakte uit Izzies woorden op dat hij net zomin bereid was zijn hart in de waagschaal te stellen als zij, en dat was waarom Izzie hem zo leuk vond, al besefte ze dat zelf niet.

Toen ze die middag afscheid van elkaar namen, beloofde Izzie Jennifer te laten weten hoe de balletpremière was geweest, en toen ging ze naar huis met haar nieuwe jurk en schoenen in een tas. Ze popelde om ze aan te trekken.

Het werd een groot succes. Tony was laaiend enthousiast toen hij haar zag, en dankzij haar gezicht en figuur leek de jurk nog mooier dan hij toch al was. Ze had het reuze naar haar zin met hem, en ze genoot van de balletvoorstelling en het souper achteraf. Het was een weelderige avond, en Izzie voelde zich net een sprookjesprinses. Tony kuste haar ten afscheid bij haar deur, maar vroeg niet of hij nog even binnen mocht komen, en Izzie nodigde hem ook niet uit. Ze was er nog niet aan toe, en hij was volwassen en ervaren genoeg om dat aan te voelen. Hij zei wel dat hij enorm van haar gezelschap had genoten, en zo te zien meende hij het. Hij glimlachte naar haar en kuste haar nog eens voordat hij wegging.

'Trouwens, ik ga volgende week naar Los Angeles. Ik kom vrijdag terug. Zullen we zaterdagavond gaan eten?' Izzie knikte en glimlachte verlegen. Het was een volmaakte avond geweest. 'We gaan iets leuks doen,' beloofde Tony, en Izzie wist dat het waar was. Daar zou hij wel voor zorgen, zo was tot nu toe steeds gebleken. Hij haastte zich glimlachend en wuivend de trap af en Izzie zweefde op een wolk haar flatje in. Ze voelde zich weer net Assepoester, maar nu voordat ze haar glazen muiltje verloor.

21

De volgende dag belde Izzie Jennifer om te vertellen hoe de première was en of de jurk in de smaak was gevallen, zoals ze had beloofd.

'Het was geweldig!' zei Izzie verrukt. Ze was haar stiefmoeder dankbaar dat ze alles had laten vallen om met haar te gaan shoppen. Ze had zich ontpopt als een fantastische vriendin die nooit probeerde over haar te moederen. Ze was meer een oudere zus voor Izzie, of een tante. 'Er waren ook vrouwen in een lange jurk, maar daar had ik me belachelijk in gevoeld.'

'Je bent nog jong genoeg voor een korte jurk, ook al komen de mannen in smoking,' bevestigde Jennifer wat Izzie de vorige avond had vastgesteld. De jurk die ze hadden uitgekozen, was heel geschikt voor de gelegenheid, en Tony had gezegd dat ze er prachtig uitzag.

'En hoe was Tony?'

'Aantrekkelijk en charmant,' zei Izzie giechelend. 'Ik heb een heerlijke avond gehad.' Jennifer was blij voor haar. Izzie vertelde haar alles over het ballet en het souper erna, en ze had nog maar net opgehangen toen Andy haar vanuit Cambridge belde. Ze had hem sinds Kerstmis niet meer gesproken. Toen ze hem op eerste kerstdag belde, was hij aan het werk geweest en had hij vol zelfbeklag gezeten. Hij probeerde erachter te komen waar hij zich in wilde specialiseren en overwoog nu kinderarts te worden.

'Hoe is het met je?' Hij deed zijn best haar zo vaak mogelijk te bellen als hij tijd had. Ze waren de enige twee van de Grote Vijf die nog over waren nu Sean een jaar onbereikbaar was vanwege zijn missie voor de FBI. Andy vond het fijn om met haar te praten, want dan voelde het alsof hij weer thuis was.

'Prima!' zei Izzie vrolijk. 'Ik ben gisteren naar een balletpremière geweest, maar ik heb je ouders niet gezien. Waren ze er wel?'

'Waarschijnlijk wel, tenzij mijn moeder dienst had. Mijn vader gaat meestal niet zonder haar. Zij houdt meer van ballet dan hij. Je begint zo te horen een chique dame te worden. Heb je een nieuwe man in je leven?'

'Zoiets,' gaf ze toe.

'Biecht maar op,' zei hij.

'Ik heb hem op oudejaarsavond ontmoet. De volgende dag is hij met me gaan lunchen in Napa en gisteravond zijn we naar het ballet geweest. Hij is wel cool.'

'Wat doet hij? Ik hoop dat hij geen arts is, want dan zie je hem nooit. Nancy en ik zijn al twee weken geen avond meer samen geweest. We hebben nooit hetzelfde rooster. Ik geloof dat ze het zat begint te worden. Het is echt zwaar,' bekende hij Izzie mistroostig. 'Ik snap niet hoe mijn ouders hun huwelijk in stand hebben gehouden. Als we elkaar te weinig zien maken we veel ruzie, en we komen altijd slaap tekort, wat haar krengerig en mij psychotisch maakt,' zei hij. Izzie lachte.

'Je komt er wel doorheen. Jullie houden van elkaar,' zei ze geruststellend.

'Ik hoop het maar. Soms vraag ik me af of het wel genoeg is.' Het klonk alsof hij een moeilijke periode doormaakte. Geen mens had ooit gezegd dat zijn studie makkelijk zou zijn, maar hij had nooit iets anders gewild, zoals Sean ook altijd naar zijn krankzinnige leven bij de FBI had verlangd. Izzie besefte dat haar leven als kleuterjuf een stuk simpeler was dan dat van hen, al bood het ook minder uitdagingen.

'Heb je verder nog nieuws, behalve dan dat je ruziemaakt met Nancy en slaap tekortkomt?' Ze vond het zalig om met Andy te praten – het was alsof ze met een broer praatte. Dat had ze ook met Sean, maar die was een onzichtbare broer geworden, eentje met wie ze niet kon praten, misschien wel nooit meer, als er iets misging terwijl hij undercover was. Ze was continu bang dat hem iets zou overkomen en ze wist zeker dat Connie diezelfde angst had ten opzichte van haar enige zoon die nog leefde. Van Andy wist Izzie tenminste dat hij er altijd zou zijn. Het beroep dat hij had gekozen, was totaal niet gevaarlijk. Ze kon veilig van hem houden, en dat deed ze ook, al achttien jaar. Ze waren nu allebei drieëntwintig.

'In deze branche is er geen "verder",' klaagde Andy. 'We doen nooit iets anders dan werken. Goddank wordt Nancy ook arts. Geen ander normaal mens zou het begrijpen. Je had gelijk toen je me liet schieten.' Ze hadden het er nooit over, maar het zat hem niet meer dwars, en haar ook niet.

'Ik denk dat een langeafstandsrelatie zwaar was geweest,' zei ze eerlijk.

'Ja, dat denk ik ook. Nou, hoe zit het met die nieuwe man? Vertel eens wat meer over hem?' Als Andy tijd had, was hij altijd geïnteresseerd in haar belevenissen.

'Aantrekkelijk. Ouder. Filmproducer. Leuk.'

'Zit er toekomst in?'

'Nee.'

'Ben je met hem naar bed geweest?'

'Nog niet, dokter. Je klinkt als mijn gynaecoloog.' Andy lachte erom.

'Wacht maar tot ik mijn coschap gynaecologie ga lopen, dan kunnen we erover praten. Mijn moeder wil dat ik verloskundige word en bij haar in de praktijk kom. Ik dacht het niet. Hoeveel ouder is die vent?'

'Niet zo gek veel. Hij is negenendertig.' Izzie wist dat Nancy een jaar ouder was dan Andy, maar net zo ver was met haar studie. Ze had een jaar gereisd na haar eindexamen. Maar één jaar maakte niet veel verschil – zestien jaar wel.

'Is dat niet een beetje te oud voor jou?'

'Misschien. Het voelt wel volwassen en wereldwijs. Het is leuk, zolang het duurt.'

'Dat zal best, met die balletpremière en zo. Dan ziet mijn leven er momenteel heel anders uit. We kunnen hooguit een keer samen naar McDonald's tussen het studeren, de colleges en de rondes met onze docenten in het ziekenhuis door, en dan val ik nog aan het tafeltje in slaap.' Izzie vermoedde dat hij een beetje overdreef, maar ze hoorde dat hij gestrest was. Hij had geen idee wanneer hij weer naar huis kon komen. 'Maar goed, laat me horen hoe het gaat. Het is leuk om eraan herinnerd te worden hoe de rest van de mensheid leeft, mensen die uit eten gaan, slapen en zelfs vrijen. Tegen de tijd dat dit achter de rug is, ben ik daar allemaal te oud voor.'

'Dat denk ik niet, Andy. Ik denk dat je dat straks allemaal nog wel kunt.'

'Reken daar maar niet op,' zei hij spijtig. 'Pas goed op jezelf, en bel me nog eens. Ik hou van je, Iz, vergeet dat niet.'

'Nee, nooit. Ik hou ook van jou.'

'Ja, weet ik.' Ze hoorden het allebei graag. Een paar minuten later sloten ze het gesprek af. Izzie besloot haar flatje schoon te maken en Andy ging weer aan de slag. Hij had de volgende dag een tentamen.

Het was een kille dag in Boston en iedereen had griep en zat in een dip na de kerstvakantie. Er ging een virus rond en de helft van de kinderen in het ziekenhuis was uitgedroogd opgenomen na dagen overgeven. Andy dacht dat hij zou gaan krijsen als hij nog een kind van drie zag braken. Ze konden weinig meer voor de kinderen doen dan vloeistof toedienen. Er waren ook een paar akelige longinfecties die tot bronchitis en vervolgens longontsteking hadden geleid.

Andy rende de hele dag rond met zijn supervisor van die dag, een nare man die het hem zo moeilijk mogelijk maakte, en hij moest een berg formulieren invullen. Nancy had eindelijk vrij na drie dagen op de spoedeisende hulp en lag thuis te slapen. Andy had tot laat gestudeerd en was toen aan zijn dienst begonnen. Hij was inmiddels zesendertig uur op.

Om negen uur die avond, na een werkdag van acht uur, was hij nog betrekkelijk fris toen er een meisje werd doorverwezen vanaf de spoedeisende hulp. Het vermoeden was dat ze griep had. Ze had veertig graden koorts en zag er niet goed uit. De supervisor had haar gezien en droeg Andy en de verpleegkundigen op haar vloeistof toe te dienen en haar iets tegen de koorts te geven. Het meisje huilde en zei dat ze zich heel slecht voelde. Zo zag ze er ook uit. Maar aangezien het maar griep leek te zijn, mocht Andy de anamnese afnemen. De moeder van het meisje zat met nog drie kinderen in de wachtkamer. De vader was de stad uit en hun kinderarts was een weekendje weg. Bij de doktерspost hadden ze tegen de moeder gezegd dat ze beter naar de spoedeisende hulp kon gaan. De koorts was die dag tegen het middaguur komen opzetten.

Nadat ze het meisje aan een vloeistofinfuus hadden gelegd, bleef de koorts stijgen. Andy had lang genoeg gestudeerd om bang te zijn voor koortsstuipen, en om tien uur liet hij de supervisor terugkomen.

'Ik vind dat ze er niet goed uitziet,' zei hij kalm, alsof hij al arts was en geen student meer. De supervisor onderzocht het meisje nog eens en zei dat het hem ook niet beviel. Tussen haar snikken door klaagde het meisje over een stijve nek. 'Wat denkt u?' vroeg Andy aan de supervisor.

'Hetzelfde als toen ze binnen werd gebracht,' zei de supervisor, die ongeduldig klonk. 'Zware griep. Laten we hopen dat de koorts vannacht zakt.' Ze deden wat ze konden. De supervisor liet Andy alleen, want hij moest een baby van een halfjaar met een hartprobleem intuberen. Het was een hectische avond. Toen Andy later bij het meisje ging kijken, draaiden haar ogen weg terwijl hij haar onderzocht en verloor ze het bewustzijn. Hij drukte op de alarmknop en er kwam meteen een team verpleegkundigen en artsen om haar te reanimeren. Andy stond er machteloos naar te kijken en voelde zich onbekwaam. De supervisor, die van een andere verdieping was gekomen, keek Andy streng aan.

'Het lijkt op meningitis. Vermoedde je dat eerder al?' Het was maar een vraag, maar Andy vatte het op als een verwijt. En hij had er inderdaad aan gedacht, gezien de stijve nek, maar hij wilde niet tegen het oordeel van de supervisor ingaan en overkomen als een paniekzaaier.

'Jawel... maar ik nam aan dat het gewoon griep was.'

'Het doet er niet toe,' zei de supervisor zakelijk. 'We behandelen meningitis niet anders dan de verpleegkundigen en jij haar hebben behandeld. We kunnen voor de zekerheid een lumbaalpunctie doen,' vervolgde hij, en hij gaf een verpleegkundige opdracht een punctie te laten doen. Het meisje was nog steeds bewusteloos en voelde gloeiend heet aan.

Een paar minuten later werd er een lumbaalpunctie gedaan. Zodra dat klaar was, kreeg het meisje moeite met ademhalen en werd ze geïntubeerd. Andy keek weer toe. Terwijl al het mogelijke voor het meisje werd gedaan, duikelde haar bloeddruk opeens naar beneden en kreeg ze een hartstilstand. Andy keek vol ontzetting toe hoe een team eerst probeerde haar te reanimeren en toen de defibrillators pakte om haar hartslag weer op gang te krijgen. Het team werkte nog een halfuur verwoed door. Andy keek machteloos toe en voelde de tranen over zijn wangen rollen. Toen keek de supervisor hem aan en schudde zijn hoofd.

'Het was meningitis,' zei hij op een toon alsof dat alles verklaarde.

'Hoe weet u dat?' vroeg Andy, wiens keel werd dichtgeknepen door een snik. Hij voelde zich schuldig omdat hij het meisje niet had gered, maar dat hadden de anderen ook niet gekund.

'Doordat ze dood is,' zei de supervisor. Het kind had nog maar twaalf uur geleefd nadat de koorts was begonnen, wat kenmerkend was voor ernstige gevallen. 'Niets gaat sneller dan meningitis. Het kan een kind bliksemsnel doden, en volwassenen soms ook.' Ze hadden het meisje losgekoppeld van de beademing en het infuus en een laken over haar heen getrokken. Andy keek naar het bedekte meisje dat ze niet hadden kunnen redden. Nu moesten ze het aan haar moeder vertellen. De supervisor wenkte Andy dat hij mee moest komen. Slecht nieuws brengen hoorde ook bij het leerproces. Andy liep mee naar de wachtkamer, waar de moeder het druk had met haar drie andere kinderen, die nu ook gevaar liepen. De moeder keek doodsbang op toen ze de twee mannen zag binnenkomen. Voor Andy was het het ergste moment van zijn leven. Hij moest toezien hoe de supervisor de moeder vertelde dat haar kind zojuist was overleden. Hij kon zich niets ergers voorstellen dan wat er was gebeurd, en het aan de moeder vertellen.

De supervisor bracht het nieuws snel en professioneel, zo tactvol als hij kon. Hij vertelde de moeder dat haar dochter meningitis had en dat ze niets voor haar hadden kunnen doen. Hij zei dat het een gevreesde ziekte was die bij jonge kinderen vaak een fatale afloop had, en dat het niets had uitgemaakt als ze haar dochtertje eerder naar het ziekenhuis had gebracht, want ze was al te ver heen. Hij legde uit dat ze de ziekte overal had kunnen oplopen, op school, in een winkelcentrum of van een volslagen onbekende in de bus. Geen mens viel iets te verwijten. De supervisor onderzocht de andere kinderen terwijl de moeder hysterisch huilde. Toen stond ze op, keek Andy woedend aan en stompte met haar vuisten op zijn borst.

'Waarom heb je niet gezegd dat ze doodging? Dan had ik bij haar kunnen zijn! Ze is alleen gestorven, door jouw schuld! Ik ben haar moeder.' Andy kon wel door de grond zinken. Hij bood zijn verontschuldigingen aan en zei dat ze het niet hadden zien aankomen, dat het pas in de laatste minuten van het leven van het meisje duidelijk was geworden en dat ze toen al bewusteloos was geweest.

De moeder was ontroostbaar en het ziekenhuis belde een vriendin van haar om haar thuis te brengen. De andere kinderen leken het goed te maken, en het was mogelijk dat ze niet besmet waren. Meningitis is onvoorspelbaar; mensen die er lang aan zijn blootgesteld hoeven het nog niet te krijgen. De moeder vertrok om twee uur 's nachts nadat de supervisor en het afdelingshoofd de formulieren en de overlijdensakte hadden getekend. Het kind zou die nacht in het mortuarium blijven; de volgende dag kon de moeder regelingen treffen. Zodra het allemaal achter de rug was en de moeder was vertrokken, verstopte Andy zich in een opslagkamertje en barstte in snikken uit. Daar vond de supervisor hem. Hij keek Andy recht aan en pakte hem stevig bij zijn schouders.

'Luister, we konden haar niet redden. Je hebt niets fout gedaan. Je wist niet wat er aan de hand was, en al had je het geweten, dan had je er nog niets aan kunnen doen. Ik dacht ook dat ze griep had. En al had ik de diagnose meningitis gesteld zodra ik haar zag, dan was ze nu nog dood geweest. Meningitis is maar al te vaak niet te bestrijden, zeker bij kinderen van die leeftijd. Ze was hoe dan ook gestorven.' Hij schreeuwde bijna. Het was het eerste kind dat Andy had zien sterven en hij voelde nog hoe de vuisten van de ontredderde moeder op zijn borst beukten terwijl ze hem verwijten maakte. 'Ik wil dat je nu naar huis gaat om uit te rusten.'

'Het gaat wel,' zei Andy op een wanhopige toon die noch hemzelf, noch de supervisor overtuigde. Hij had het gevoel dat hij jammerlijk had gefaald. En hij wist zeker dat hij de dood van het meisje op zijn geweten had, want hij had de symptomen niet herkend. Hij geloofde geen woord van wat de supervisor zei – hij dacht dat die hem alleen maar in bescherming nam en hem wilde opmonteren.

'Weg hier, slapen,' zei de supervisor gedecideerd. 'We raken allemaal patiënten kwijt. Die dingen gebeuren. Soms kun je gewoon niet winnen. We repareren geen auto's, we behandelen mensen. Ga naar huis, Weston. Kom morgen maar terug als je wakker bent. Je hebt je slaap nodig.' Het was waar, maar Andy wilde niet naar huis. Hij had zich nog nooit van zijn leven zo akelig gevoeld. Hij trok zijn witte doktersjas uit, legde zijn stethoscoop op de daarvoor bestemde plank en ging naar huis. Onderweg belde hij Nancy. Hij moest haar stem horen, maar ze leek het druk te hebben. Hij had gedacht dat ze thuis lag te slapen.

'Waar ben je?' vroeg hij verbaasd.

'Er is een schietpartij op de vismarkt geweest. Een soort bendeoorlog. We hebben hier vier schotwonden. Ze hebben me opgeroepen. Waar ben jij?'

'Op weg naar huis. Ik hoopte dat je er ook zou zijn.'

'Is er iets? Ik dacht dat je in het ziekenhuis zou blijven.'

Nancy was ook verbaasd. Ze waren allebei uitgeput en Andy was bijna hysterisch van verdriet en schuldgevoel.

'Ik heb vrijaf gekregen,' zei hij vaag. Hij wilde er wel *omdat ik een kind heb vermoord* aan toevoegen, maar deed het niet. Hij had het hart niet om het aan Nancy te vertellen. Het was te erg. Nancy had nog geen patiënt verloren. Hij ook niet, tot die nacht.

'Ik zie je nog wel. Ik moet weer aan het werk. Er is net voor twee van die lui "code" omgeroepen.' Andy wist dat 'code' stond voor 'hartstilstand'. Nancy verbrak de verbinding voordat hij nog iets kon zeggen. Hij hoopte dat ze meer geluk zou hebben dan hij.

Het meisje had die avond ook een hartstilstand gekregen en ze hadden haar niet kunnen redden. Ze heette Amy. Hij wist dat hij het nooit meer zou vergeten – net zomin als haar moeder, die hem uit verdriet en woede had gestompt.

Toen hij de slaapkamer in kwam, zag hij dat het bed niet was opgemaakt. Nancy was halsoverkop vertrokken. Het appartement was een rommeltje, want ze waren al weken geen van beiden lang genoeg thuis geweest om op te ruimen en schoon te maken. In de koelkast stond een doos met een half opgegeten pizza erin, Nancy's avondeten. Hij had geen honger. Hij ging naar de badkamer om zijn gezicht te wassen en keek naar zichzelf in de spiegel. Wat hij daar zag was een moordenaar, een man die arts wilde worden maar nu al had gefaald, een bedrieger, iemand die hij haatte. Hij had zijn hele leven geprobeerd alles goed te doen, voor zijn ouders, voor Nancy en voor zijn vrienden, en hij had gehoopt op een dag het goede te doen voor zijn patiënten. Altijd het goede. Tot nu. Hij had Amy vermoord. Hij wist dat hij het zichzelf nooit zou vergeven. Hij kon geen arts meer worden. Hij was geen genezer, maar een moordenaar. 'Ik zal aan de patiënt geen schade doen', stond er in de artseneed, maar dat had hij wel gedaan. Hij had Amy vermoord door niet te zien wat ze had en haar niet te redden. Hij liep met een lege blik in zijn ogen de badkamer uit. Zijn telefoon ging, maar hij nam niet op. Nancy had net van een arts gehoord wat er was gebeurd en belde hem om hem te troosten, maar hij pakte zijn telefoon niet uit zijn zak. Hij had hoe dan ook niet opgenomen.

Hun huurappartement had een plafond met balken. Het leek net een Zwitsers chalet met een grote stenen schouw, banken om diep in weg te zakken en de sneeuw buiten. Hij pakte een stuk touw uit de voorraadkast, zette een stoel onder een balk, sloeg het touw eromheen en maakte een strop, zoals hij bij de scouting had geleerd. Hij ging op de stoel staan, trok de strop om zijn nek en sprong. Het was in een paar seconden gebeurd, en het was net zo snel voorbij. Hij zag geen andere uitweg. Hij was het verplicht aan Amy en haar moeder. Amy's dood was gewroken. En zijn telefoon bleef nog lang nadat hij dood was overgaan.

22

Andy's uitvaart was een belangrijk evenement. Er kwamen vooraanstaande mensen: senatoren, leden van het Congres, artsen en journalisten. De mensen stonden in de rij om de kerk binnen te komen. En Izzie was er, als enige van Andy's vrienden. Ze zat achter in de kerk met Jennifer en haar vader. De ouders van al haar vrienden waren er, en ze hadden nu allemaal een kind verloren. Nancy zat op de voorste bank bij Andy's moeder en huilde ontroostbaar. Helen, die een arm om haar schouders had geslagen, huilde zelf ook. Nancy was de schoondochter die ze nooit zou hebben. Andy was op zijn vierentwintigste gestorven, bijna exact vijf jaar na Gabby en een jaar na Billy.

Toen Andy's vader naar voren kwam om te spreken, golden zijn eerste woorden niet Andy, maar hemzelf. Het verbaasde niemand.

'Ik had nooit gedacht dat dit mij, ons, kon overkomen,' zei hij met een blik op Helen. 'Een kind verliezen was iets wat anderen overkwam, niet mij. Maar toch is het gebeurd.' Terwijl hij het zei, begon hij te huilen en werd eindelijk menselijk. Hij stond lang te snikken, en toen vertelde hij wat een topper Andy was geweest, in alle opzichten. Een topzoon, topstudent, topsporter en topvriend. Niemand zou hem hebben tegengesproken. Terwijl hij praatte, voelde Izzie een dolk in haar hart. 'En hij was ook een fantastisch arts geworden,' verzekerde hij iedereen. 'Er was een meisje overleden. Hij had haar niet kunnen redden, maar hij geloofde het niet. Het kind had meningitis. Andy heeft zijn leven gegeven in ruil voor het hare, om boete te doen voor de zonden die hij dacht te hebben begaan,' zette hij uiteen, maar de mensen luisterden amper.

Zij wisten alleen dat er een fantastische jongen was overleden. Hij had zich van het leven beroofd en ze zouden hem nooit meer zien. Het was de wreedste streek die het lot kon uithalen, de dood van een jong iemand. De dood van een kind – erger nog, een enig kind. Izzie was bang dat haar hart in een miljoen stukken zou breken, samen met haar hoofd. Ze kon niet eens meer denken. Ze zat tussen Jennifer en haar vader in met het gevoel dat haar leven voorbij was. Ze kon het niet eens aan Sean vertellen, want geen mens wist waar hij was. Ze haatte hem om wat hij deed en omdat hij onbereikbaar was. Toen het allemaal voorbij was, stond ze op de treden van de kerk en zag hoe de kist in de lijkwagen werd geschoven. Ze had het al te vaak gezien. Ze ging niet eens meer naar het huis van de Westons; ze kon het gewoon niet. Ze wilde niemand zien, ook niet Andy's ouders, vooral niet Andy's ouders, geschokt en diepbedroefd als ze waren. Haar vader wilde dat ze met Jennifer en hem mee naar huis ging, maar ze weigerde. Ze wilde naar haar flatje, alleen zijn. Jeff en Jennifer lieten haar onwillig gaan, bang dat het haar te veel zou worden, dat ze zichzelf ook iets zou aandoen, maar ze verzekerde hun dat ze dat niet van plan was.

Die avond zat ze alleen in haar flatje oude foto's te bekijken. Ze keek lang naar een kinderfoto van Andy. Hij was een mooi jochie geweest, en een geweldige vriend. Ze had hem nog gesproken op de dag dat hij zich had verhangen, en ze hadden tegen elkaar gezegd dat ze van elkaar hielden, zoals altijd.

Toen de telefoon die avond ging, was het Tony. Hij wilde vragen of ze mee uit eten ging. Hij had geen idee wat er was gebeurd. Hij had de krant gelezen, maar wist niet dat de zoon van een vooraanstaand paar medici die zelfmoord had gepleegd een van haar beste vrienden was geweest.

'Zullen we morgen uit eten gaan?' vroeg hij, blij haar stem te horen. Ze klonk een beetje vreemd, en hij vroeg of hij haar wakker had gebeld. Ze zei van niet.

'Ik kan niet met je uit eten,' zei ze toonloos.

'Dinsdag dan? Woensdag? Ik moet naar Los Angeles, maar ik kom vrijdag terug, als dat beter schikt.' Hij wilde haar graag zien.

'Ik kan niet. Mijn beste vriend is net overleden. Ik denk dat ik wegga.' Ze had er nog niet over nagedacht, maar het idee beviel haar wel. Misschien ging ze voorgoed weg.

'Wat akelig voor je. Wat is er gebeurd?'

'Hij heeft zelfmoord gepleegd.' Verder zei ze niets, maar hij begreep het.

'Ik heb het in de krant gelezen. Ik vind het heel erg voor je, Izzie. Zal ik naar je toe komen?'

'Nee, maar bedankt voor het aanbod. Ik red me wel. Ik moet er gewoon over nadenken.' Dat vond hij niet zo verstandig klinken.

'Weet je dat zeker? Laten we zaterdag gaan eten, als ik terug ben uit Los Angeles.'

'Nee, ik denk dat we elkaar beter niet meer kunnen zien,' zei ze zacht. Ze wist goed wat ze zei. 'Het was leuk, maar ik geloof niet dat ik dit kan. Er wordt altijd iemand gekwetst. Die iemand wil ik niet zijn.' Ze voelde intuïtief aan dat ze bij mensen moest zijn van wie ze hield en die van haar hielden om het verdriet te verwerken. Tony zou nooit een van die mensen zijn. Hij kon haar plezier bieden, maar verder niets. Hij kon geen liefde geven. Hij liep nog weg voor zijn eigen verdriet. 'Ik vind dat we dit moeten laten ophouden voordat we eraan beginnen.' Tony schrok van haar woorden, maar sprak haar niet tegen. Hij hoorde dat ze het meende en hij kon haar niet meer geven dan hij al had gedaan: een leuk etentje, een lunch in Napa en een balletpremière. Hij had zijn eigen hart jaren eerder al afgeschermd, om dezelfde redenen. Hij kon niets voor Izzie doen. En Izzie wilde niet net zo worden als hij. Glad en oppervlakkig, hoe aardig hij ook leek.

'Het spijt me, Tony,' zei ze ernstig.

'Het geeft niet. Bel me maar als je zin hebt om iets leuks te doen.' Ze zou hem niet bellen. Dat was het verschil tussen hen beiden. Hij wilde spelen om niets te hoeven voelen. Dat kon Izzie niet. Ze voelde alles. Ze had het liever niet gevoeld, maar misschien was het beter zo. Ze voelde zich alsof Andy haar ziel had gescheurd en een gat zo groot als haar hoofd had gemaakt, net als de anderen. Ze zat nu zo vol gaten dat ze zich net een stuk emmentaler voelde. Na haar gesprek met Tony keek ze in de spiegel en probeerde te bedenken wat ze moest doen.

Ze vroeg een week vrij van haar werk en maakte lange wandelingen door San Francisco om na te denken. Ze wist niet meer waar ze naartoe kon, waar ze moest zijn of zelfs hoe ze moest leven. Ze ging naar Helen Weston om te zeggen hoe erg ze het voor haar vond en ze sprak Nancy voordat die terugging naar Boston. Ze begreep waarom Andy van haar had gehouden. Ze leken op elkaar. Ze waren allebei lang, slank en blond, met nobele gelaatstrekken. Ze zouden prachtige kinderen hebben gekregen, dacht Izzie. Bij het afscheid omhelsden ze elkaar.

Ze ging nog een keer naar Connie en zag aan haar ogen

hoe ongerust ze om Sean was. Zij hielp Mike nu, maar dat zou Sean moeten doen in plaats van zijn leven te riskeren om boeven te vangen. Izzie vond het nergens op slaan, en ze vond het ook niet nobel klinken. Het leek haar verkeerd dat zijn ouders continu bang moesten zijn dat hij werd vermoord. Ze was er zelf ook bang voor, al was ze maar een vriendin.

Ze maakte een lange wandeling met Jennifer en ze bespraken alles. Het enige wat Izzie zeker wist, was dat ze weg wilde. Ze zou moeten wachten tot het eind van het schooljaar in juni. Tot die tijd zat ze vast in San Francisco, maar ze had nog wel paasvakantie. Toen dacht ze terug aan haar reis naar Argentinië, en hoe helend die had gewerkt. Haar leven was er weer door op gang gekomen.

Ze besloot in de paasvakantie naar Japan te gaan. Wat ze verder met haar leven wilde, kon ze later bedenken, maar ze wist zeker dat ze weg moest. Van alles. Misschien een jaar, en daarna zou ze weer kunnen gaan studeren, maar ze kon niet eeuwig om haar vrienden blijven treuren. Alleen Sean en zij waren nog over, maar hij was ook dood voor haar, of zou dat net zo goed kunnen zijn, aangezien ze elkaar toch maar een week per jaar konden spreken. Wat was dat voor leven, en wat was hij voor vriend?

Ze ging weer aan het werk en Wendy leefde met haar mee. Ze kende Andy's moeder en was ook bij de uitvaart geweest. Izzie had er geen mens gezien, alleen Andy in zijn kist en zijn vader die voor in de kerk stond en zei dat hij had gedacht dat dit hem nooit zou overkomen. Het was hun allemaal overkomen, de hele gemeenschap, en de gemeenschap had hem moeten redden in plaats van een wereld te scheppen waarin jonge mensen die alles mee hadden liever wilden sterven dan leven. Waarom er zoveel jonge mensen stierven, was een raadsel dat niemand leek te kunnen oplossen, maar er stierven er te veel, te vaak, en nu was ook Andy het slachtoffer geworden van zijn generatie en de druk die zijn ouders op hem hadden uitgeoefend om altijd perfect te zijn, zoals Larry altijd pressie had uitgeoefend op Billy om een grote footballster te worden. De hoge verwachtingen van hun ouders waren hun in zekere zin te veel geworden. Ze moesten allebei de verwachting overtreffen of op z'n minst waarmaken, al werd het hun dood.

Izzie besloot in april naar Japan te gaan, en deze keer zou ze haar reis zelf betalen. Ze wilde het platteland en de schrijnen in Kyoto zien. Ze hoefde haar contract met de school pas in mei te verlengen, en ze gaf zichzelf tot dan om te beslissen wat ze wilde gaan doen. Ze hoopte er in Japan achter te komen. Ze moest nieuwe dingen zien, en ze wilde aan een nieuw leven beginnen. Niets van wat ze tot nog toe had gedaan, voelde nog goed, maar ze had geen idee hoe het dan wel moest.

De avond voor haar vertrek at ze bij haar vader en Jennifer. Ze maakte een ernstige, stille indruk en haar vader was bezorgd om haar, maar Jennifer zei dat het wel goed zou komen. Izzie deed de juiste dingen, en het reisje naar Japan was een goed teken. Ze wilde weer leven, al was Andy's dood onmiskenbaar een zware slag geweest, de zoveelste. Het was het definitieve verlies van onschuld voor haar en al zijn vrienden, een ontkenning van de hoop.

Op de laatste schooldag beschilderde ze paaseieren met haar leerlingen, en het was leuk. Ze nam een taxi naar het vliegveld en checkte in. Ze was met haar instapkaart en haar paspoort in haar hand en haar weekendtas over haar schouder tijdschriften aan het uitzoeken voor in het vliegtuig toen haar telefoon ging. Het was Connie, en ze klonk ademloos.

'Goddank. Ik was bang dat je al weg was.'

'Bijna. Mijn vlucht gaat over een uur. Hoezo?'

Connie wond er geen doekjes om. 'Sean is neergeschoten.' Alles leek om Izzie heen te draaien en ze deed haar ogen dicht. 'Hij heeft het overleefd. Net. Hij heeft twee kogels in zijn borst en drie in zijn been gekregen en vraag me niet hoe, maar hij is op de een of andere manier uit de jungle gekropen en heeft een soort signaal gegeven. Een week later hebben ze hem heimelijk opgehaald. Hij wordt vanavond van Bogota overgebracht naar het Jackson Memorial-ziekenhuis in Miami. Mike en ik vliegen er vanavond heen. Ik dacht dat jij er misschien ook naartoe wilde.'

'Waarom zou ik?' zei Izzie. Connie schrok ervan.

'Omdat je van hem houdt en hij je vriend is. Jullie hebben altijd voor elkaar klaargestaan en jij bent de enige die nog leeft.'

'Hij staat niet voor mij klaar, Connie,' zei Izzie kil, 'en voor jou en zijn vader ook niet. Hij is bezeten van het pakken van drugsbaronnen vanwege Billy en Kevin, maar daarvoor was hij er ook al van bezeten. Hij wil al vanaf zijn vijfde boeven vangen. Intussen breekt hij ons hart. En de volgende keer vermoorden ze hem echt.'

'Ik denk niet dat hij hierna nog teruggaat,' zei Connie zacht. 'Zo te horen was hij zwaargewond en is hij ternauwernood ontkomen.' Ze was onthutst door Izzies reactie en de hardvochtigheid van haar woorden.

'Hij gaat wel terug,' zei Izzie vol overtuiging. 'Zodra hij weer kan kruipen gaat hij terug, en dan weten jullie weer een jaar niet waar hij is en of hij nog leeft. Ik heb geen zin meer om het spelletje mee te spelen. Het doet te veel pijn.' Ze probeerde zich ervan te bevrijden, al moest ze zich dan ook van Sean losmaken.

'Het spijt me. Ik dacht dat je het wilde weten.'

'Dat wil ik ook. Ik ben dol op je, Connie, en ook op hem, maar ik vind dat wat hij doet verkeerd is, voor ons allemaal, maar vooral voor hemzelf. En ik wil niet dat hij mijn hart nog eens breekt als hij doodgaat, en dat gaat hij. Zijn uitvaart is de volgende. Ik ben blij dat hij het deze keer heeft overleefd, maar ooit is het raak. Ik kan niet aan hem blijven hangen, want dan wordt het ook mijn dood. Wens hem liefs van me. Ik ga naar Japan.'

'Pas goed op jezelf,' zei Connie verdrietig.

Izzie rekende haar tijdschriften af en wachtte in de vertrekhal tot ze mocht instappen. Ze voelde zich misselijk. Het enige waaraan ze kon denken, was hoe ernstig Sean eraan toe moest zijn, en dat hij een week door de jungle had gekropen met vijf schotwonden. Ze wist niet waarom hij niet was bezweken, maar de volgende keer zou hij eraan kunnen gaan, of de keer daarna. Hij was verslaafd aan wat hij deed, het was redeloos, en de prijs was voor haar te hoog. Ze had gemeend wat ze tegen zijn moeder zei. Ze wist niet eens of ze Sean nog wel wilde zien. Het deed te veel pijn. Haar vlucht werd omgeroepen en ze ging in de rij staan.

Ze liep met de anderen mee naar het vliegtuig, maar vlak voordat ze instapte, bleef ze staan. Ze kon het niet. Ze vervloekte hem erom. Hij had het recht niet haar dit aan te doen, al was hij haar vriend. Ze maakte rechtsomkeert en liep terug naar de vertrekhal. Daar bleef ze lang staan peinzen. Ze probeerde het te begrijpen, maar het lukte niet. Ze liep terug naar de balie en kocht een ticket naar Miami, al haatte ze Sean om wat hij hun allemaal aandeed.

23

Izzie landde eerder in Miami dan Seans ouders, en toen die in het ziekenhuis aankwamen, was ze er al. Connie, die opgelucht was haar te zien, wierp haar een dankbare blik toe. Een arts vertelde dat Sean net was overgevlogen en op de intensive care lag. Ze mochten hem wel zien, maar niet langer dan een paar minuten.

Zijn ouders gingen eerst, en toen Izzie. Ze schrok toen ze hem zag. Hij zag er gehavend uit. Zijn borst zat helemaal in het verband, overal kronkelden slangetjes, hij had drains in zijn been en er waren pinnen in het verbrijzelde bot gezet. Izzie kon zich niet voorstellen hoe hij levend de jungle uit had kunnen kruipen. Hij leek twintig jaar ouder dan hij was, maar hij leefde nog. Zijn ogen waren half dicht, maar hij deed ze helemaal open toen hij haar zag.

'Wat doe jij hier?' vroeg hij verbaasd. Hij reikte naar haar hand op het bed. Ze kon zich niet bedwingen en streelde eerst zijn wang en toen zijn haar.

'Ik had toch niets te doen, dus ik dacht: kom, ik ga even naar Miami. Zo te zien heb je je flink laten toetakelen, dombo,' zei ze naar zijn borst en been wijzend. Hij wilde lachen, maar het deed te veel pijn.

'Ja, vast. Je had mijn tegenstander moeten zien,' fluisterde hij. Hij vertelde het haar niet, maar hij had zes man gedood. De drugsbaronnen namen aan dat hijzelf ook dood was en wisten nog steeds niet dat hij het had overleefd. De FBI zou hem een nieuwe identiteit moeten geven voor zijn volgende opdracht.

'Ga je terug?' fluisterde ze. Hij aarzelde even en knikte toen. Ze keek er niet van op. Ze had het zijn moeder voorspeld. 'Dacht ik al. Je bent niet goed wijs, Sean O'Hara. En dat is geen compliment, maar ik ben blij dat je nog leeft. Je ouders verdienen het niet nog een zoon te verliezen.' De enige zoon die ze nog hadden. Toch was ze blij. Het was fijn om Sean weer te zien, hoe slecht hij er ook uitzag. Ze vertelde hem niet over Andy. Daar was hij nog te zwak voor. Het zou voor hem ook een zware slag zijn. En voor haar – als Sean uiteindelijk doodging, en ze wist zeker dat het zou gebeuren, zou ze het niet kunnen verdragen. Ze bereidde zich er al op voor nu ze wist dat hij terugging. Hij had een obsessie, en een doodswens. Er was niets aan te doen, en Izzie was verstandig genoeg om het niet te proberen.

Seans ogen vielen dicht en hij doezelde weg. Hij had veel pijnstillers gekregen, maar desondanks kon hij nog praten en was hij blij haar te zien. De volgende ochtend ging Izzie weer naar hem toe. Ze praatte een paar minuten met hem en ging toen weg. Ze vloog terug naar San Francisco en besloot haar reis naar Japan uit te stellen. Ze was al twee dagen kwijt en ze kon ook een andere keer gaan.

Ze liet haar vader weten dat ze terug was. De rest van de vakantie maakte ze lange wandelingen en leefde teruggetrokken. Ze moest nadenken over wat ze in Miami had gezien. Twee weken later, toen ze weer aan het werk was, belde Connie op om te zeggen dat Mike en zij weer thuis waren. Sean lag nog in het ziekenhuis en zou daar nog een tijdje moeten blijven, vertelde ze. Er waren complicaties opgetreden met de schotwonden, maar het zou allemaal goed komen. Als je dat goed kunt noemen, dacht Izzie.

Toen Izzie op een zonnige middag in mei van haar werk kwam, keek ze op en zag Sean staan. Hij was slordig gekleed, had een volle baard en leunde zwaar op een stok. Hij liep met moeite naar haar toe en ze had het hem niet willen bekennen, maar toen ze hem zag, sloeg haar hart over. Ze waren de laatste twee overlevenden van een wereld die niet meer bestond, een planeet die met het overlijden van hun vrienden in rook was opgegaan.

'Wat brengt jou hier?' vroeg ze terwijl ze naar hem toe liep en hem omhelsde. Hij zag er sterker uit en leek krachtig, ondanks de stok, en hij was iets aangekomen sinds ze hem in Miami had gezien.

'Ik ben naar huis gekomen,' zei hij zacht. Hij keek haar indringend aan. 'Ik wilde jou zien, Izzie, en mijn ouders.'

'Waarom? Waarom je mij wilt zien, bedoel ik. Wat maakt het uit? Straks ben je toch dood, net als de anderen.'

'Bedankt voor de motie van wantrouwen,' zei hij gekwetst. 'Deze keer heb ik het gered.' Zelfs hij was er verbaasd over. Hij had inmiddels gehoord wat er met Andy was gebeurd en had er verdriet van. Het was zo ontzettend zonde, Andy was zo'n geweldige jongen geweest, en hij had nog zoveel uit het leven kunnen halen als hij er geen eind aan had gemaakt.

'Misschien red je het de volgende keer ook wel,' zei ze, maar uit haar blik bleek dat ze het niet geloofde en er niet meer op wilde hopen.

'Kunnen we ergens een kop koffie drinken?' vroeg Sean omzichtig.

'Ja hoor. Kom maar met me mee naar huis.' Ze wilde zeggen dat ze op loopafstand woonde, maar dat was het voor hem niet, met zijn stok. Hij was gelukkig met de auto van zijn moeder gekomen en reed met haar naar haar huis. Hij deed er lang over om de trap op te komen, en toen ging hij in haar woonkamer zitten en keek om zich heen. Er hingen foto's van alle leden van de Grote Vijf, samen, als kinderen, en een paar foto's van hem alleen. Het ontroerde hem. Hij vroeg zich af waarom er meer foto's van hem hingen dan van de anderen, en ze zag de vraag in zijn ogen. 'Jij bent de enige die nog leeft,' zei ze. Ze ging naast hem zitten en gaf hem een mok koffie. Hij zette hem voorzichtig op een tijdschrift om geen vlekken op de tafel te maken en keek haar in de ogen.

'Izzie...' Hij wilde iets zeggen, maar kon zijn zin niet afmaken. Voordat ze het goed en wel beseften, lag ze in zijn armen en kusten ze elkaar. Ze wist niet of ze vochten, vrijden of domweg probeerden te overleven. Ze had het gevoel dat een onbedwingbare macht bezit had genomen van hen beiden, en dat hij elk greintje kracht dat hij had gebruikt om te overleven nu op haar overdroeg. Hij was sterker dan ze dacht, en hij droeg haar ondanks zijn manke been naar de slaapkamer, waar hij haar de kleren bijna van het lijf scheurde terwijl zij hem net zo gehaast uitkleedde. Ze waren twee radeloze mensen die de liefde bedreven met een hartstocht waarvan ze niet had kunnen dromen en die ze nooit eerder voor hem of voor wie dan ook had gevoeld. Ze leefden. Ze waren er nog. Ze hadden elkaar wanhopig hard nodig. Opeens waren ze twee helften die samen één geheel vormden, en toen het voorbij was en ze in zijn armen lag en naar hem keek, waren ze allebei buiten adem. Ze had altijd gedacht dat zoiets op een dag zou kunnen gebeuren, maar ze was toch verbaasd.

'Wat was dat?' vroeg ze fluisterend. Het was alsof ze bezeten was. Ze waren net twee lichamen met één ziel.

'Ik weet het niet. Ik hou van je, Izzie. Daar wilde ik met je over praten. Ik weet me geen raad. Ik ben alleen voor jou uit die jungle gekomen, me voortslepend op mijn armen – ik wilde jou nog een keer zien.' Ze keek hem aan met ogen die recht in zijn ziel drongen.

'Ga je weer undercover?' Ze hoefde niet te weten of hij van haar hield, maar of hij terugging. En hij was altijd eerlijk tegen haar.

'Ja,' fluisterde hij terug. 'Ik heb geen keus.' Ze knikte, stapte net zo snel uit bed als ze erin was gerold, liep naar de deur en draaide zich naar hem om.

'In dat geval wil ik dat je mijn bed uit gaat. En mijn leven. Voorgoed. Ik wil je nooit meer zien. Dit kun je me niet aandoen. Ik sta het niet toe. Alle anderen hebben een stukje van mij meegenomen. Als je doodgaat, en je gáát dood als je teruggaat, neem je de rest mee. Dat laat ik niet gebeuren. Ik pak mijn leven terug. Doe wat je wilt, maar je kunt niet tegen me zeggen dat je van me houdt, met me vrijen en dan mijn hart breken als ze je straks echt vermoorden. Weg jij!' Haar gezicht stond hard, en Sean zei niets. Hij kende haar beter dan wie ook en wist dat ze het meende. Hij stapte uit haar bed en trok zijn kleren aan terwijl zij toekeek. Ze had een roze satijnen ochtendjas aangeschoten en het enige wat hij wilde, was nog een keer met haar vrijen. Izzie wist dat ze had gevonden wat ze zocht, de passie die ze nooit voor iets anders in haar leven had kunnen opbrengen. Hij was het. Maar haar gezicht verried niets. In de deuropening bleef hij staan.

'Je hebt gelijk. Het spijt me. Ik had het recht niet. Pas goed op jezelf, Izzie. Ik hou van je, maar daar gaat het niet om.' Ze zei niets, maar zodra hij weg was, barstte ze in tranen uit. Ze hoorde hem langzaam de trap af stommelen met zijn stok en zijn zere been. Ze ging op haar bed liggen en snikte het uit. De vorige keer dat ze hem had gezien, had ze gedacht dat het voor het laatst was, en dat dacht ze nu weer. Ze vervloekte hem erom. Ze had geen idee hoe je na negentien jaar kon ophouden van iemand te houden, maar Sean was ten dode opgeschreven, en dat wist ze.

Ze ruilde haar ticket naar Japan voor een retourtje India. Ze zou half juni vertrekken en een paar maanden wegblijven. Ze had haar contract bij de school met een jaar verlengd, maar erbij gezegd dat ze daarna weg zou gaan. Ze wilde verder studeren, misschien in Europa. Afgezien van haar familie was er niets meer wat haar bond. Al haar vrienden waren weg.

Ze verheugde zich op haar reis en had alles over de wonderen van India gelezen. Ze zou een auto huren en in haar eentje gaan rondreizen. Ze zag er niet tegen op.

De laatste schooldag was altijd een hele gebeurtenis voor de kleuters. In september zouden ze echt gaan leren lezen en rekenen, en Izzie en Wendy hadden hun leerlingen goed voorbereid. Dit waren hun laatste onbezorgde dagen voordat ze een volwassener wereld zouden betreden. Izzie vond het heel erg om afscheid van iedereen te moeten nemen en knuffelde ze allemaal bij het afscheid, vooral Dana en Daphne. Ze had alle kinderen een boek gegeven waar ze iets speciaals in had geschreven. Zelf had ze het boek nog dat juf June haar op haar laatste dag had gegeven, een exemplaar van *Dag Dag, Dag Nacht* dat ze stuk had gelezen.

Wendy en zij ruimden op hun gemak op na het vertrek van de kinderen. Het eind van het schooljaar bracht altijd een nostalgisch moment met zich mee, en het gevoel dat er in de herfst een nieuw begin zou worden gemaakt.

'Zo, we hebben het hem weer gelapt,' zei Wendy met een glimlach naar Izzie. 'Er zit weer een jaar op.' Ze vroeg zich af of het komende schooljaar echt Izzies laatste zou worden, of dat ze verslingerd zou raken aan het onderwijs, net als zijzelf.

Voor Wendy was het altijd net of ze musjes uit het ei zag komen en uiteindelijk weg zag vliegen, maar Izzie had niet zo'n roeping. Ze wilde andere dingen doen, zoals naar India gaan die zomer. Al haar banden met San Francisco waren doorgesneden; alleen haar vader, Jennifer en Ping waren er nog. Ze had het gevoel dat het tijd werd dat ze ging, dat ze zelf uitvloog en de passie vond waar haar moeder het over had gehad. Sean was bijna haar passie geweest, en hij had het kunnen zijn als hij andere keuzes had gemaakt. Ze had van Connie gehoord dat hij twee weken tevoren naar Washington was gegaan, waar hij revalideerde, en dat hij over een paar maanden weer zou worden uitgezonden. Ze wenste hem het allerbeste, maar wilde geen deel meer uitmaken van zijn wereld. Het was moeilijk geweest om afstand van hem te nemen en hem weg te sturen in de wetenschap dat ze zielsveel van elkaar hielden, want dat had hun middag in bed wel duidelijk gemaakt, maar ze wist dat het moest en had er geen spijt van. Ze wilde Sean en de pijn die hij haar zou hebben gedaan niet meer in haar leven hebben. Ze had medelijden met zijn ouders.

'Stuur je me een kaartje uit India?' zei Wendy bij het afscheid.

'Nog beter,' zei Izzie met een glimlach. Ze werkte graag met Wendy samen. Het was een aardige vrouw, en de twee jaar met de kleuters hadden Izzie goedgedaan. Ze was er zelf volwassener door geworden. 'Ik breng een sari voor je mee.' Izzie had een hele waslijst van dingen die ze in India wilde vinden, maar haar gemoedsrust stond bovenaan. Het zou een helende reis voor haar worden.

Na het afscheid van Wendy liep Izzie naar haar flat. Ze maakte de portiekdeur open en wilde net de trap op lopen toen ze hem zag, opzij, onder een boom, in een spijkerbroek en een camouflagejack. Hij had de stok wel bij zich, maar leunde er niet op. Zijn baard was getrimd en ze zag dat hij naar de kapper was geweest. Het was Sean. Ze keek hem aan, maar vroeg niet of hij binnen wilde komen. Hij liep langzaam naar haar toe.

'Ik ben er weer,' zei hij toen hij bij haar was.

'Ik zie het,' zei ze bedaard. 'Ik had je gevraagd me niet meer op te zoeken.' Haar ogen zeiden hem dat ze het had gemeend en het kwetste hem, maar hij kon het haar niet kwalijk nemen. Ze leek niet boos, alleen afstandelijk. Die afstand was misschien niet meer te overbruggen. Ze wilde dat hij uit haar leven verdween, maar dat wilde hij niet. Izzie had het gevoel dat haar leven ervan afhing.

'Ik wil je alleen even iets vertellen, persoonlijk, niet over de telefoon, los van het feit dat ik van je hou, wat op dit moment misschien niet ter zake doet.' Hij zag de blik in haar ogen en kreeg het beangstigende gevoel dat het te laat was. 'Ik ben terug. Ik kom naar huis. Je had gelijk. Het is mijn ouders echt te veel. Mijn vader kan de zaak niet meer alleen draaiende houden. Ze hebben nooit iets gezegd en me nooit om iets gevraagd, maar ik denk dat ik genoeg heb gedaan. Mijn werk heeft echt iets opgeleverd. Het heeft me bijna mijn leven gekost, maar het was het waard. We hebben een van de gevaarlijkste drugskartels in Colombia opgerold. De aanvoerders zijn dood, ze kunnen niets meer beginnen. Er zijn er meer, maar ik kan ze niet allemaal pakken, weet ik nu. Het is tijd dat ik naar huis kom. Ik heb twee dagen geleden mijn ontslag ingediend. Dat wilde ik je even vertellen. Voor het geval het iets uitmaakt.'

'Zou het iets uit moeten maken?' Ze keek hem ijzig aan. Ze was nog boos op hem om alles wat hij zijn ouders en haar had laten doorstaan tijdens de lange periodes dat hij undercover was. Ze wist dat zijn ouders het hem hadden vergeven, maar zij niet. Hij had veel goed te maken. 'Denk je dat je gelukkig kunt zijn zonder dat werk?' vroeg ze eerlijk, en hij dacht erover na. Ze wisten allebei dat hij verslaafd was aan de spanning en het gevaar.

'Misschien. Ik mis het niet. Ik zal de kick missen, dat moet ik eerlijk toegeven. Het was mijn passie. Maar er zijn andere soorten passie die uiteindelijk belangrijker zijn. Ik heb gegeven wat ik vond dat ik moest geven. De rest is van mij, of van wie het maar wil hebben... Jij, bijvoorbeeld,' zei hij fluisterend. 'Als je me wilt. Ik hou van je, Izzie, nog meer dan ik van de jacht op drugsbaronnen hield. Ik merkte het daar pas. Het enige waar ik aan kon denken, was terugkomen bij jou en samen een leven opbouwen.' Ze nam hem onderzoekend op om te zien of hij het meende, en of hij het zou kunnen. Hij had een lange weg afgelegd, in zijn hart, om haar te vinden. En zijn woorden veranderden veel. Ze had nooit iets anders gewild, wist ze nu. Ze had het geweten sinds de vorige keer dat hij terug was gekomen. Hij was haar passie, en wat er had ontbroken aan haar leven.

Ze knikte nadat ze hem had aangehoord, maar zei niets. Ze had hem te veel te zeggen, en het kwam in golven op haar af. 'Kom je mee naar boven?' was het enige wat ze zei, en toen glimlachte ze naar hem, en hij liep met haar mee de trap op. Hij durfde haar niet eens aan te raken uit angst dat ze onder zijn vingers zou vervliegen, als een luchtspiegeling.

Ze zette het koffiezetapparaat aan en hij trok haar in zijn armen en kuste haar met dezelfde hartstocht die de vorige keer dat ze elkaar zagen tussen hen was opgelaaid en uitgebarsten. Het gebeurde nu weer, en het smeulende vuurtje dat hen al die tijd in leven had gehouden, verbond hen. Ze waren één vlam van twee mensen, met een liefde die alle uitdagingen en tragedies van het leven had doorstaan. Zij stonden nog overeind, zij leefden nog en waren nog heel. Naderhand lagen ze in elkaars armen uit te hijgen. Sean keek naar haar en glimlachte. Ze was de mooiste vrouw die hij ooit had gezien. Dat had hij altijd gevonden, en nu was ze van hem. Ze steunde op haar ene elleboog en keek hem aan met diezelfde glimlach waarop hij op de eerste schooldag al verliefd was geworden. Hij was een gelukkig mens, en ze boog zich naar hem over, kuste hem teder en zei de woorden waarop hij had gewacht: 'Welkom thuis.'

OVER DE AUTEUR

Danielle Steel voltooide haar eerste roman op negentienjarige leeftijd. Ze is een zeer geliefd auteur, van wie al meer dan vijfhonderdnegentig miljoen boeken zijn verkocht. Enkele van haar internationale bestsellers zijn onder andere: *Familieband, Door dik en dun, Het warme zuiden, De weg van het hart, Elke dag is er een, Een goede vrouw* en *De casanova*.

Ze heeft ook *Een zonnestraal* op haar naam staan, waarin ze vertelt over het leven en de dood van haar zoon Nick Traina.

Kijk ook eens op de website van Danielle Steel:
www.daniellesteel.com

LEES OOK VAN DANIELLE STEEL

De fouten van de moeder (verschijnt najaar 2013)

Jarenlang stopt Olivia Grayson al haar tijd in het opbouwen van haar internationale business. Hierdoor groeien haar kinderen eigenlijk op zonder hun moeder. Om dit goed te maken neemt Olivia ze mee op een droomvakantie, in een groot luxe jacht over de Middellandse Zee. Maar zoals in elke familie zijn er verrassingen, en hoe mooi de omgeving ook is, het gaat niet zoals gehoopt. Er volgt een jaar waarin haar kinderen erachter komen dat ze dezelfde fouten maken als hun moeder.

En Olivia ontdekt dat de relatie met haar kinderen beter is dan ze ooit had durven dromen.

Bedrog

Tallie Jones is een succesvol filmregisseur met een grote passie voor haar vak. Ze is dol op haar tienerdochter en ze is gelukkig met haar vriend Hunter Lloyd.

Tallies drukke leven wordt perfect georganiseerd door haar personal assistant Brigitte.

Maar dan neemt Tallies leven een noodlottige wending: ze wordt bestolen, en haar geliefde blijkt een schokkend geheim te hebben…

Lees hierna een fragment uit hoofdstuk 4 van *Bedrog*.

De onafhankelijke accountantscontrole ging van start zoals gepland. De firma die het zou doen kwam uit San Francisco en eenmaal op Victors kantoor vroegen de controllers kalm en zakelijk naar de papieren die ze nodig hadden. Ze gebruikten Victors vergaderzaal om al Tallies boeken en rekeningen uit te stallen en hadden hun eigen computers meegebracht. Het was een team van twee accountants met allebei een eigen assistent. Ze waren de hele week vrijwel zelfstandig aan het werk, met af en toe, terwijl ze over het grootboek gebogen zaten, een vraagje aan Victor om iets uit te leggen of een rekening op te zoeken, maar over het algemeen hadden ze weinig commentaar.

Desondanks was het een stressvolle week voor Victor. Hij had het gevoel dat ze zijn werk checkten en aan zijn competentie twijfelden. De firma die de controle uitvoerde was erg bekend en Victor wist zeker dat er een gepeperde rekening naar de Japanse investeerder zou gaan maar blijkbaar vond de investeerder het zoveel geld waard.

De tweede dag van de controle had Brianna, toen hij nerveus en doodop thuiskwam, een verrassing voor hem. Ze had een advocaat geraadpleegd, vertelde ze, en ze had besloten dat ze een nieuw huwelijkscontract wilde. Ze zag er heel tevreden over zichzelf uit toen ze het hem vertelde.

'Een nieuw huwelijkscontract?' Hij keek geschokt. 'Wat bedoel je precies?' Er ging een huivering door hem heen toen hij het vroeg.

'Nou gewoon, net zoals de overeenkomst die we voor ons trouwen hebben gesloten, maar dan een die na het huwelijk wordt opgesteld.'

'Maar we hebben toch al een huwelijkscontract, Brianna. Dan hebben we er niet nóg een nodig.'

Dit beviel hem helemaal niet. In zijn oren klonk het als chantage, of in ieder geval als een serieus dreigement. Hij had voor het huwelijk een contract met haar getekend over zaken als alimentatie en dergelijke en haar in één keer een som geld betaald omdat ze had geëist dat hij die meteen op haar rekening stortte. En hij had zo verschrikkelijk graag met haar willen trouwen, dat hij daarmee had ingestemd.

'Ik heb het grootste gedeelte van het geld dat je toen op mijn rekening hebt gestort uitgegeven, Victor. Ik heb meer nodig. Mijn advocaat zegt dat je me nu nog een keer een bedrag in één keer kunt geven en dan ieder jaar dat we getrouwd zijn een bedrag daarbovenop.'

Het leek erop alsof hij haar moest betalen om met hem getrouwd te zijn en iets vertelde hem dat het niet om kleine bedragen zou gaan.

'Waarom ben je naar een advocaat gegaan?' vroeg hij sip. Hij vroeg zich af of ze informatie had ingewonnen over een scheiding, maar bang was dat tegen hem te zeggen.

Toen hij haar trouwde had hij haar zevenhonderdduizend dollar betaald en dat had ze er in drie jaar doorheen weten te jagen, bovenop al het geld dat ze hem in het dagelijks leven had gekost. Hij kon zich niet voorstellen waar ze het allemaal had gelaten, maar dat ze een gat in haar hand had was wel duidelijk. Ondanks zijn zorgvuldige boekhouding, glipte ze hem constant door de vingers.

'Ik voel me gewoon niet prettig als ik geen eigen geld heb,' zei ze op klagerige toon. 'Ik wil je niet om alles hoeven vragen. Als je me nu een som geld geeft en me voortaan ieder jaar een bedrag betaalt, zou ik me een stuk beter voelen.' Ze kwam naast hem zitten.

'Ik denk echt niet dat ik me dat nu kan veroorloven,' zei hij triest. 'Een aantal van mijn investeringen zijn niet zo goed uitgepakt. Ik zou liever gewoon je rekeningen betalen en voor je zorgen, dan ieder jaar een som geld te moeten storten.'

Ondanks de Angelina Jolie-achtige pruillippen, wist Brianna haar mond in een ferme streep te trekken. 'Ik denk niet dat ik met je getrouwd kan blijven als je dat niet voor me overhebt,' zei ze met een akelige ondertoon in haar stem. 'Als je van me houdt, doe je zoiets gewoon. Je hebt geen een van je beloften over mijn carrière waargemaakt. Dit is toch wel het minste wat je voor me kunt doen. Ik zou me heel onveilig voelen zonder.'

'En als ik het niet doe? Of niet kan?' vroeg hij, ontmoedigd en bang. Het was een race die hij onmogelijk bij kon houden. Hij had zichzelf bijna geruïneerd voor haar en ze was onverzadigbaar in haar eisen en zucht naar geld. Dat was sowieso waarom ze met hem was getrouwd. Eindelijk werd hem dat nu duidelijk, na deze laatste eis.

'Ik zal het met mijn advocaat moeten bespreken en dan laat ik het je weten,' zei ze met een harde blik in haar ogen. 'Denk er goed over na, Victor. Je hebt geen keuze.' Daarmee maakte ze haar positie glashelder en de wanhoop greep hem bij de keel. Hij was vijfenzestig jaar oud en wilde haar niet verliezen. Ondanks haar verborgen motieven om met hem te trouwen, was hij aan haar gehecht geraakt. En hoeveel vrouwen die er zo uitzagen als zij zouden er nog voor hem zijn? Hij voelde zich plotseling moe, verslagen en oud.

Die avond zat hij in zijn eentje in zijn werkkamer te piekeren over wat ze had gezegd en dronk hij een Johnny Walker te veel. Brianna ging uit met haar vriendinnen en kwam om twee uur 's nachts pas thuis. Ze trof Victor, volkomen van de wereld, op de bank in zijn werkkamer aan. Vanuit de deuropening wierp ze een blik op hem en toen vertrok ze naar de slaapkamer. Ze maakte hem niet wakker en probeerde hem ook niet mee naar bed te krijgen. Hij zou haar geven wat ze wilde, dat wist ze zeker. Hij had geen keus als hij haar niet wilde verliezen en ze wist dat hij haar niet kwijt wilde. Ze had hem bij de strot, of erger.

De volgende ochtend, toen ze naar de sportschool vertrok, hoorde ze dat hij stond te douchen. Toen ze terugkwam, was Victor al naar kantoor vertrokken.

De accountants en hun assistenten bevolkten de vergaderzaal nog altijd en Victor maakte van de gelegenheid gebruik om zelf Tallies boekhouding nog eens door te nemen. Het kon nooit kwaad om de zaken dubbel te controleren. En laat die middag stuitte hij op een aantal posten die hem bevreemdden. Brigitte betaalde al Tallies rekeningen en deed dat heel zorgvuldig en nauwkeurig. Ze boekte de bedragen in het grootboek en hij kreeg dan alle papieren op een later tijdstip van haar aangeleverd. Brigitte tekende de cheques en deed dat al jaren.

Wat hem bevreemdde waren de regelmatige overnachtingen in diverse hotels. Het was zijn zaak niet wat Tallie deed en hoe ze haar geld uitgaf, maar hij begreep niet waarom ze in L.A. in hotels overnachtte. En als het zakelijke overnachtingen waren, wilde hij ze in de boeken opvoeren als aftrekposten voor de belasting. Er waren een paar overnachtingen in het Bel-Air en een groot aantal in Chateau Marmont en het Sunset Marquis. Dezelfde hotels doken ook op in Hunts boekhouding. Brigitte betaalde zijn rekeningen niet, Hunt had al jaren dezelfde boekhouder.

Victor vroeg zich af of Tallie en Hunt misschien samen romantische nachten in die hotels doorbrachten of dat ze de hotels gebruikten voor zakelijke besprekingen. Dat wilde hij navragen bij Tallie. Hij was tenslotte verantwoordelijk voor haar boekhouding. Maar aan de andere kant was hij ervan overtuigd dat het niet om iets belangrijks kon gaan.

Het viel Victor ook op dat Tallie een flink bedrag aan contanten uitgaf, wat hij niet prettig vond omdat hij contanten, waar ze ook aan werden besteed, voor de belasting niet kon opvoeren als aftrekposten. Dus daar moest hij het ook met haar over hebben:

dat ze beter met creditcards kon betalen dan met contant geld.

Victor probeerde Brianna uit zijn hoofd te zetten terwijl hij Tallies boeken controleerde. Wat ze had gezegd over een nieuw huwelijkscontract had hem erg van streek gemaakt. Hij wist dat hij niet in staat was om grote sommen geld op haar rekening te storten en was bang dat het bedrag dat hij haar op dit moment kon geven weinig indruk op haar zou maken. Haar vraag had in zijn oren als een ultimatum geklonken. Zijn privéleven lag overhoop. Maar hij moest deze accountantscontrole voor Tallie en Hunt begeleiden. Het kon niet zo zijn dat hun volgende film vertraging opliep of hun uiterst precieze Japanse investeerder geïrriteerd raakte. Tallie rekende erop dat hij dit direct zou afhandelen, maar met alle zorgen om Brianna kon hij zich moeilijk concentreren.

Victor was twee weken bezig met het checken van Tallies boekhouding. Hij stelde onder andere een lijst met vragen op. Zo kwam hij er bijvoorbeeld achter dat er uitgaven werden gedaan die met Tallies dochter te maken hadden, die door de belastingdienst konden worden aangemerkt als giften, zodat Tallie er belasting over zou moeten betalen. Bovendien vermoedde hij dat de belasting het appartement in Parijs niet langer als een zakelijke aftrekpost zou beschouwen, omdat Tallie er nooit meer heen ging en dat eerder wel had gedaan. Ze had al geen jaren meer een film in Frankrijk gemaakt. En zo waren er nog meer uitgaven waar hij een verklaring voor wilde hebben.

De onafhankelijke accountantscontrole had de bedoeling Tallies solvabiliteit en nettowaarde vast te stellen, maar de controle die Victor uitvoerde was om er zeker van te zijn dat haar boekhouding helemaal in orde was en alle aftrekposten klopten. Victor was behoudend in zijn manier van boekhouden. Hij hield er niet van te veel aftrekposten op te voeren die discutabel waren en wilde alles kunnen beargumenteren als er ooit een belastingcontrole kwam. Wat hij absoluut niet wilde was dat een van zijn cliënten in de problemen raakte of zijn nek te ver uitstak. Een aantal klanten van hem wilden dat hij flexibeler was in zijn boekhouding dan hij redelijk vond. Tallie hoorde daar niet bij, maar Victor beschouwde dit als een goede gelegenheid om zijn werk voor haar te evalueren en datzelfde gold voor Hunt.

Het systeem van Hunts boekhouding was minder precies dan dat van Brigitte. Bij Hunt kwamen er grote sommen geld binnen en gingen er ook weer grote bedragen uit, maar de meeste uitgaven werden met zijn creditcard gedaan en dus was het allemaal goed vastgelegd.

Victor maakte een afspraak met Hunt om hem het een en ander te vragen. De antwoorden daarop bleken heel eenvoudig en helder en toen Victor Hunt vroeg waarom er hotelovernachtingen waren in de stad waarin hij woonde, zei hij dat die samen met Tallie waren geweest en dat hij af en toe een suite in een hotel huurde voor een bespreking met investeerders van buiten de stad, zodat dat aftrekposten waren. Victor wilde weten of Hunt zich nog herinnerde welke bedragen zakelijk waren geweest en welke privé, en van de meeste wist Hunt dat nog.

Het klopte allemaal en Victor was gerust op de aftrekposten die hij voor Hunt had opgevoerd. Hunt liep geen risico bij een belastingcontrole. Victor was tevreden met Hunts antwoorden en dat leken het accountantskantoor en de Japanse investeerder ook te zijn.

Na twee weken werk waren ze nu bijna klaar en heel positief over wat ze in de boeken hadden gezien. Het zag ernaar uit dat de deal doorging. Alles wat Victor nog te doen stond was Tallie dezelfde vragen stellen als hij Hunt had gesteld, gewoon voor de helderheid van het grootboek. En daarbij dacht hij dat Tallie meer aftrekposten had dan er werden opgevoerd. Bovendien wilde hij ook helemaal op de hoogte zijn wat de belasting betrof over goederen die in een andere staat of in het buitenland waren gekocht. Victor drong er altijd op aan dat Tallie dat goed bijhield en Brigitte het goed administreerde, zodat er achteraf geen boetes konden worden opgelegd. De meeste vragen die hij had gingen over dat soort zaken, over geld dat was uitgegeven aan Max en over de grote sommen geld die Tallie cash uitgaf in plaats van met haar creditcard betaalde.

Op vrijdagmiddag belde hij Tallie op de set op haar mobiele nummer. Ze klonk gehaast en hij excuseerde zich eerst dat hij haar lastigviel en vertelde toen dat hij een aantal vragen voor haar had die hij met haar wilde doornemen om er zeker van te zijn dat alles in orde was en hij alle posten in het grootboek goed begreep.

'Kun je die niet met Brigitte bespreken?' vroeg ze. Ze klonk afgeleid. Die week waren ze iets achter geraakt op de planning vanwege het slechte weer en de vele wijzigingen in het script. Tallie maakte zich zorgen dat de kosten van het filmen op locatie het budget zouden overschrijden.

'Dat kan,' antwoordde Victor voorzichtig.

Soms werd Tallie gestoord van hem, hij was zo'n mierenneuker, maar aan de andere kant betaalde ze hem daar natuurlijk juist voor. Op dat moment kon ze echter absoluut geen tijd voor hem vrijmaken, of wilde ze dat in ieder geval niet.

'Maar ik zou het liever aan jou vragen. Jij bent tenslotte degene die verantwoordelijk is voor je belastingaangifte, mocht Brigitte of ik een fout maken. Wanneer ben je in L.A.?'

'Aanstaand weekend, maar maandagochtend moet ik hier weer terug zijn.'

'Zou je anders liever zondag afspreken?' bood hij aan en Tallie slaakte een zucht terwijl ze daarover nadacht. Ze wilde haar vrije tijd met Hunt doorbrengen, niet met Victor, maar ze wist dat hij haar aan haar kop zou blijven zeuren totdat ze ermee instemde met hem af te spreken. Ze kon er maar beter zo snel mogelijk vanaf zijn en bedacht dat ze hem zondagochtend wel kon ontmoeten, omdat Hunt dan tenniste. Het was niet haar idee van een vrije zondag, maar ze sprak om halfelf met hem af op zijn kantoor om zijn vragen door te nemen. Hij beloofde dat hij het zo kort mogelijk zou houden. Brianna lunchte op zondag graag in de Polo Lounge van het Beverly Hills Hotel en zij zou er ook niet blij mee zijn als zijn afspraak erg lang duurde.

Toen Tallie die avond terugkwam in L.A., stond Hunt een heerlijke maaltijd te koken. Hij had goed nieuws voor haar.

'Nou, we zijn met vlag en wimpel geslaagd voor de accountantscontrole,' zei Hunt stralend. 'Mr. Nakamura is tevreden en volgende week worden de contracten opgesteld. Ik neem aan dat dat betekent dat we geen van beiden failliet gaan of de boel oplichten.' Hij kuste haar en met een blije glimlach vertelde ze hem over de afspraak die ze die zondag met Victor had.

'Ik heb van de week ook zo'n afspraak met hem gehad. Ik zweer je dat hij precies wil weten wat je in ieder restaurant hebt gegeten en of je ondertussen wel over zaken hebt gepraat.' Ze schoten beiden in de lach over de pietluttigheid van hun boekhouder, maar Tallie merkte op dat ze zeker wist dat ze nooit een belastingcontrole had gehad vanwege zijn eerlijkheid en precisie, en natuurlijk ook omdat Brigitte de boekhouding zo zorgvuldig bijhield. Problemen met de belasting zouden een nachtmerrie betekenen en ze was er altijd op gespitst geweest die te vermijden door eerlijk en nauwkeurig te zijn. Dus was het zinvol Victors mierenneukerij te verdragen.

'Ik heb met hem afgesproken terwijl jij gaat tennissen,' vertelde ze Hunt. 'Hij zei dat we er zo doorheen zijn. Het laatste wat ik wil is mijn zondag met Victor doorbrengen.' Ze lachten allebei bij het idee.

Hunt en Tallie hadden een ontspannen weekend. Tallie deed wat boodschappen en karweitjes waar ze de laatste tijd niet aan toe was gekomen. Het was fijn om wat tijd in L.A. te hebben voordat ze weer terug moest naar Palm Springs.

Zaterdagmiddag ging ze op bezoek bij haar vader en bleef daar een paar uur. Hij wilde tot in detail weten hoe de film verliep en ze zaten samen in de tuin te babbelen terwijl ze hem helemaal op de hoogte bracht. Die zondag, toen Hunt vertrok om te gaan tennissen, ging Tallie naar Victors kantoor voor hun afspraak. Hij wachtte haar op in pak en stropdas. Tallie droeg een gescheurde spijkerbroek, hoge gympen en een verschoten sweatshirt waarvan het enige positieve was dat het schoon was.

'Dank je wel dat je op een zondag hierheen bent gekomen, Victor,' zei ze beleefd. 'Mijn agenda zit krankzinnig vol op dit moment, nu we op locatie filmen. Ik hoorde dat de accountantscontrole prima is verlopen en onze investeerder heeft vrijdag laten weten dat hij tevreden is. Ik waardeer alles wat je hebt gedaan.'

'Dat hoort gewoon bij mijn werk,' reageerde hij bescheiden, terwijl hij zijn bril rechtzette en ging zitten. Voor hem op zijn bureau lag een hele lijst. Bovenaan stonden zijn vragen over de belasting op haar aankopen in andere staten of het buitenland. Hij herinnerde Tallie eraan dat dezelfde regels ook voor haar dochter golden en dat er over alles wat ze in New York kocht en vervolgens meebracht naar Californië, lokale belasting moest worden betaald.

Tallie vond het een vreselijk ingewikkeld gedoe, maar zo was de wet nu eenmaal. Ze antwoordde dat Brigitte een nauwkeurige administratie bijhield van alles wat ze buiten de staat Californië kochten en die aan hem doorgaf.

Victor was opgelucht en merkte op dat veel van zijn cliënten dat vergaten en er later moeilijkheden mee kregen. Daarna had hij enkele vragen over werknemers en een aantal zelfstandige firma's waarmee ze werkte. En terwijl hij de hele lijst afwerkte, dacht Tallie dat hij het grootste deel ervan ook aan Brigitte had kunnen vragen. Hij legde haar uit dat hij het appartement in Parijs nu opvoerde als privékosten, in plaats van zakelijke, en hij herinnerde haar er voor de zoveelste keer aan dat ze Max alleen mocht opvoeren als financieel afhankelijk zolang ze fulltime studente was – iets wat ze allang wist. En toen gaf hij haar een standje vanwege de enorme som geld die ze iedere maand contant uitgaf.

'Ik kan daar niets van aftrekken van de belasting als ik niet weet waar je het geld aan hebt besteed,' klaagde hij.

'IJsjes, parkeermeters, Starbucks. Ik denk niet dat je grote aftrekbare posten misloopt, Victor,' zei ze met een spijtige blik.

'Dan moet je wel heel veel bekers Starbucks drinken. Voor zover ik kan zien, geef je cash bijna vijfentwintigduizend dollar per maand uit.' Hij probeerde geen afkeurend gezicht te trekken, maar hij was er niet gelukkig mee. Dat was een groot bedrag aan aftrekposten om niet te kunnen opvoeren.

'Vijfentwintigdúízend? Dat kan helemaal niet! Ik geef niet meer dan tweehonderd dollar cash per maand uit, misschien zelfs maar honderd. En ik gebruik mijn creditcard voor al mijn uitgaven, al is het maar een fles shampoo.'

En bovendien kocht Brigitte die meestal ook nog voor haar. Brigitte deed bijna al Tallies privéboodschappen. Er was maar heel weinig wat Tallie zelf hoefde te doen. Brigitte zorgde fantastisch voor haar en dacht vaak al aan iets wat ze nodig had, voordat Tallie het zelf kon bedenken.

'Victor, dat is krankzinnig. Je moet je vergissen en naar het verkeerde bedrag of de verkeerde kolom hebben gekeken, of zoiets. Het is volkomen onmogelijk dat ik per maand vijfentwintigduizend dollar in contanten uitgeef.'

'Dat is anders wat de boeken aantonen. Er worden cheques uitgeschreven om contant geld op te nemen en die worden ook geïnd. Heb je soms veel contant geld in huis rondslingeren?'

'Natuurlijk niet. De helft van de tijd moet ik zelfs geld lenen voor een kop koffie, vooral als Max er is. Ze haalt wel eens wat geld uit mijn portemonnee, maar geen vijfentwintigduizend dollar. Het moet echt een vergissing zijn.' Tallie wist het zeker.

'Nee, dat is het niet,' hield Victor vol. 'Daarom wilde ik je ook spreken. Ik maak me zorgen om de verloren aftrekposten en zelfs nog grotere zorgen als je niet weet hoeveel je uitgeeft en waaraan.'

Het klonk alsof ze onverantwoordelijk en slordig met haar geld omging en gewoon niet wist waar het bleef.

'Kijk dan naar mijn creditcardafschriften. Als iets meer dan vijf of tien dollar kost, gebruik ik sowieso mijn kaart.'

'Hoe verklaar je dan een cashopname van vijfentwintigduizend dollar per maand? Geeft Brigitte zoveel contant voor je uit?'

'Nee, Brigitte gebruikt ook een creditcard. Zij heeft een tweede kaart van mijn rekening.' Dat wist hij uit de boekhouding. 'Volgens mij betaalt zij ook maar weinig contant.'

'Tja, er is in ieder geval íémand die het uitgeeft. En je moet erachter komen wie, als jij het niet bent.'

Hij was zichtbaar ongerust en Tallie vond het ook zorgwekkend. Voor Victor was het een zwart gat in haar boekhouding waarin het geld zomaar verdween. 'Als je het optelt over de laatste drie jaar, komt het neer op bijna één miljoen dollar. Zo'n grote som geld kan niet zomaar weg zijn.'

'Nee, dat lijkt mij ook niet,' beaamde Tallie verbijsterd. 'Ik zal het er met Brigitte over hebben. Misschien betaalt zij iets in contanten waar ik niet van af weet. Zij betaalt alle rekeningen tenslotte en ik weet niet wanneer ze haar creditcard gebruikt, een cheque uitschrijft of iets misschien contant betaalt. Ik zal het haar vragen,' zei Tallie. Ze maakte zich minder zorgen dan Victor. Ze was er zeker van dat er een logische verklaring voor bestond. En Brigitte hield haar uitgaven nauwkeurig bij.

Victor was altijd heel tevreden geweest over de manier waarop Brigitte dat deed. Maar de accountantscontrole had hem ertoe aangezet het totale plaatje nog eens wat aandachtiger te bekijken om waar het kon alles nog preciezer te regelen. Hij hield er niet van om aan zijn cliënten te vragen waar ze hun geld aan uitgaven, tenzij ze in financiële moeilijkheden verkeerden, wat voor Tallie zeker niet gold. Maar hij wilde niet dat ze niet wist waar zo'n groot bedrag bleef. Het was echt een flinke som. Dat was ook de reden waarom hij liever niet had dat zijn cliënten contant betaalden. Niemand kon zich ooit herinneren waar hij of zij het contante geld aan had uitgegeven en Tallie was geen uitzondering. Victor was ervan overtuigd dat het volkomen legitieme uitgaven waren, maar hij wilde weten waaraan en door wie.

Tallie beloofde dat ze dat uit zou zoeken; ze wist zeker dat Brigitte het antwoord op die vragen zou weten.

Daarna begon Victor een lange lijst aan rekeningen met haar door te nemen die hij wilde verifiëren; hij wilde nogmaals controleren of die goed waren ingeboekt. Kleding voor Max, kunst die Tallie in New York had gekocht, een paar cadeaus voor Hunt, waaronder een gouden horloge – hij was ook altijd heel gul voor haar. En aan het einde van zijn lijst kwamen wat reiskosten, vliegtuigtickets en de overnachtingen in plaatselijke hotels waar hij Hunt al naar had gevraagd.

'Hunt heeft al verteld hoe het zit met die hotelovernachtingen hier in L.A.' Victor hoefde daar dus eigenlijk geen uitleg meer over, maar hij wilde het voor de zekerheid nog een keer checken. Victor zag in haar boeken dat ze regelmatig in plaatselijke hotels zaten, hoewel die kosten niet meer voorkwamen in haar creditcardafschriften van het laatste jaar. De drie jaar daaraan voorafgaand kwamen ze wel voor op haar afschriften, maar tegenwoordig alleen nog op die van Hunt. Blijkbaar betaalde Hunt nu steeds voor de hotels.

'Welke plaatselijke hotels?' vroeg Tallie verbaasd.

'De hotels waar je overnacht met Hunt.' Victor wilde het voor gezien houden. Hij had een lunchafspraak met Brianna en alle zaken waar hij vragen over had, en vooral de hoge contante uitgaven, nu met Tallie besproken.

'Ik logeer met Hunt niet in plaatselijke hotels,' antwoordde ze eenvoudigweg. 'Ik overnacht alleen in hotels buiten de stad, als ik op reis ben of op locatie film. Zoals nu in Palm Springs. Ik heb daar voor een paar maanden een kamer geboekt, maar dat zijn zakelijke kosten.'

Victor keek verbaasd. 'Je hebt een paar afrekeningen van het Bel-Air en nogal veel van het Chateau Marmont en het Sunset Marquis. Ik kom drie jaar afrekeningen op je overzichten tegen, hoewel in het afgelopen jaar niet meer. En op Hunts overzichten komen ze ook voor. Hij vertelde dat hij soms een suite huurt voor een bespreking met buitenlandse investeerders en dat hij er ook wel eens met jou overnacht.'

'Je moet het verkeerd begrepen hebben. We hebben nooit in die hotels overnacht. Behalve één keer, in het Bel-Air, toen mijn huis werd verbouwd. Het moet een vergissing zijn.'

Plotseling vroeg Tallie zich af of Brigitte haar creditcard misschien had gebruikt voor een van haar avontuurtjes. Ze wist dat Brigitte nogal een actief liefdesleven had en was er zeker van dat als Brigitte haar creditcard daar een keertje voor had gebruikt, misschien omdat ze die van haarzelf niet bij zich had gehad, het geld op de een of andere manier weer teruggestort zou hebben die Victor waarschijnlijk niet in de boeken had gezien.

'Misschien is het Brigitte geweest. Dat zal ik haar dan ook vragen,' zei ze, hoewel ze het idee dat Brigitte haar creditcard voor haar romantische uitstapjes gebruikte nogal onplezierig vond. Tallie wist zeker dat Brigitte haar uiteindelijk niet zou laten betalen voor die uitjes van haar, maar het kon zijn dat ze in eerste instantie Tallies kaart had gebruikt. Dat zou ze helemaal nooit moeten doen, en het leek ook eigenlijk helemaal niets voor haar. Ze was altijd zo precies, zo zakelijk, en zo gewetensvol wat Tallies boekhouding betreft. Er was nooit ook maar één vraag over gerezen.

Maar de accountantscontrole van de investeerder had dit aan de oppervlakte gebracht. Tallie beloofde Victor dat ze Brigitte uitleg over de hotelovernachtingen en de contante geldopnamen zou vragen.

Victor liet het onderwerp hotelovernachtingen verder rusten. Hij wilde er geen druk op zetten. Hunt was heel helder geweest in zijn uitleg dat hij met Tallie in die hotels had overnacht en zij vertelde nu dat dat niet waar was. Dat klonk in Victors oren als gevaarlijk terrein. Het was niet de eerste keer dat zoiets naar boven kwam in de boeken van een van zijn cliënten en het kon voor een uiterst ongemakkelijke situatie zorgen. Hij wilde niet aandringen, maar hoe het met die contante opnamen zat moest hij absoluut weten. Die baarden hem veel meer zorgen en daarbij ging het om een veel grotere som geld dan die hotelrekeningen. Voordat Tallie vertrok, herinnerde hij er haar nogmaals aan dat het heel belangrijk was om uit te zoeken hoe het zat met dat contante geld.

Op de terugweg naar huis maakte Tallie zich er weinig zorgen om, maar ze nam zich voor het wel uit te zoeken om Victor tevreden te stellen. Brigitte zou heus wel weten hoe het zat. Zou ze echt haar romantische avontuurtjes hebben afgerekend met Tallies creditcard? Als dat niet zo was, was het misschien een geval van identiteitsfraude. Dat was haar al eerder overkomen, toen iemand haar creditcardnummer ergens vandaan had gehaald en als een razende was gaan winkelen waarbij alles met haar kaartnummer was afgerekend. In verband met dat soort fraude had ze haar creditcard al verschillende keren moeten blokkeren. Gelukkig waren er het laatste jaar geen overnachtingen in plaatselijke hotels meer met haar creditcard betaald, dus moest dat probleem al zijn opgelost. En ze had geen idee waarom Hunt had gezegd dat hij met haar in die hotels had overnacht, omdat ze dat nooit hadden gedaan. Victor moest dingen door elkaar halen. En verder was alles helemaal in orde en dat was het belangrijkste.

Vijf minuten na haar thuiskomst kwam Hunt binnen. Hij had het warm en was bezweet. Tallie was bezig een grote salade voor de lunch klaar te maken. Ondanks haar onhandigheid in de keuken, kreeg zelfs zíj een salade voor elkaar. Hunt was in een goede bui want hij had gewonnen, vertelde hij. Hij was altijd competitief op de tennisbaan, zoals bij de meeste sporten. Hij speelde heel fanatiek en kon niet goed tegen zijn verlies. Maar aan de grijns op zijn gezicht te zien had hij vandaag een goede dag.

'Hoe was het bij Victor?' vroeg hij, terwijl hij een sportdrankje uit de koelkast pakte.

'Goed. De arme ziel zit met een stuk of honderd vragen en maakt zich overal druk om. En volgens mij haalt hij de boel een beetje door elkaar. Hij zegt bijvoorbeeld dat ik een enorm bedrag aan contant geld uitgeef, maar ik betaal nooit iets contant. Ik gebruik mijn creditcard altijd. Ik moet nagaan of Brig soms contante betalingen doet, ook omdat hij bang is aftrekposten te missen als dat zo is. Daar maakte hij zich zorgen over. Maar ik weet zeker dat Brig wel weet hoe het allemaal zit. Ik wist het in ieder geval niet.'

Toen wilde ze hem over de hotelrekeningen vertellen, maar ze wist niet goed hoe, zonder beschuldigend te klinken. Misschien kon ze het beter eerst aan Brigitte vragen, dacht ze, voor het geval dat *zíj* haar nachten met een vriendje met Tallies creditcard had afgerekend. En mocht dat zo zijn, dan was Tallie er zeker van dat Brigitte het op de een of andere manier terugbetaald had, waarschijnlijk via een overschrijving of een storting op een van Tallies rekeningen. En Victor zou natuurlijk niet snappen waarom dat geld was binnengekomen. Ze wist zeker dat er een volkomen logische verklaring voor moest zijn en dus zei ze er niets over tegen Hunt. *Zíj* was tenslotte degene die niet begreep hoe het zat en ze moest het gewoon even aan Brigitte vragen, dan zou haar antwoord alles wel ophelderen voor Victor.

Ze brachten een gezellige, ontspannen middag door samen en na de lunch gingen ze in de tuin zitten om daar verder te kletsen. Tallie vond het heerlijk om thuis te zijn. Ze kreeg er genoeg van om op locatie te zijn, maar hield zichzelf voor dat het deze keer een stuk minder zwaar en onplezierig was dan sommige locaties waar ze in het verleden had gefilmd, zoals in India tijdens de moesson, of in Afrika tijdens een burgeroorlog. Palm Springs kon zeker niet worden beschouwd als een ontbering en het was ook nog dicht bij huis.

Terwijl Hunt en Tallie in de tuin zaten, lunchte Victor met Brianna in de Polo Lounge van het Beverly Hills Hotel. Ze was gepikeerd dat hij haar een halfuur had laten wachten, en hij probeerde haar uit te leggen dat hij de bespreking met zijn cliënt had moeten afronden. Verder was ze ook geïrriteerd omdat hij op een zondag had moeten werken. En ze vond dat hij er in pak met stropdas uitzag als een begrafenisondernemer. Ze had die ochtend gewild dat hij een spijkerbroek en een buttondown overhemd aantrok, maar Victor had dat niet gedaan uit respect voor zijn cliënt, of het nou zondag was of niet.

Victor en Brianna hadden elkaar de laatste paar dagen niet vaak gezien. Brianna was blijkbaar veel weg geweest en Victor had het druk gehad met de accountantscontrole.

'Het spijt me dat ik de laatste tijd zoveel heb moeten werken, maar vanaf nu moet het rustiger worden,' zei hij verontschuldigend. Hij vond dat ze er prachtig uitzag in een strakke witte jurk met een diep uitgesneden halslijn, die ze die week bij Roberto Cavalli had gekocht. Haar decolleté kwam er bijzonder voordelig in uit.

'Oké,' reageerde ze kalmpjes. Pas toen ze aan de koffie zaten, liet ze de bom barsten. Ze ademde diep in en zei botweg: 'Ik wil vijf miljoen dollar.'

'Waarvoor? Dat wil ik ook wel,' zei hij met een glimlach.

'Om met je getrouwd te blijven,' antwoordde ze kil. Plotseling was ze een en al zakelijkheid en lang niet zo uitnodigend als ze eruitzag. 'Plus ieder jaar een bedrag dat we nog moeten vaststellen. Maar eerst wil ik vijf miljoen.'

'Waar slaat dat op? Hebben we een huwelijk of een zakelijke overeenkomst?' vroeg hij ontdaan. 'Zoveel geld heb ik helemaal niet,' zei hij, terwijl hij haar in de ogen keek.

'Dat had je anders wel.'

'Maar nu niet meer.' En als hij het wel had gehad, zou hij het niet aan haar hebben betaald zodat ze getrouwd met hem zou blijven. Dit was pure afpersing. Haar boodschap was helder en duidelijk: 'Betalen of ik ben weg'. Dat begreep hij heel goed.

'En drie miljoen?' vroeg ze.

Blijkbaar was ze bereid erover te onderhandelen.

'Maar als je het niet betaalt, verlaat ik je. Ik kan niet gewoon maar zonder geld zitten. Ik moet de zekerheid hebben dat er geld voor mij op de bank staat. Dan voel ik me geborgen.'

Zij geborgen, en ik failliet, dacht hij.

'Brianna, ik héb het gewoon niet.' Hij begreep niet hoe haar advocaat deze idiotie had kunnen verzinnen en dit idee in haar hoofd had kunnen planten. Maar hun huwelijk liep er wel in een razend tempo door op de klippen.

'Als je niet meewerkt,' zei ze ijskoud terwijl hij de rekening betaalde, 'ga ik bij je weg. Ik kan toch niet getrouwd blijven met een man die me mijn geluk niet gunt.'

Haar geluk had anders wel een verdomd hoge prijs... Maar alles was nu duidelijk. Victor zag er bleekjes uit terwijl ze voor het hotel op hun auto stonden te wachten en daarna in stilte naar huis reden. Hij wist heel goed waar dit toe zou leiden: of hij betaalde nu wat ze eiste, of hij betaalde zich straks scheel aan alimentatie. Victor was zo van streek dat hij door een rood licht reed en ze bijna een ongeluk kregen. Hij was nog nooit in zijn leven zo in paniek geweest...

Van Danielle Steel zijn verschenen:

Hartslag • Geen groter liefde • Door liefde gedreven
Juwelen • Palomino • Kinderzegen • Spoorloos verdwenen
Ongeluk • Het geschenk • De ring van de hartstocht
Gravin Zoya • Prijs der liefde • Kaleidoscoop
Souvenir van een liefde • Vaders en kinderen • Ster
Bliksem • Het einde van een zomer • Vijf dagen in Parijs
Vleugels • Stille eer • Boze opzet • De ranch
Verslag uit Vietnam • De volmaakte vreemdeling
De geest • De lange weg naar huis • Een zonnestraal
De kloon en ik • Liefde • Het geluk tegemoet • Spiegelbeeld
Bitterzoet • Oma Danina • De bruiloft
Onweerstaanbare krachten • De reis • Hoop • De vliegenier
Sprong in het diepe • Thuiskomst • De belofte • De kus
Voor nu en altijd • De overwinning • De villa
Zonsondergang in St.Tropez • Eens in je leven
Vervulde wensen • Het grote huis • Verleiding
Veranderingen • Beschermengel • Als de cirkel rond is
Omzwervingen • Veilige haven • Losprijs • Tweede kans
Echo • (On)mogelijk • Het wonder • Vrijgezellen • Het huis
Het debuut • De kroonprinses • Zussen • Hollywood hotel
Roeping • Trouw aan jezelf • De casanova
Een goede vrouw • Een tijd van hartstocht
Een speciaal geval • Losprijs • Geheimen • Familiealbum
Elke dag is er een • Door dik en dun • De weg van het hart
Het warme Zuiden • Familieband • Erfenis
Hoop is een geschenk • Charles Street 44 • De verjaardag
Hotel Vendôme • Bedrog • Vrienden voor het leven